智能网联汽车协同轨迹规划理论与实践

Theory and Practice of
Cooperative Trajectory Planning for

Connected and Automated Vehicles

李 柏　孙跃硕　田 伟　张友民◎著

化学工业出版社
·北京·

内容简介

本书系统阐述了智能网联汽车在典型场景下的协同轨迹规划理论与实践方法。全书以计算最优控制方法为主线，围绕最优控制问题建模、数值优化求解以及辅助求解策略设计等核心理论问题展开，并结合多种典型自动驾驶场景，构建相应的协同轨迹规划方法体系。在理论讲解的基础上，书中还详尽介绍了数值优化求解器的安装与配置流程，以及软件仿真系统与硬件平台的部署方法，最后给出闭环跟踪控制与实车实验的操作指南及关键代码解析，突出理论方法与工程实践的紧密结合。

本书可作为高校相关专业研究生、本科生的学习用书，也可供自动驾驶、交通运输及智能车辆领域的科研人员和工程技术人员参考。

图书在版编目（CIP）数据

智能网联汽车协同轨迹规划理论与实践 / 李柏等著 . 北京 ：化学工业出版社， 2026. 3. -- ISBN 978-7-122-49968-4

Ⅰ. U463.67

中国国家版本馆 CIP 数据核字第 2026NH3769 号

责任编辑：张海丽　　文字编辑：张　琳
责任校对：张茜越　　装帧设计：王晓宇

出版发行：化学工业出版社
（北京市东城区青年湖南街13号　邮政编码100011）
印　　装：河北京平诚乾印刷有限公司
787mm×1092mm　1/16　印张11¾　彩插1　字数257千字
2026年4月北京第1版第1次印刷

购书咨询：010-64518888
售后服务：010-64518899
网　　址：http://www.cip.com.cn
凡购买本书，如有缺损质量问题，本社销售中心负责调换。

定　　价：98.00元

序

在我国加快建设交通强国和制造强国的进程中，智能网联汽车的发展已成为推动交通运输体系升级和提升国家自主创新能力的重要方向。作为智能交通与人工智能的交叉前沿，智能网联汽车不仅需要单车智能的突破，更依赖体系化的协同决策与轨迹规划。本书正是聚焦这一关键问题，全面总结了相关理论与实践成果。

机器人与智能制造的发展，归根到底要落在国家所需与产业主战场上。在重大灾害处置、防疫及工业现场等场景中，用真实系统验证关键技术的有效性与可靠性，不仅要求研究者有扎实的理论功底，还要打通基础研究、工程实现与场景应用之间的壁垒，面向实际问题，协同攻关，持续迭代。本书的内容正是对这种取向的呼应：作者团队在长期研究中，把理论建模、数值计算与软硬件实现贯穿为一条完整链条，围绕协同轨迹规划的“可求解”“可执行”“可部署”问题提出了系统性答案，体现了学术探索与工程落地的紧密结合。

面向未来，具身智能与大模型正在重塑机器人感知、认知与决策的范式，机器视觉与轨迹规划的深度融合将进一步提升车辆集群在开放环境中的理解与协同能力。以优化为核心的可解释方法，若能与数据驱动的表征学习和生成式先验有机结合，将为自主无人系统带来新的突破。同时，推动基础软件、算力平台与关键算法的自主可控，夯实从模型到系统的全链条能力，仍是亟须努力的方向。

本书兼具理论性与实践性，既有助于研究生和工程技术人员对协同轨迹规划领域建立系统认识，也为一线团队在研发和教学训练中提供了参考蓝本。希望读者在阅读本书时，不仅能够掌握相关理论与方法，还能进一步面向真实应用场景，提出更具挑战性的问题，沉淀高质量的数据与可复用的经验，推动我国智能网联汽车技术的原创突破与规模化应用。也期待作者团队在后续研究中，继续拓展车 - 路 - 云协同、车队博弈与人机共驾等更广阔的场景，把运行安全、可解释与可验证贯穿始终，为行业提供可迁移、可进化的系统解决方案。

谨以此序，祝本书的出版能为我国智能网联汽车领域的研究与应用贡献一臂之力。

王耀南

中国工程院院士

二〇二五年九月

前言

智能网联汽车以车载传感、计算与执行构成的闭环为基础，叠加车、路、人、云等要素的V2X（车辆全域互联）信息交互与共享，形成对复杂环境的感知、决策与协同控制能力，目标是实现安全、高效、舒适、节能的自动行驶并最终替代人工驾驶。近年来，随着人工智能、物联网和5G等信息通信技术的快速发展，核心算法与软硬件持续迭代，基础设施与标准体系加速完善，产业生态日趋成熟，出行范式因此被重塑。在智能网联汽车编队场景中，协同轨迹规划负责为每一辆网联车生成可执行的时空轨迹，其协同品质是衡量编队智能驾驶水平的重要标尺。本书围绕多类典型自动驾驶场景，以计算最优控制理论体系为主线，系统地介绍智能网联汽车编队的协同轨迹规划方法。

本书适用于智能网联汽车协同轨迹规划技术领域的工程技术人员、相关专业的高校学者，以及虽有意涉足该领域但编程基础相对薄弱的本科生与研究生。全书在结构上划分为理论与实践两部分。理论部分尽可能降低对先修知识的要求，以加强本书的自组织性；凡对理解主线影响不大的细枝末节，将从简处理而不影响阅读连贯性；关键概念与推导均力求自成体系，最大限度减轻读者额外翻阅检索文献的负担。实践部分同样遵循自组织原则，从Linux系统的安装与环境配置起步，循序引导。即便是非工科背景、具备基本常识与理解能力的读者朋友，只要依照第8章的步骤逐一操作，亦可在个人计算机上完成多车协同轨迹规划的仿真运行，这是进入本领域并逐步树立学习信心的良好开端；在第9章及其后，书中对若干关键代码段给出充分而具体的讲解与示例性指导，读者可据此循序实践、逐步完成。对于已具备一定编程能力或在自动驾驶、智能网联汽车方面拥有工程与科研经历的读者，阅读本书能够产生较强的共鸣与认同，并在方法认知与实操层面得到进一步提升。因此，本书既面向零基础的初学者，也为有经验的从业者提供提升空间；既可作为该领域的入门读物，又保持必要的理论深度，体现了著者多年来在该方向上体系化工作与实践经验的积累。期待本书能够与更多领域的读者达成共识，并在交流中推动相关研究与应用的深入发展。

本书的撰写工作离不开各位师长、前辈、同行与朋友的鼓励与支持。在此谨向邵之江教授、王飞跃教授、王耀南院士、李力教授、李平教授、王慧教授、宋春跃教授、刘泓教授、丁军教授、宫洵教授、李晓辉教授、李峻翔教授、陈锋教授、边有钢教授、岳明教授、王昕炜教授、陈鹏教授、余贵珍教授、于会龙教授以及田永笑教授等表示诚挚的感谢。过去五年间，湖南大学共有271名研究生选修我主讲的《自动驾驶决策规划理论》课程，他们在课堂学习中的讨论与思考为本书提供灵感并拓展了写作思路，卜凡、杨筱涵与娄晟杰参与了本书初稿的校对工作，在此一并致以诚挚的感谢。

本书的出版工作得到华东师范大学各位领导的关怀与支持，谨向杜震宇、王华、卢波、王强、吕岳、熊红凯、夏冰、李庆利、吴幸、徐景等各位领导致以衷心感谢。

本书的撰写工作得到了华东师范大学融合发展创新项目（项目号 40500-20104-222612）、中央高校基本科研业务费（项目号 15904-120215-12509）、国家自然科学基金项目（项目号 62103139）以及湖南省“芙蓉计划”湖湘青年英才项目（项目号 2023RC3115）的资助，在此一并致谢。

家人是科研路上坚实的后盾，也是心灵休憩的港湾。他们以体谅与无私付出为我托举起稳定而温暖的生活，让我得以心无旁骛地投入科学研究之中。

限于著者的学识与研究水平，本书难免有疏漏之处，恳请各位读者朋友不吝指正。

李　柏

二〇二五年九月

目录

第1章 智能网联汽车概述 1

1.1 智能网联汽车的研究背景与意义 / 2
1.1.1 研究背景 / 2
1.1.2 研究意义 / 3
1.2 智能网联汽车技术概述 / 4
1.3 智能网联汽车协同轨迹规划概述 / 6
1.3.1 智能网联汽车协同轨迹规划问题的定义 / 7
1.3.2 智能网联汽车协同轨迹规划问题的难点 / 9
1.3.3 智能网联汽车协同轨迹规划问题的主要解法 / 11

第2章 智能网联汽车协同轨迹规划问题建模 14

2.1 车辆运动学约束 / 15
2.2 两点边值约束 / 18
2.3 避障约束 / 20
2.3.1 圆盘模型 / 20
2.3.2 基于分离轴定理的凸多边形模型 / 21
2.3.3 基于对偶问题转化的凸多边形模型 / 24
2.3.4 基于三角面积不等式的凸多边形模型 / 26
2.3.5 时空安全走廊模型 / 27
2.3.6 半空间模型 / 30
2.4 代价函数 / 32
2.5 总体命题 / 32

第3章 智能网联汽车协同轨迹规划问题基本解法 34

3.1 最优控制问题的常见求解方法 / 35
3.2 计算最优控制方法体系 / 35
3.2.1 最优控制问题的全联立离散化 / 35
3.2.2 非线性规划问题的求解 / 38
3.2.3 时间连续最优控制/状态函数重构 / 39
3.3 基于搜索的初始解构造方法 / 40
3.3.1 初始解对梯度优化的意义 / 41
3.3.2 初始解对协同轨迹规划的意义 / 43
3.3.3 基于二维空间A*搜索算法的路径构造 / 43
3.3.4 基于三维时空A*搜索算法的轨迹构造 / 45
3.3.5 基于冲突搜索的多车协同轨迹构造 / 45

第4章 结构化道路场景中的多车协同换道轨迹规划方法 48

4.1 场景特点与任务难点解析 / 49
4.2 协同轨迹规划命题构建 / 49

4.3 求解思路 / 52
4.4 基于稀疏编队重构策略的多阶段协同轨迹规划 / 53
4.5 完整算法流程 / 55

第5章 非结构化路口场景中的多车协同通行轨迹规划方法 57

5.1 场景特点与任务难点解析 / 58
5.2 基于安全走廊与相对安全走廊的避障约束 / 59
5.2.1 基于安全走廊的车-环境避障约束构建 / 59
5.2.2 基于相对安全走廊的车-车避障约束构建 / 60
5.3 基于社会力模型的参考轨迹生成 / 62
5.3.1 基础社会力模型 / 63
5.3.2 考虑车辆运动学规律的社会力模型改进思路 / 63
5.4 基于轻量化迭代优化的求解鲁棒性增强策略 / 65
5.4.1 名义求解方法及其不足 / 66
5.4.2 轻量化迭代优化方法 / 67
5.5 基于批次划分的求解实时性保障机制 / 69

第6章 无序、杂乱、低速场景中的多车协同避障轨迹规划方法 71

6.1 场景特点与任务难点解析 / 72
6.2 协同轨迹规划命题构建 / 73
6.3 求解思路 / 75
6.4 约束尺度自适应缩放优化 / 75
6.5 进一步提升计算效率的策略 / 77
6.5.1 分组 / 77
6.5.2 约束施加域精准调整 / 78
6.5.3 序贯凸规划 / 78
6.5.4 基于机器学习的参考轨迹构造 / 78
6.5.5 基于混合整数规划的参考轨迹构造 / 79

第7章 自由空间中的超大规模编队重构协同轨迹规划方法 80

7.1 场景特点与任务难点解析 / 81
7.2 求解思路 / 81
7.3 滚动时窗逐步优化 / 82

第8章 智能网联汽车协同轨迹规划软件系统部署方法 85

8.1 Ubuntu操作系统的安装 / 86
8.1.1 Ubuntu安装包镜像的获取 / 87
8.1.2 Ubuntu安装启动盘的制作 / 87
8.1.3 Ubuntu操作系统的安装与配置 / 89
8.1.4 Ubuntu操作系统界面主题的调整 / 94
8.1.5 Ubuntu操作系统的中文支持与中文输入法配置 / 96
8.2 机器人操作系统的安装 / 99
8.2.1 ROS安装脚本的下载 / 100
8.2.2 ROS的安装步骤 / 100
8.2.3 ROS安装效果的验证 / 103
8.3 协同轨迹规划算法所依赖的软件库安装与配置 / 104
8.3.1 编译环境的配置 / 104

8.3.2 COIN-HSL数学库的申请与下载 / 104
8.3.3 ThirdParty-HSL软件包的下载与联合安装 / 109
8.3.4 IPOPT优化求解器的安装 / 110
8.3.5 CasADi符号计算框架的构建 / 111
8.3.6 CasADi与IPOPT联合求解数学规划问题范例 / 112
8.3.7 Ubuntu系统环境变量的持久化配置 / 114
8.4 协同轨迹规划示例程序的运行 / 114

第9章 智能网联汽车协同轨迹规划硬件平台部署方法 118

9.1 硬件平台总体架构 / 119
9.2 轮式智能小车平台 / 120
9.2.1 轮式智能小车基本硬件配置 / 120
9.2.2 轮式智能小车固件的烧录 / 121
9.2.3 轮式智能小车车载控制软件设计 / 124
9.3 高精度室内定位系统 / 126
9.3.1 动捕系统硬件连接与通信设置 / 126
9.3.2 动捕镜头标定与坐标系对齐 / 126
9.3.3 光学标记点的安装 / 127
9.3.4 小车刚体模型的建立 / 127
9.3.5 动捕系统数据与规划计算机的通信 / 128
9.4 室内无线通信系统的配置 / 128
9.4.1 无线通信模块选型与特性 / 128
9.4.2 通信链路的配置与协议实现 / 129

第10章 智能网联汽车协同轨迹规划的闭环跟踪控制算法调试 131

10.1 基于纯跟踪的横向控制方法 / 132
10.1.1 横向控制任务解析 / 132
10.1.2 纯跟踪控制器基本原理 / 133
10.1.3 纯跟踪控制器参数标定方法 / 134
10.2 基于PID的纵向控制方法 / 135
10.2.1 纵向控制任务解析 / 135
10.2.2 PID控制器基本原理 / 137
10.2.3 PID控制器参数标定方法 / 139

第11章 智能网联汽车协同轨迹规划实车实验与关键代码解析 140

11.1 协同轨迹规划实车实验任务与操作流程 / 141
11.2 实车实验代码环境部署与运行 / 141
11.3 实车实验软件系统及关键代码解析 / 143
11.3.1 系统整体软件架构 / 143
11.3.2 定位节点程序解析 / 144
11.3.3 控制节点程序解析 / 154
11.3.4 底盘通信节点程序解析 / 165
11.3.5 协同轨迹规划目标点指派策略解析 / 170

参考文献 174

后记 177

第1章 智能网联汽车概述

1.1 智能网联汽车的研究背景与意义
1.2 智能网联汽车技术概述
1.3 智能网联汽车协同轨迹规划概述

1.1 智能网联汽车的研究背景与意义

智能网联汽车（intelligent connected vehicle，ICV）是指搭载先进的车载传感器、控制器、执行器等装置，并融合现代通信与网络技术，实现车与 X（车、路、人、云等）智能信息交换、共享，具备复杂环境感知、智能决策、协同控制等功能，可实现安全、高效、舒适、节能行驶，并最终实现替代人类操作的新一代汽车[1]。本质上来讲，智能网联汽车既是能够自主感知外界环境、实时做出行为决策并精准执行控制指令的智能终端，也是可与道路基础设施、云计算平台及其他车辆进行信息交互的移动节点。这种双重身份决定了智能网联汽车很自然地集成了机械工程、信息科学、通信技术与人工智能等多学科成果，其研究与应用领域超出了传统车辆工程学科的范畴。本节将简要阐述智能网联汽车的研究背景与意义。

1.1.1 研究背景

从全球视角看，智能网联汽车经历了自动化探索、网络化萌芽、融合式推进三个阶段。二十世纪七八十年代，北美与欧洲科研机构开展了基于摄像-磁导引的车辆自动循迹实验，产生了机器替代人类操作的雏形[2]。随后，车用雷达、卫星导航快速商业化，车辆端具备了初步的环境感知与定位能力。二十世纪九十年代，各国将无线通信引入道路基础设施，提出车 - 车协同、车 - 路协同的早期框架，网联化概念开始成型[3]。进入二十一世纪以来，深度学习方法在目标检测、语义分割等任务上取得突破，并被成功应用于智能网联汽车感知模块中[4]；与此同时，第四代及以后的蜂窝移动通信持续推广大规模天线技术，支撑超可靠低时延车 - 路 - 云交互场景，为智能网联汽车协同控制奠定通信基础[5]。这两条技术曲线的交汇，使智能与网联双轨融合，并推动智能网联汽车由实验验证进入商业化试点阶段。当前，多国以高速公路示范、城市限定区域运营为突破口，持续验证高等级自动驾驶技术与法规体系。

我国智能网联汽车虽起步相对较晚，但因产业体系完备、市场规模庞大以及政策导向清晰，形成了后发而并跑、示范先导、应用牵引的特色路径。2015 年 5 月，国务院以国发〔2015〕28 号文印发《中国制造 2025》行动纲要[6]，在“节能与新能源汽车”专项中提出发展智能化汽车的要求。2020 年 2 月，国家发展改革委、中央网信办、科技部、工业和信息化部等 11 个部门以发改产业〔2020〕202 号文联合发布《智能汽车创新发展战略》[7]，提出 2035—2050 年，要全面建成安全、高效、绿色、文明的智能汽车强国，使智能网联汽车在交通出行和公共服务场景中普及应用，充分满足人民对美好出行的需要。2020 年 11 月，国务院办公厅以国办发〔2020〕39 号文印发《新能源汽车产业发展规划（2021—2035 年）》[8]，明确将电动化、网联化、智能化作为新能源汽车产业发展主线，提出的阶段目标中展望 2035 年，高阶智能驾驶汽车规模化应用，车 - 路 - 云一体化运行体系和能源 - 信息融合基础设施全面落地，从技术、设施和应用三方面为智能网联汽车的普及奠定长期战略支撑。2023 年 8 月，工业和信息化部、公安部、住房城乡建设部、交通运输部印发《关于开展智能网联汽车准入和上路通行试点工作的通知》[9]，以试点形式衔接产品准入和道路通行管理链路，针对搭载 L3/L4 自动驾驶功能的智能网联汽车，细化了测试验证、安全评估、公示准入、限定区域运营、在线监测、网络与数据安全及事故责任追溯等要求，为智能网联汽车由示范测试转向规模化商业应用建立了覆盖全生命周期的监管框架。与此同时，北京、上海、广州、重庆等地在封闭测试区、开放道路测试、车路协同示范运营等环节先行先试，形成了部委统筹、地方先行、企业主体、产学研用协同的推进格局[10]。

在智能网联汽车技术体系内部，感知、决策、控制与通信等技术模块近年来不断取得新的突破[11,12]。传感器单元的规模化生产显著降低了激光雷达、4D 毫米波雷达和高像素摄像机的单价，配合跨模态融合算法的更新，使量产车型已可实现厘米级定位、全天候障碍物识别以及复杂交通语义解析。车规级系统芯片（system on chip，SoC）在算力密度与能效比上的持续提升，为毫秒级决策、整车功能在线升级以及持续学习提供了硬件基础。与此同时，基于 5G 的车用蜂窝通信、路侧光纤网络和北斗亚米级定位服务加速铺开，车 - 路 - 云信息往返时延明显缩短，协同控制场景由实验验证进入商业部署阶段。动力系统的电动化重塑了车辆电子电气架构，高压供电和集中布线为高算力板卡与多模传感器预留了充足的功率与空间，为深度智能化奠定了物理与经济可行性基础。

智能网联汽车的技术发展受到交通安全、出行效率、能源转型等多重现实需求的驱动。统计显示，道路交通事故中超过九成与人为因素直接相关[13]，智能网联汽车技术被认为是有效降低事故率的系统性方案[14]；大城市拥堵与物流时效矛盾日趋突出，车 - 路信息协同可在宏观层面优化道路资源配置；“双碳”战略对交通碳排放和能效提出更严格约束，精准驾驶、智能充电与车队协同调度可在单车和系统两级同步提升能源利用效率；同时，软件定义汽车（software-defined vehicle，SDV）的兴起拓展了产业价值边界；高精度地图、行驶轨迹与道路数字孪生等要素加速沉淀为数据资产，并由此衍生出面向车端、路端及云端的多元商业模式。

尽管发展势头强劲，智能网联汽车仍面临若干瓶颈与不确定性：感知与控制算法在极端气象和异常场景下的鲁棒性尚待工程化验证；高端芯片、激光雷达等关键部件在自主可控方面与国际先进水平仍有差距；城市干线、公路和园区道路的数字化改造标准不统一，一体化升级亟须跨部门协同；跨域数据的安全合规在隐私保护、公共安全与要素流通之间亟须平衡；现行法律法规与技术标准的迭代速度难以完全匹配商业化节奏。如何在保障伦理与安全的前提下实现规模化推广，并将地方示范经验平稳复制至更大区域，是当前智能网联汽车研究与实践共同面对的重要课题。

1.1.2 研究意义

面向制造强国和交通强国的国家战略，智能网联汽车所整合的整车集成、车规级芯片、车载软件、信息通信、数字地图以及云控平台等关键环节，可对机械、电子、信息、材料等传统制造板块产生乘数效应。以量产需求为牵引，国内在高可靠传感器、功能安全 SoC、实时操作系统和轻量化复合材料等领域持续释放原创成果，为高端装备制造积累了可复制、可推广的系统集成范式，并为传统汽车产业注入高技术、高附加值的新动能，进而在更高层次巩固制造业核心竞争力。

在数字经济与实体经济融合方面，智能网联汽车依托“车 - 路 - 云”架构，以高精度时空数据、驾驶行为数据和设备状态数据为核心，形成数据采集、算力处理、算法训练、服务生成再到数据回流的闭合链条。海量数据经确权、脱敏和可信流通后转化为可计价的生产要素，带动云计算、边缘计算、车联网安全、数字孪生等新兴产业加速聚集，推动装备制造、软件开发与通信服务的深度耦合，为完善数据要素市场规则和塑造数字产业生态提供关键抓手。

在交通安全层面，智能网联汽车通过车端多模态感知、路端状态监测与云端协同决策构建毫秒级风险识别 - 处置闭环，显著提高对潜在碰撞、车辆失稳及异物侵占车道等危险场景的前瞻性防控能力。依托车规级空中远程（over-the-air，OTA）软件升级能力以及全国性场景库的持续迭代，车辆可在无需返厂的情况下远程获得新版控制算法与安全策略，进而快速覆盖新出现的道路与气象情景，重特大事故概率有望随保有量提升呈阶梯式下降，为道路交通安全治理提供高可靠技术支撑。

在能源与环境维度，智能网联汽车通过精准调控动力输出、行驶速度及跟驰间距，减少冗余加速与制动；借助全局交通信息与充电桩状态数据，可在网络层面实施行程与充电联合优化，缓解高峰拥堵、降低碳排放，并在区域电网侧实现削峰填谷。该技术体系与电动汽车协同，可在车辆侧、路侧和能源侧三重维度支撑“双碳”目标落地。

智能网联汽车的普及亦为公共服务普惠与城市治理现代化提供了新工具。自动泊车、自动接驳和远程代驾功能降低了老年人与行动障碍群体的出行门槛；车辆实时回传的道路结构、交通流和微气象信息，为交通指挥、应急救援及市政养护提供精准数据支撑，推动城市管理从经验驱动迈向数据驱动。

在全球产业竞争格局中，智能网联汽车的技术标准、网络安全框架和数据治理规则尚处于重塑阶段。我国若能在产品准入、道路测试、数据合规、网络安全等环节率先形成完整的政策与技术体系，将在国际规则制定与产业合作中掌握更大主动权，提升产业链控制力和品牌影响力。

从学术视角看，智能网联汽车横跨交通工程、人工智能、控制科学、通信网络、法学与伦理学等多学科，为复杂系统建模、群智协同控制、实时决策验证和数据合规治理提供高维度、实时性的研究对象，可孵化跨学科原创理论并扩大系统工程与数字治理研究范畴。

在区域发展层面，示范区和先导区建设对芯片设计、软件开发、云服务、保险金融等上下游企业具有显著的集聚和溢出效应，可通过产业链协同带动地方就业、完善城市功能并提升区域竞争力。成熟的示范模式具备可复制、可推广属性，为其他地区构建综合交通与数字产业集群提供范式参考，进一步推动区域经济高质量发展。

系统深入地研究智能网联汽车，不仅回应了技术进步与产业升级的紧迫需求，也契合了安全、高效、绿色与智能交通体系建设的战略目标；其理论价值与实践意义兼具，可为我国在未来交通竞赛中占据先机并构建新质生产力提供坚实的知识支撑与产业路径。

1.2 智能网联汽车技术概述

智能网联汽车的技术体系通常以“三横两纵”架构[1]加以描绘。如图 1-1 所示，该架构既反映了各项关键技术的逻辑分层，也揭示了车辆端与路侧、平台端之间的交互关系。为了便于读者快速把握智能网联汽车技术的整体脉络，本节通过横向三大技术领域与纵向两条支撑链条对现阶段主流技术内容及其发展重点予以阐述，并特别说明该架构与本书所关注的协同轨迹规划技术的联系。

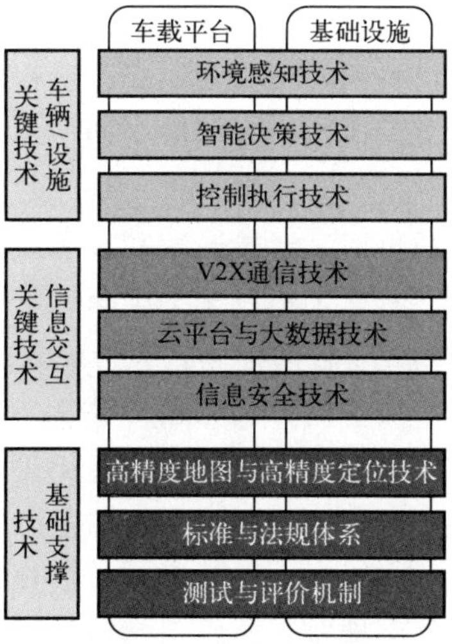

图 1-1 智能网联汽车“三横两纵”技术体系架构[1]

环境感知技术使得智能网联汽车“看得见”。智能网联汽车的车端通过视觉传感器、毫米波雷达、激光扫描雷达等设备，能够实时识别车道线、车道边界线、车道中心线、行人、障碍物、交通标志牌等环境要素，并通过多源数据融合提升感知精度与可靠性。基础设施端则在道路沿线布设固定式视觉传感器、雷达检测桩及气象监测设备，实时监测路况、障碍物及恶劣天气状况，尤其在交叉路口、弯道、隧道口等车端感知盲区位置提供补充信息，并将处理后的目标信息主动广播给过往车辆。车端与路端（基础设施端）的信息在智能网联汽车中进行深度融合，再借助云端的历史数据模型，最终实现全天候、全场景、低误报的精准环境感知。

智能决策技术确保智能网联汽车“想得准”。智能网联汽车车端的智能决策通常采用分层决策架构，上层负责从交通规则、场景特征和驾驶经验出发生成高层驾驶意图，下层则依据车辆运动学和动力学模型实时规划安全舒适的行驶轨迹和具体动作。路侧（端）则负责全局性的协同决策，如在交通流量较大的路口，通过协同算法生成绿波车速建议、优先通行顺序或动态限速指令，引导智能网联汽车形成有序队列和高效通行。车端决策融合路侧给出的建议，并实时评估碰撞风险和乘坐舒适性后执行，兼顾了个体车辆的智能化决策与整体交通流的有序性。

控制执行技术确保智能网联汽车“行得稳”。车端借助电动化的底盘集中控制架构，实现对驱动系统、转向系统、制动系统的精确协调控制，通过快速精确的执行动作，实现纵横向运动的平稳精准控制。基础设施端则通过道路信号灯相位控制、可变限速标志及车道管控指示等方式，向智能网联汽车发出动态的驾驶建议或限制性指令，引导其提前调整速度、改变车道或保持合理跟车间距。这种车路协同控制模式，不仅提高了车辆运动的稳定性和安全性，还能在更大范围内抑制交通波动，降低频繁加减速导致的能源浪费与交通事故风险。

V2X 通信技术保证智能网联汽车“连得上”。智能网联汽车的车端配备多模式通信模块，能够与其他车辆和基础设施实现高速、稳定的数据交换，在复杂城市环境或高速公路环境中迅速获取关键信息，如道路施工区域、交通事故预警等。基础设施端则依托沿线部署的路侧通信单元，以标准化的方式广播交通灯状态、施工区域、突发事件信息和动态交通流数据，帮助智能网联汽车及时响应复杂场景。各地正在建立专用的车路通信网络，以确保关键的安全和控制信息能够在高干扰环境下仍然可靠传输，提升智能网联汽车的信息获取与响应能力。

云平台与大数据技术保证智能网联汽车“算得快”。智能网联汽车的车端会实时上传自身的环境感知摘要、运行状态信息与关键事件数据；路侧的边缘计算节点则利用这些数据快速进行局部交通仿真，实时预测拥堵趋势并下发速度推荐、路径引导与充电排程信息；云端则负责大规模数据分析、历史场景库的管理，以及智能驾驶模型的离线训练与更新。通过云端和边缘端的紧密联动，新算法、新策略可以实时分区域推送至智能网联汽车，车辆无须中断运行即可完成模型升级与持续优化，使系统具备不断提升的性能与安全保障能力。

信息安全技术确保智能网联汽车“防得住”。在车端，智能网联汽车通过构建专门的信息安全隔离区域，采用硬件级的安全隔离、访问权限管理及通信白名单机制，防范未经授权的入侵与数据泄露。在基础设施与云端，则建立分级的数据访问控制机制，对敏感位置信息、驾驶行为信息和身份信息等进行匿名化与分区存储。针对软件与算法更新，云端预先进行虚拟环境下的沙箱验证，确认无误后再分阶段向智能网联汽车推送更新文件，如出现异常可立即回滚，实现端到端的深度联防体系，保障智能网联汽车信息系统与数据流转的安全性。

高精度地图与高精度定位技术支持智能网联汽车“认得清”。在车端，智能网联汽车融合惯性导航和卫星定位系统，实时进行高精度车辆位置计算；路侧则在关键路段和复杂交通节点附近部署定位增强设施，并将道路特征（如路沿线、护栏、信号灯和地面标识等）编码为三维数字图层，按需推送给行驶车辆。智能网联汽车行驶过程中记录的环境信息、点云数据和语义标签会持续回传至云端，经过集中处理与验证后，实现地图数据的高效迭代与更新，确保道路基础设施变化或施工改造信息能及时在智能网联汽车的高精度地图上体现，保障精确导航与自动驾驶功能的可靠运行。

标准与法规体系保证智能网联汽车“行得正”。在车端，智能网联汽车必须严格符合国家关于驾驶自动化等级划分、数据记录要求、功能安全及网络安全等方面的技术标准，才可进行规模化销售和应用。在基础设施端，国家及地方政府也发布并执行道路数字化改造标准、通信接口规范以及车路协同控制实施指南，确保基础设施和智能网联汽车之间实现标准化和无缝交互。这种标准化框架不仅推动了各地设施与车辆之间的一致性与互操作性，也为技术成熟度和商业化应用的推进提供了必要的制度保障。

测试与评价机制确保智能网联汽车“放得开”。智能网联汽车在正式投入运行前必须经历封闭环境下的极端条件测试，包括恶劣天气、通信中断、道路湿滑等极端场景，以验证其基本性能与可靠性。随后在开放道路或示范区域内进行带监管的影子模式测试，所有控制动作和车辆反应均记录在案，以便后期的回放与问题追溯。道路侧测试区则根据云端场景数据库自动组合生成各种复杂和极端工况，全面验证智能网联汽车在不同条件下的鲁棒性与安全性。云端持续更新并扩充仿真场景库，形成仿真测试、封闭测试与开放测试相结合的完善闭环评价体系，为智能网联汽车技术成熟和市场准入提供有效支撑。

1.3 智能网联汽车协同轨迹规划概述

本节将对智能网联汽车协同轨迹规划技术进行概述性的介绍。首先，对智能网联汽车协同轨迹规划问题进行明确的定义，并对典型应用场景进行合理分类，以帮助读者准确把握该领域的研究内涵。随后，分析协同轨迹规划问题在求解过程中存在的重点与难点问题。最后，对适用于智能网联汽车集群的协同轨迹规划问题的常见求解方法进行初步回顾，以期读者能够对该领域的技术脉络形成较为直观和清晰的第一印象。

1.3.1 智能网联汽车协同轨迹规划问题的定义

智能网联汽车协同轨迹规划，是指在统一的时空框架下，为两辆及以上具备良好通信条件的智能车辆群体同步生成符合各自运动学特性的短时未来行驶轨线（规划时域长度通常在数秒到十余秒之间，一般不会达到分钟级）。这些轨线需要满足各车辆在起点与终点处的状态约束（如位置、航向和速度等），并在实际行驶全过程中严格避免车 - 车之间以及车 - 环境障碍物之间发生碰撞冲突。在上述约束条件的基础上，进一步构建通行效率、能耗和舒适性等指标综合加权形成的代价项，并以此为优化目标，从约束可行的潜在备选解集中筛选出最优的一组多车协同行车轨线[15]。

在上述定义的基础上，著者结合多年从业经验，将智能网联汽车典型的应用场景归纳为三类，即瓶颈冲突场景、自由空间场景以及迁徙场景。

瓶颈冲突场景的显著特点是车辆的作业空间整体宽敞，但局部区域相对狭窄且为多车辆轨迹的交会点，易形成潜在的交通冲突。该类场景的典型实例包括物流车间巷道［图 1-2（a）］与无信号灯交叉路口［图 1-2（b）］。在此类场景下，智能网联汽车需在有限的空间内迅速实现高效的避让与合理的通行排序，否则局部冲突可能迅速向周围区域扩散蔓延，引发更大范围的交通拥堵。因此，该场景下的协同轨迹规划需要注重狭窄环境中精准有效的避障建模表达能力以及多车统筹通行次序能力，以提升集群整体的运载作业效率。

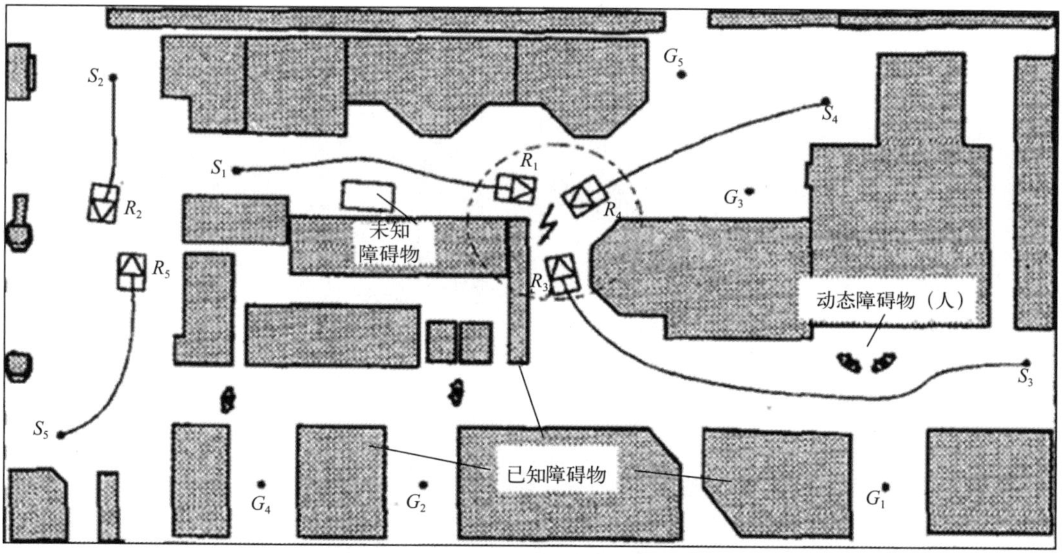

(a)物流车间巷道[16]

图 1-2

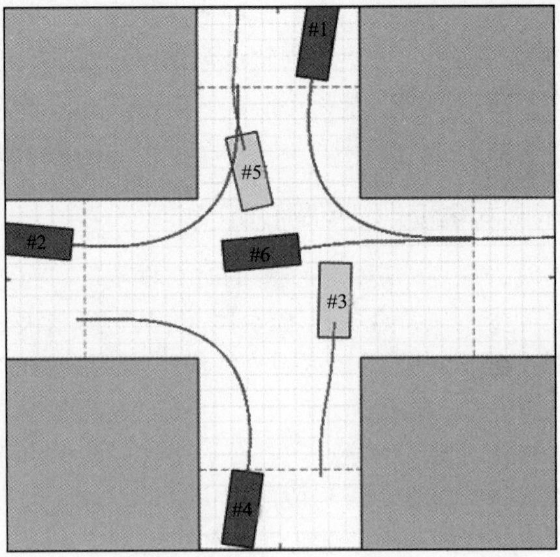

(b)无信号灯交叉路口[17]

图 1-2　应用智能网联汽车的典型瓶颈冲突场景

如图 1-3 所示为第二类场景——自由空间场景，与前述瓶颈冲突场景截然相反。自由空间场景的典型特点是整体环境较为开阔，静态障碍物相对稀少。尽管该类场景中的车辆数量可能众多，但由于缺乏明显的空间瓶颈，各车辆的运动空间较为充裕，使车辆之间可以更灵活地相互绕行以完成避障。此类场景在特种作业、军事等领域中较为常见。在自由空间场景中，协同轨迹规划需要关注的是车辆在相互绕行避障过程中涉及的路由拓扑选择问题，也就是机器人导航领域所谓的拓扑同伦类别（homotopy class）选择问题。同伦类别的选择固然会对最终规划品质产生一定影响，但由于环境本身不存在局部瓶颈限制，不同的同伦类别往往均可成功完成行驶任务。因此，如用户对求解品质要求不敏感，则同伦类别的选择也并非关键问题，这降低了自由空间场景的行车难度。

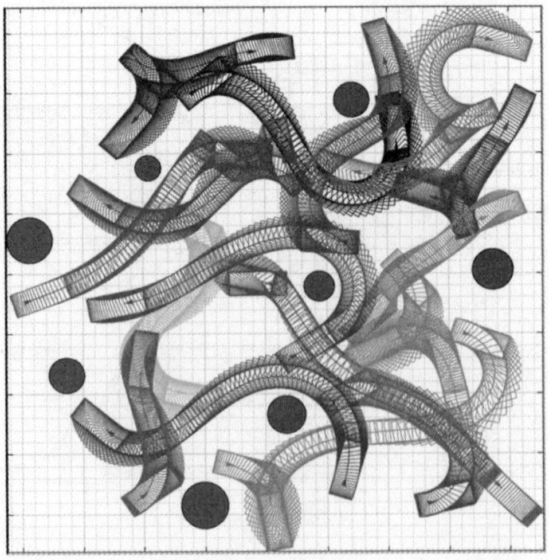

图 1-3　应用智能网联汽车的典型自由空间场景[18]

最后一种典型场景为迁徙场景，如图 1-4 所示，这类场景常见于高速公路上智能网联汽车编队的长距离同向行驶，例如高速公路自动驾驶队列或无人运输车纵队。在迁徙场景下，车辆编队整体沿着公路走势行驶，虽然各车辆的规划起点与终点具体有所不同，但整体运动趋势却高度一致，类似于自然界中鸟群的迁徙过程。此时，车辆编队不仅需要保持队形的整体稳定性，还需具备灵活完成队内构型重组、协同换道，以及有效应对外部非协作交通参与者动态干扰的能力。这种场景对协同轨迹规划提出的核心挑战在于如何在维持基本稳定的编队构型的同时，兼顾外部环境的实时干扰，以实现高效率、低能耗的协同行驶。迁徙场景是智能网联汽车应用最广泛的场景。

图 1-4　应用智能网联汽车的典型迁徙场景 [19]

1.3.2　智能网联汽车协同轨迹规划问题的难点

多车协同轨迹规划问题建立在单车轨迹规划问题的基础之上。单车轨迹规划是指在给定起点和终点条件下，求解一条满足车辆自身运动学约束（如速度、加速度及前轮转角极限），并能够有效规避环境中静态与动态障碍物，同时兼顾行驶高效性与舒适性的最优轨迹。当外部环境杂乱狭窄且车辆自身运动学能力相对受限时，即使仅针对单车轨迹规划，求解过程本身也已极具挑战 [20]。而多车协同轨迹规划则在单车问题基础上进一步叠加了车辆之间的协同避障约束与轨迹协同性要求，致使整体问题的求解难度显著提升，具体表现为以下三个方面的困难。

第一个困难来自智能网联汽车自身的运动学约束，即车辆的非完整约束特性。所谓非完整约束，是指车辆的运动不仅受到位置关系的约束，还受到速度或角速度等运动状态关系的附加约束，且这些附加约束无法通过对位置坐标积分的方式消除 [21]。换句话说，非完整约束的车辆无法在任意方向上自由移动，而必须通过特定的运动方式，例如前后移动并同时转动车轮，才能实现特定方向上的位移。日常生活中常见的乘用车、卡车或公共汽车即属于典型的非完整约束系统，这些车辆由于结构上的限制，其车体无法直接实现横向平移，而只能通过前进或后退并伴随一定的车轮转向角，来间接实现横向位置的变化。与非完整约束系统相对的是完整约束系统，例如底部装有全向轮的移动机器人或某些特殊设计的物流推车。这类装置能够在平面内实现任意方向的自由移动，其运动的方向变化与位置变化之间不存在无法通过积分消除的附加约束，因而在规划轨迹时问题相对简单。非完整约束给轨迹规划带来的直接影响体现在轨迹的曲率受到严格限制，即车辆的运动轨迹不可能是任意形状的几何曲线，而必须符合车辆可行驶的最小转弯半径或最大曲率的约束要求。这种约束使得每条可行轨迹的形状受到严格限制，难以通过简单的几何手段进行直接规划，尤其是在多车协同规划的场景下，这种困难更加突出。当多辆车同时受到非完整约束的限制时，规划方法无论是基于采样搜索还是优化类算法，都必须同时满足各车辆严格的运动学约束，并综合考虑车辆之间的动态干涉与协调需求。因此，传统上仅依靠纯粹的几何路径规划方法（如直接连接起点与终点或绘制任意曲线），往往无法得到满足车辆真实运动特性与轨迹曲率限制的可行解，更难以应对多车协同场景下复杂的轨迹交互需求，这也显著增加了多车协同轨迹规划问题的求解难度。

第二个困难体现在多车协同轨迹规划问题中的避障约束。协同轨迹规划必须确保任意两辆智能车在整个规划全过程中始终不会发生碰撞，因此需要为每一对车辆单独建立相应的避障约束。当车辆数量线性增长时，避障约束种类数将呈现几何级增长。这种随问题规模快速膨胀、引起求解复杂性和计算成本显著提升的现象，在计算数学领域通常被称为“维数灾难”（curse of dimensionality）。此外，车辆之间的避障还导致轨迹拓扑结构复杂性的迅速恶化。所谓拓扑结构，是指描述几何形状或路径之间连接关系的抽象数学概念。以两辆车相互避让为例，车辆通常可以有多种绕行方式，例如一辆车可以选择从另一辆车的左侧绕行，或者从右侧绕行，这些不同绕行方式形成的轨迹在数学意义上即属于不同的拓扑同伦类别。拓扑同伦类别用来刻画轨迹之间是否可以通过连续变形（不跨越障碍物）而彼此转换。例如，分别从障碍物左侧和右侧绕行的两条轨迹，若无法通过连续变形而相互转换，则属于不同的拓扑同伦类别[22]。当车辆数量增加时，每两辆车之间的绕行方式均可能存在多个同伦类别，而在多车协同轨迹规划问题中，这些拓扑同伦类别的组合数量便会出现指数级的快速增长趋势（每增加一对车辆的避障关系，都会使可能的同伦类别组合数量至少翻倍）。因此，若将所有可能的拓扑组合直接交给轨迹规划算法进行穷举或搜索，这在实际计算中是非常困难的。因此，在实际求解过程中，通常需要先在离散决策层面上对绕行的拓扑同伦类别进行合理选择和管理，再在连续轨迹规划层面上针对具体拓扑类别进行精细的轨迹优化。如何高效地筛选并管理这些拓扑同伦类别，避免规划过程陷入维数灾难的境地，是多车协同轨迹规划中特有的一项技术挑战。

第三个困难来自多车协同场景下代价函数的设计问题。在单车轨迹规划中，代价函数通常较为明确，例如可直接定义为单辆车的通行耗时、能耗经济性或行驶舒适性，规划时只需在给定的约束条件下优化该车辆自身的单一目标即可。然而，多车协同轨迹规划中，代价函数通常表现为所有车辆代价的某种综合加权或整体评价函数，例如综合所有车辆的总耗时、总能耗或整体交通效益。这种综合方式看似直观，但在实际应用中却并非易事。具体而言，若代价函数简单地选取所有车辆抵达各自目标位置的最长耗时作为唯一评价标准，即以最慢车辆的到达时间来定义整体代价，则规划结果的质量将主要受限于表现最差的车辆。在此情形下，非最慢车辆的行驶轨迹即使出现明显变化，也不会明显影响整体代价函数的数值，从而使这些车辆的轨迹规划缺乏明确的价值导向，导致规划问题的解空间过于宽泛，甚至可能产生无穷多个数学上合理但实际中意义不明的最优解集。例如，若以整体编队时间最短为目标，那么只要最慢车辆已达到极限，其他车辆便可能因缺乏相应的优化诱导而出现中途怠速行驶等消极行驶行为，这显然不符合用户实际需求。因此，在多车协同轨迹规划问题中，如何合理设计代价函数，甚至精细地定义每辆车末端时刻的状态边界条件，使其既能有效地体现每辆车的个体价值，又能确保整体协同任务需求得到有效满足，同时避免规划问题的退化解或求解过程中的不稳定性，这是单车规划中不存在的，但在协同轨迹规划中极为棘手的重要挑战。

1.3.3 智能网联汽车协同轨迹规划问题的主要解法

本小节将系统地介绍适用于智能网联汽车的协同轨迹规划主要算法，以期读者对本领域的技术脉络获得直观而全面的认识。为了更好地帮助读者理解这些规划算法的技术关联性以及方法体系的共性特征，有必要适当拓宽讨论的视野，将探讨范围延伸至更具通用性的“多机器人集群导航与控制”领域。之所以作出这样的拓展，主要是考虑到智能网联汽车作为轮式地面车辆，属于多机器人集群这一更广泛的范畴。机器人集群中除了轮式地面车辆以外，还包括空中无人机、水面船舶、水下机器人甚至太空飞行器等多种不同形态的智能运动体。这些智能运动体虽然具体的运行环境各异、运动学约束也存在差别，但只要它们具备有效的通信能力，并且需要在共享时空环境中协同避障并共同抵达指定目标，就意味着它们在协同轨迹规划这一核心问题上的本质需求是高度一致的。因此，从多机器人集群导航与控制的更广泛视角出发，能够更清晰地展示协同轨迹规划方法之间的技术关联与方法体系内部的共性特征。这种视角有助于初学者更加全面和深入地理解协同轨迹规划领域的基本问题、技术内涵以及方法分类之间的联系。根据著者十余年从业期间在实际工程项目中的技术积累以及学术文献调研经验，现将多智能运动体协同轨迹规划方法分为集中式、解耦式和混合式三类。

集中式方法将整个运动群体视为一个在空间上分布、时间上同步的大规模统一系统，将所有车辆的动态方位、速度约束、起止条件以及相互之间的碰撞约束等因素统一整合，视同为一个规模庞大但统一的智能体，并对其进行整体轨迹规划。最终生成的轨迹自然包含了各个具体智能运动体的运动轨迹。这种方法本质上属于一种“统筹规划”，所有约束均在统一的时空框架内显式且联立地构建。其求解方法通常借助运筹优化领域内适用于处理大规模强非凸非线性数学规划问题的工具[23]。集中式方法的显著优势在于，通过全局视角进行统筹规划和协同调度，能够获得高质量的求解结果。例如车辆群体对道路资源整体的高效利用、能耗的整体最小化以及行驶舒适度方面的表现，通常能够达到当前已知的最优或近似最优水平。然而，随着车辆数量的增加，车辆两两之间的碰撞约束将以几何级数快速增长，导致状态空间的维度急剧扩大，由此引发的“维数灾难”问题将迅速消耗大量计算与存储资源。此外，集中式方法在面对实时环境扰动、突发信息或现场情况变化时，缺乏灵活的应对能力。一旦环境发生较大变化，需要重新进行全局优化，将导致集群整体协同规划的实时性无法得到保证。因此，这类方法更适合车辆规模适中、对轨迹规划的协同品质要求极高或是对协同轨迹规划计算耗时不敏感的任务。

为克服集中式方法在大规模场景下由维数灾难带来的计算瓶颈，研究者提出了与集中式方法形成鲜明对比的解耦式方法，其核心思路可用“分而治之”来概括。具体而言，解耦式方法不再试图在统一时空框架下一次性地同时解决智能运动体集群的轨迹规划问题，而是通过某种方式，将原本规模庞大且高度复杂的单次计算任务拆解为多个规模更小、约束更简单或者求解更便捷的小规模规划任务或子问题，之后再通过某些后处理步骤整合成集群中各个智能运动体的运动轨迹。根据解耦策略的具体实施方式，将解耦式方法归纳为如下几种典型类别。第一类为“空间解耦”，其实现思路是在真实的作业空间内，将整个大规模的智能运动体群体按照位置远近划分成若干个较小的子组，每个子组内采用局部的集中式方法求解轨迹规划问题，不同子组之间完全隔离开[24]。这种在作业空间上的分组解耦方式降低了原本需要考虑的碰撞约束数量，避免了碰撞约束随车辆数量急剧增长所引起的规划问题规模失控。第二类为“时间解耦”，也称为滚动时域规划，即将原本完整的规划时域分割为多个短时窗口，在每个时段内，各运动体仅需规划一段短时未来轨迹，在对其中一部分轨迹片段进行跟踪执行后，再根据最新感知的环境信息从各运动体当前位置重新规划未来短时的轨迹[25]。这种时间分段规划策略将单次求解复杂性控制在较低水平，并能实时应对环境中的突发事件与动态变化。第三类为“次序解耦”，即按照预定或动态调整的优先级顺序，逐批次进行轨迹规划。每个批次规划的智能运动体都将之前已规划完成的运动体轨迹视作动态障碍予以被动回避。这种方法本质上将原本需同时求解的多车规划问题分解为序贯化、增量化的子规划问题，降低了单次求解的复杂性[16]。然而，若优先级选择不当，则低优先级车辆可能长期受阻甚至陷入死锁，成为该方法潜在的风险。第四类为“多轮次协商解耦”，将原本单次集中式求解的轨迹规划过程拆解为多轮迭代交互。在每轮迭代过程中，各智能运动体均发布自己的意向轨迹，并通过交互或通告机制发现可能的冲突，然后再依据约定好的规则进行轨迹调整与协调，反复多轮，直至达到所有运动体均可接受的一致轨迹方案[26]。这种方法本质上是在信息空间中解耦，其核心优势在于良好的可扩展性和鲁棒性，已被广泛应用于实际的车路协同原型系统中。第五类则侧重于对复杂的非凸约束进行简化与线性化解耦[27]，这种解耦方法本质上是从优化求解的数学角度出发，借助于运筹优化方法。具体而言，智能运动体的非凸约束（包括非凸的运动学约束与非凸的避障约束）本身通常表现为复杂的高阶非线性多项式或强非凸函数表达式，直接求解极具挑战性。为此，研究者采用基于参考轨迹或参考解向量的局部近似线性化策略，即在当前解向量附近点的位置处，将原本复杂的非凸约束转化为局部的线性近似表达式，然后在局部线性化后的问题中快速求解轨迹规划的增量调整量，再以“小步快跑”的迭代形式不断推进求解过程。这种局部线性化方式能够显著降低单次求解的难度，但每次迭代步幅不宜过大，以避免线性近似的精度丢失。上述多种解耦策略的共同优势在于能有效地降低单次求解的复杂度，具备较好的并行性，因而特别适合在大规模、多智能运动体参与的实际开放场景中部署。在实际工程实现中往往需要根据具体场景 / 任务的特点，选择合适的具体解耦策略，以达到计算品质与计算实时性折中的最佳技术方案。

在集中式与解耦式这两种极端策略之间，还存在一种兼具二者特点的“混合式”方法。这类方法通常采用分层规划的思路，即在不同规划阶段分别采用不同的求解策略：首先，利用计算速度较快但分辨率相对较低的离散算法生成一套初步的规划结果，例如通过图搜索或随机采样等方法确定整体的绕行拓扑结构、车辆之间的通行优先级或目标与车辆的匹配关系；随后，依据上述初步规划结果，为每辆车分别在时空中构建专属的行驶走廊，从宏观上保证车辆的走廊之间彼此互不重叠；最终，在微观轨迹优化阶段，将求解任务完全下放到各个车辆本地，由车辆在自身的专属走廊范围内独立进行轨迹平滑、能耗优化或模型预测控制。混合式方法通过将高度耦合的任务限定在初步离散规划阶段，有效降低了总体计算量[28,29]。一旦专属走廊确定，车辆在具体轨迹求解时便无须再考虑其他车辆的轨迹规划细节，从而同时实现了较高的并行程度与良好的实时性。

需要说明的是，前述三类协同轨迹规划方法各自具备明显的优势与不足，实际应用时须结合具体需求及场景特征进行综合权衡。

第2章 智能网联汽车协同轨迹规划问题建模

2.1 车辆运动学约束
2.2 两点边值约束
2.3 避障约束
2.4 代价函数
2.5 总体命题

精准而合理的建模是实现正确且高效求解的前提和基础。本章将系统介绍智能网联汽车协同轨迹规划命题的建模方法。与单车轨迹规划类似，从形式化表达的角度来看，多车协同轨迹规划命题最清晰、直观的表述方式，是将其构建为最优控制问题（optimal control problem，OCP）[30]，其中包含一个用于评价轨迹备选解优劣的代价函数，以及多种约束。本章将围绕该最优控制问题的结构，依次阐述其各个组成部分及建模细节。

2.1 车辆运动学约束

车辆运动学约束用于刻画智能网联汽车在二维平面上的运动能力。车辆的运动状态变化源于轮胎所受的驱动力与制动力，即摩擦力。然而，轮胎在微观层面的受力过程极其复杂，通常需要借助大量偏微分方程及参数辨识与拟合工作，才能近似描述其动态演化规律。学术界普遍认为，在研究智能网联汽车轨迹规划问题时，构建如此复杂的微观受力机理模型并不具有实用性。这是因为，即便对上述复杂模型进行较大幅度的简化，也可以在宏观上准确描述车辆的运动特性[31]。此外，智能网联汽车是一个高度综合的系统，其车端主要技术除决策规划外，还包括定位、环境感知与闭环跟踪控制等环节，这些环节不可避免地引入数据误差。在不改变上下游数据质量的前提下，单纯追求决策规划计算精度的极限提升，并不能显著改善车辆整体性能。

在一般情况下，尤其是在车速不高或车辆处于稳态行驶时，二自由度单轨自行车模型（以下简称自行车模型）已能够满足自动驾驶领域对建模精度的要求[32]。该模型建立在以下假设基础上：

① 车辆行驶于平坦路面，忽略垂直于路面的运动；

② 忽略行驶过程中受到的空气阻力及地面侧向摩擦力；

③ 车轮与地面始终保持良好的滚动接触；

④ 车辆视为刚体，忽略车身悬架结构的影响。

如图 2-1 所示，自行车模型将智能网联汽车的两只前轮与两只后轮分别沿车体纵轴方向合并，形成两只虚拟车轮，其中虚拟前轮可在一定范围内转向，虚拟后轮则固定不转。在任意时刻，通过确定虚拟前轮的转向角以及虚拟后轮的线速度，即可计算整车的

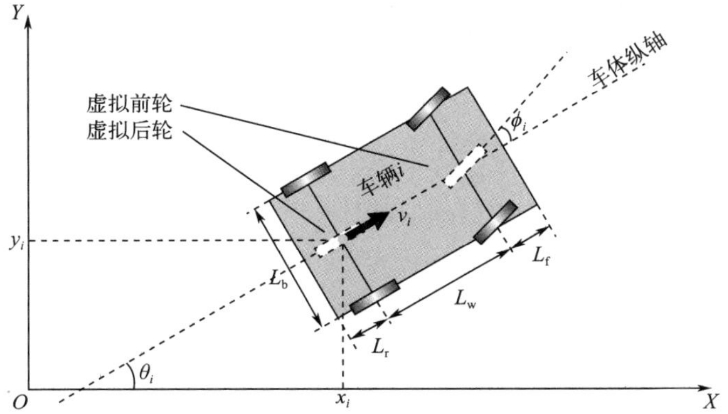

图 2-1 基于自行车模型的车辆运动学规律示意图

瞬时平动速度与自旋角速度，并进一步通过积分求得车辆的位置与姿态。数十年来，自行车模型一直是描述轮式车辆运动特性的最常用模型，下面将对其构建过程进行详细介绍。

根据自行车模型，智能网联汽车 i 在惯性坐标系 X-Y 中的运动规律受到以下常微分方程组的制约：

$$\frac{\mathrm{d}}{\mathrm{d}t}\begin{bmatrix} x_i(t) \\ y_i(t) \\ \theta_i(t) \\ v_i(t) \\ \phi_i(t) \end{bmatrix} = \begin{bmatrix} v_i(t)\cos\theta_i(t) \\ v_i(t)\sin\theta_i(t) \\ v_i(t)\tan\phi_i(t)/L_\mathrm{w} \\ a_i(t) \\ \omega_i(t) \end{bmatrix},\ t\in[0,t_\mathrm{f}] \tag{2-1}$$

其中，t 表示时间；$[0,t_\mathrm{f}]$ 表示规划的时域，规划时域的末端时刻 t_f 可以是用户提前设定的固定值，也可以作为未知变量在求解过程中一并确定，若属于后者情况，则 t_f 会在协同轨迹规划问题求解完成时，与各车辆的协同轨迹同时得到；$[x_i(t),y_i(t)]$ 表示车辆后轮轴中点的坐标（见图 2-1）；$v_i(t)$ 与 $a_i(t)$ 分别表示沿车体纵轴方向的后轮速度与加速度（以前进方向为正）；$\phi_i(t)$ 表示前轮偏转角（左偏为正）；$\omega_i(t)$ 表示前轮偏转角速度；$\theta_i(t)$ 表示车辆在坐标系中的姿态角，即从坐标系 X 轴正方向到车体纵轴正方向的夹角。此外，图 2-1 中还定义了智能网联汽车的几何尺寸参数：L_w 表示前后轮轴距，L_f 表示车辆前悬距离，L_r 表示车辆后悬距离，L_b 表示车宽。

以下介绍式（2-1）中车辆姿态角度随时间变化的微分方程的由来。图 2-2 重新绘制了车身刚体，其中 P 点代表后轮轴中心点，Q 点代表前轮轴中心点。结合自行车模型中的虚拟前后轮速度方向条件可以确定以下三项信息：

① P 点的速度大小；

② P 点的速度方向；

③ Q 点的速度方向。

根据理论力学知识，在一个平面刚体上已知其上两点的速度方向，可通过速度垂线的交汇点确定刚体瞬时转动中心（即图 2-2 中的 C 点）。将理论力学中刚体定轴转动公式应用于点 P，则有 $v_i(t)=\omega_{\mathrm{rotate}i}(t)\times\overline{CP}$，其中 $\omega_{\mathrm{rotate}i}$ 是指刚体绕着瞬时转动中心 C 进行定轴转动的角速度。根据直角三角形 CPQ 的几何关系可知线段 CP 的长度 $\overline{CP}$ 为 $L_\mathrm{w}/\tan\phi_i$，因此 $\omega_{\mathrm{rotate}i}(t)=v_i(t)\tan\phi_i(t)/L_\mathrm{w}$，其中 $\omega_{\mathrm{rotate}i}$ 正是 $\mathrm{d}\theta_i(t)/\mathrm{d}t$，因此式（2-1）中车辆姿态角度随时间变化的微分方程得证。

智能网联汽车自身的机电构造特性决定了上述部分变量存在幅值区间，通常包括：

$$-\phi_{\max}\leqslant\phi_i(t)\leqslant\phi_{\max} \tag{2-2a}$$

$$-\omega_{\max}\leqslant\omega_i(t)\leqslant\omega_{\max} \tag{2-2b}$$

$$v_{\min}\leqslant v_i(t)\leqslant v_{\max} \tag{2-2c}$$

$$a_{\min}\leqslant a_i(t)\leqslant a_{\max},\ \forall t\in[0,t_\mathrm{f}] \tag{2-2d}$$

其中，$\phi_{\max}$、$\omega_{\max}$、$v_{\max}$、$v_{\min}$、$a_{\min}$ 以及 $a_{\max}$ 分别为相应变量的两端幅值参数，这些参数由用户结合车辆机电构造特性或任务需要而设定。

需要补充说明的是，某些自动驾驶场景 / 任务对于车辆行驶的加速度变化率存在幅值限制，此时应补充一个新的变量$jerk_i(t)$，即加加速度变量，在式（2-1）中补充一条常微分方程：

$$\frac{\mathrm{d}a_i(t)}{\mathrm{d}t}=jerk_i(t) \tag{2-3a}$$

并相应地在式（2-2）中补充一个代数不等式，从而为$jerk_i(t)$施加幅值约束：

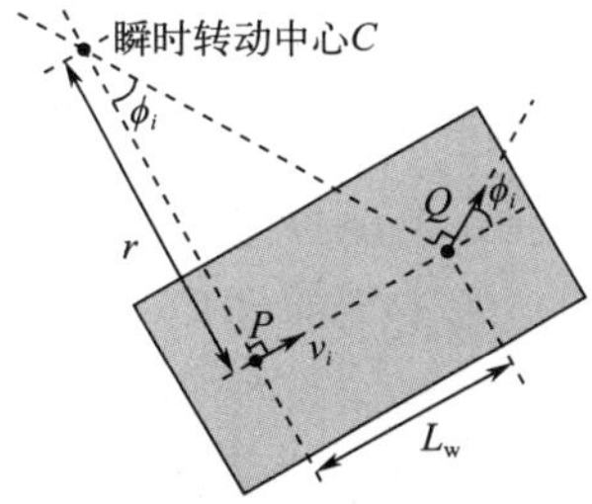

图 2-2　车辆姿态角度随时间变化规律推导过程示意图

$$j_{\min}\leqslant jerk_i(t)\leqslant j_{\max} \tag{2-3b}$$

此外，式（2-1）～式（2-3）中引入了一组未加下标区分的统一参数，这意味着所有智能网联汽车被假定共用同一套电气参数、物理机械结构及几何尺寸。然而在工程实践中，各智能网联汽车的运动学性能往往存在差异，因此更为合理的做法是为每辆车单独设定参数，将统一的符号替换为带有车辆编号下标的形式，例如将L_w置换为L_{wi}。

对于一则最优控制问题来说，式（2-1）～式（2-3）属于它的约束。其中，式（2-1）与式（2-3a）属于微分等式约束，式（2-2）与式（2-3b）则属于代数不等式约束。若最优控制问题成功求解，所得到的各决策变量必须严格满足这些约束。所谓“严格”是指：对于等式约束，结果必须与等式右端完全相等，而非近似相等；对于不等式约束，结果必须处于规定的区间范围之内，不允许在区间的任一边界发生哪怕极其微小的越界。

在式（2-1）与式（2-3a）中，被微分的变量包括$x_i(t)$、$y_i(t)$、$\phi_i(t)$、$\theta_i(t)$、$v_i(t)$以及$a_i(t)$。由微积分常识可知，可被微分的变量一定对相应自变量t连续，将其称为状态变量；未被微分的变量包括$jerk_i(t)$和$\omega_i(t)$，这两个变量未必对时间t连续。结合式（2-1）与式（2-3a）来看，在给定边值（2.2 节介绍边值的概念）的前提下，如果给定了变量$jerk_i(t)$和$\omega_i(t)$在一定时域上的取值函数，那么剩余变量［即$x_i(t)$、$y_i(t)$、$\phi_i(t)$、$\theta_i(t)$、$v_i(t)$与$a_i(t)$］均可通过黎曼积分的方式逐一确定，现给出具体计算方法。

假设各变量在时域左端点$t=0$的取值给定为x_{init}、y_{init}、ϕ_{init}、θ_{init}、v_{init}以及a_{init}，通过牛顿 - 莱布尼茨公式，首先可由$jerk_i(t)$确定$a_i(t)$：

$$a_i(t)=a_{\text{init}}+\int_{\tau=0}^{t}jerk_i(\tau)\mathrm{d}\tau \tag{2-4a}$$

类似地，可通过$\omega_i(t)$推导出$\phi_i(t)$、通过$a_i(t)$进一步推导出$v_i(t)$：

$$\phi_i(t)=\phi_{\text{init}}+\int_{\tau=0}^{t}\omega_i(\tau)\mathrm{d}\tau \tag{2-4b}$$

$$v_i(t)=v_{\text{init}}+\int_{\tau=0}^{t}a_i(\tau)\mathrm{d}\tau \tag{2-4c}$$

在此基础上，可进一步通过$v_i(t)$与$\phi_i(t)$推导出$\theta_i(t)$：

$$\theta_i(t)=\theta_{\text{init}}+\int_{\tau=0}^{t}\frac{v_i(\tau)\tan\phi_i(\tau)}{L_w}\mathrm{d}\tau \tag{2-4d}$$

继续以类似的方式推导，可得到$x_i(t)$与$y_i(t)$：

$$x_i(t)=x_{\text{init}}+\int_{\tau=0}^{t}v_i(\tau)\cos\theta_i(\tau)\mathrm{d}\tau \tag{2-4e}$$

$$y_i(t)=y_{\text{init}}+\int_{\tau=0}^{t}v_i(\tau)\sin\theta_i(\tau)\mathrm{d}\tau \tag{2-4f}$$

式（2-4）不属于最优控制问题模型中的约束，但是通过上述分析呈现了给定变量 $jerk_i(t)$ 和 $\omega_i(t)$ 情况下推出剩余变量的唯一方式，这说明在整个运动学系统中自由度取决于处于积分最底层的 $jerk_i(t)$ 和 $\omega_i(t)$。从人类的日常驾驶经验来讲，操纵车辆的途径是操纵车上的油门 / 制动踏板与方向盘，这两个途径恰好对应着 $jerk_i(t)$ 与 $\omega_i(t)$。其中，油门 / 制动踏板对应纵向加速度或驱动力，即与 $jerk_i(t)$ 相关的变量；方向盘对应前轮转角，即 $\omega_i(t)$ 经积分确定的 $\phi_i(t)$。在这一意义下，可将 $jerk_i(t)$ 与 $\omega_i(t)$ 称为控制变量，将随控制变量的确定而确定的剩余变量称为状态变量。在控制学科中，已知当前状态与控制输入，通过模型积分得到下一时刻状态［即式（2-4）］的计算过程称为前向模拟（forward simulation 或 forward propagation），这是自动驾驶决策规划领域非常重要且常见的概念。需要补充的是，由前向模拟计算得到的状态变量未必严格满足车辆运动学的幅值约束式［式（2-2）］，因此，在数值积分过程中通常需要引入限幅投影，以保证结果始终不超出物理可行范围。

自动驾驶决策规划领域的另一个重要概念是曲率 κ_i，用于反映一条路径的空间弯曲程度，其定义为微小弧长 ds 条件下航向角（姿态角） θ_i 的变化率，即 $\kappa_i := \mathrm{d}\theta_i / \mathrm{d}s$, 将微小弧段 d$s$ 代换为 $\mathrm{d}t \times v_i(t)$ 则得到：

$$\kappa_i(t) = \frac{1}{v_i(t)} \frac{\mathrm{d}\theta_i}{\mathrm{d}t} = \frac{1}{v_i(t)} \frac{v_i(t)\tan\phi_i(t)}{L_{\mathrm{w}}} = \frac{\tan\phi_i(t)}{L_{\mathrm{w}}}$$

从其原始定义中可以发现，曲率是一个与时间无关的变量。之所以在上式中将曲率记为时间的因变量，是因为使用 $\kappa_i(t)$ 来反映车辆行驶路径在某一点处的弯曲程度，可这样理解：坐标点 $[x_i(t), y_i(t)]$ 在自变量 t 从 0 逐步递增到 t_{f} 的过程中不断移动，形成一条路径，该路径上显然存在点 $[x_i(t), y_i(t)]$， $\kappa_i(t)$ 反映的是路径上该点的弯曲程度。在式（2-2a）限定的幅值约束下， $\kappa_i(t)$ 与 $\phi_i(t)$ 存在着一一映射关系，因此自动驾驶决策规划文献中有时也用 $\kappa_i(t)$ 替代 $\phi_i(t)$ 进行运动学建模，二者本质上等价。

2.2 两点边值约束

本节介绍多车协同轨迹规划命题中的两点边值约束建模方法，两点边值约束即在运动时域区间的起始与结束两端点处施加的约束，用于体现车辆编队中每一辆车在起始时刻 $t = 0$ 所处的状态，以及在终止时刻 $t = t_{\mathrm{f}}$ 时希望到达的状态。

以智能网联汽车 i 为例，在其运动过程的起始时刻 $t = 0$，一般应显式地指定车辆所处的真实运动状态，即

$$\begin{bmatrix} x_i(0) \\ y_i(0) \\ \theta_i(0) \\ v_i(0) \\ a_i(0) \\ \phi_i(0) \end{bmatrix} = \begin{bmatrix} x_{\mathrm{init}} \\ y_{\mathrm{init}} \\ \theta_{\mathrm{init}} \\ v_{\mathrm{init}} \\ a_{\mathrm{init}} \\ \phi_{\mathrm{init}} \end{bmatrix} \tag{2-5}$$

其中，x_{init}、y_{init}、ϕ_{init}、θ_{init}、v_{init} 以及 a_{init} 由车端 / 云端传感器获得。在最优控制建模领域，这种对决策变量在某一单点时刻赋予显式常值的约束一般称为点约束。

在车辆运动过程的终止时刻 t_{f}，也可对运动状态施加类似的点约束，但终止时刻 t_{f} 属于未来时刻，因此末值约束可施加得灵活且隐晦。灵活是指可对某些状态量（状态变量）末值不做要求，例如用户不关心车辆在末值时刻的位姿（即位置与姿态），那么无需对 $x_i(t_{\text{f}})$、$y_i(t_{\text{f}})$、$\theta_i(t_{\text{f}})$ 施加点约束；隐晦是指可对状态量末值施加除点约束之外的限制，例如要求智能网联汽车 i 的足迹（车身轮廓在二维规划空间上的投影区域）在终止时刻落入某一边框内：

$$
\begin{aligned}
x_{\min} &\leqslant x_i^A(t_{\text{f}}) \leqslant x_{\max} \\
y_{\min} &\leqslant y_i^A(t_{\text{f}}) \leqslant y_{\max} \\
x_{\min} &\leqslant x_i^B(t_{\text{f}}) \leqslant x_{\max} \\
y_{\min} &\leqslant y_i^B(t_{\text{f}}) \leqslant y_{\max} \\
x_{\min} &\leqslant x_i^C(t_{\text{f}}) \leqslant x_{\max} \\
y_{\min} &\leqslant y_i^C(t_{\text{f}}) \leqslant y_{\max} \\
x_{\min} &\leqslant x_i^D(t_{\text{f}}) \leqslant x_{\max} \\
y_{\min} &\leqslant y_i^D(t_{\text{f}}) \leqslant y_{\max}
\end{aligned} \tag{2-6}
$$

其中，$[x_{\min}, x_{\max}] \times [y_{\min}, y_{\max}]$ 代表终止时刻车辆所在的边框区域；$A_i = (x_i^A, y_i^A)$、$B_i = (x_i^B, y_i^B)$、$C_i = (x_i^C, y_i^C)$ 以及 $D_i = (x_i^D, y_i^D)$ 代表矩形车身上的四个顶点，这四个顶点与车辆位姿存在以下对应关系[33]：

$$(x_i^A, y_i^A) = [x_i + (L_{\text{w}} + L_{\text{f}})\cos\theta_i - 0.5L_{\text{b}}\sin\theta_i,\ y_i + (L_{\text{w}} + L_{\text{f}})\sin\theta_i + 0.5L_{\text{b}}\cos\theta_i] \tag{2-7a}$$

$$(x_i^B, y_i^B) = [x_i + (L_{\text{w}} + L_{\text{f}})\cos\theta_i + 0.5L_{\text{b}}\sin\theta_i,\ y_i + (L_{\text{w}} + L_{\text{f}})\sin\theta_i - 0.5L_{\text{b}}\cos\theta_i] \tag{2-7b}$$

$$(x_i^C, y_i^C) = (x_i - L_{\text{r}}\cos\theta_i + 0.5L_{\text{b}}\sin\theta_i,\ y_i - L_{\text{r}}\sin\theta_i - 0.5L_{\text{b}}\cos\theta_i) \tag{2-7c}$$

$$(x_i^D, y_i^D) = (x_i - L_{\text{r}}\cos\theta_i - 0.5L_{\text{b}}\sin\theta_i,\ y_i - L_{\text{r}}\sin\theta_i + 0.5L_{\text{b}}\cos\theta_i) \tag{2-7d}$$

如果引入车身的 4 个顶点，由 2.1 节的分析可知，这些顶点额外引入的 8 个变量属于状态变量，式（2-7）属于车辆运动学约束的一部分。如果终止时刻边框大于车身，那么由实数域的稠密性可知，$x_i(t_{\text{f}})$、$y_i(t_{\text{f}})$、$\theta_i(t_{\text{f}})$ 有无穷多种组合均符合条件，但从末值约束式［式（2-6）］无法直接看出这三个状态变量末值的设置方法，其正式的名称为隐式约束。

此外，终止时刻车辆的姿态角 $\theta_i(t_{\text{f}})$ 需要格外慎重地约束。如果明确要求车辆在终止时刻达到某一姿态 θ_{goal}，不宜简单地建立点约束 $\theta_i(t_{\text{f}}) = \theta_{\text{goal}}$，这是因为在完成协同轨迹规划问题的求解之前并不知道车辆从 $t = 0$ 到 t_{f} 时刻究竟需要旋转多少圈，以及是顺时针或逆时针旋转。不难想象，车辆的始末姿态相差 180°，车辆可以选择通过顺逆时针旋转两种方式抵达终点姿态，前者使得 $\theta_i(t)$ 在时域 $[0, t_{\text{f}}]$ 上单调减变化，而后者使得 $\theta_i(t)$ 在时域 $[0, t_{\text{f}}]$ 上单调增变化。由于 2.1 节已提到，状态量 $\theta_i(t)$ 是时间 t 的连续函数，所以顺逆时针旋转两种方案的末值姿态相差 2π。这说明旋转方向与圈数意味着姿态角度的相位差，为了消除该因素带来的未知影响，应将 $\theta_i(t_{\rm f})=\theta_{\rm goal}$ 表示为

$$\theta_i(t_{\rm f})=\theta_{\rm goal}+2k\pi,\ \forall k\in\mathbb{Z} \tag{2-8}$$

然而该方案引入了待定的离散型决策变量 k，将大幅度增加最优控制问题的求解难度，非必要不宜混入这种类型的变量。为了消除 k，可采取以下等价方法消除相位差 $2k\pi$：

$$\sin\theta_i(t_{\rm f})=\sin\theta_{\rm goal},\ \ \cos\theta_i(t_{\rm f})=\cos\theta_{\rm goal} \tag{2-9}$$

显然地，式（2-9）属于隐式约束。但是必须指出的是，在工程实践中往往存在先验信息，例如上游模块生成的概略参考轨迹，如果先验信息已揭示了圈数与方向方案，则可明确将姿态角末值设置为显式的点约束。

2.3 避障约束

本节将介绍多车协同轨迹规划命题中的避障约束建模方法。避障约束被公认为是导致轨迹规划问题求解难度显著提升的首要因素。在多车协同轨迹规划任务中，避障约束主要承担两方面职能：一是确保编队内各车辆之间保持安全距离、避免相互碰撞；二是确保编队中每辆车与周围环境中的动态或静态障碍物之间不发生碰撞。名义上的避障约束可表示为

$$\mathrm{fp}[x_i(t),y_i(t),\theta_i(t)]\cap\mathrm{fp}[x_j(t),y_j(t),\theta_j(t)]=\varnothing,\ \forall i\neq j,\ \forall t\in[0,t_{\rm f}] \tag{2-10a}$$

$$\mathrm{fp}[x_i(t),y_i(t),\theta_i(t)]\cap\mathrm{map}(t)=\varnothing,\ \forall i,\ \forall t\in[0,t_{\rm f}] \tag{2-10b}$$

其中，$\mathrm{fp}:\mathbb{R}^3\rightarrow\mathbb{R}^2$ 代表从车辆位姿到足迹的非线性映射；$\mathrm{map}(t)$ 代表 t 时刻环境中障碍物占据的二维空间区域。

式（2-10a）与式（2-10b）这两类避障约束的本质是表示二维平面上子区域无交集，它们虽然在理论上是严格正确的，但并不具备直接转化为可计算约束的工程指导意义。本节之后的部分将介绍几种常用的避障约束建模方法。

2.3.1 圆盘模型

圆盘模型是一种最为常用且计算简便的避障约束建模方法，其将车辆及障碍物在二维平面上的外形轮廓近似为圆形，并以圆心位置和半径描述其几何范围。通过这一近似，原本复杂的多边形不相交判定问题即可简化为圆心间的距离与半径之和的比较问题。

设车辆 i 在时刻 t 的几何中心坐标为 $[x_{c_i}(t),y_{c_i}(t)]$，如采用一个圆盘覆盖矩形车身，则圆盘的半径 r_i 与车辆几何尺寸有关，即

$$r_i=\frac{\sqrt{(L_{\rm w}+L_{\rm f}+L_{\rm r})^2+{L_{\rm b}}^2}}{2} \tag{2-11}$$

从式（2-11）不难发现，圆盘半径 r_i 只与常量有关，因此 r_i 也属于常量，该式不属于最优控制问题中的约束，这是因为约束的职能是直接定义或限定待决策的变量，而式（2-11）并未直接影响到任何变量的取值。

为保证车辆 i 与 j 在任意时刻不发生碰撞，需要满足以下避障约束：

$$\sqrt{[x_{c_i}(t)-x_{c_j}(t)]^2+[y_{c_i}(t)-y_{c_j}(t)]^2} \geqslant r_i+r_j \tag{2-12}$$

需要特别说明的是，上述约束虽然在几何意义上直观，但其包含平方根运算。在数值优化中，平方根不仅会增加非线性程度，而且在车辆间距接近约束边界时，其梯度表达式会因为分母趋于0而变得更加复杂和敏感，从而可能降低优化器的数值稳定性和收敛速度。为此，工程上更常采用其平方等价形式：

$$[x_{c_i}(t)-x_{c_j}(t)]^2+[y_{c_i}(t)-y_{c_j}(t)]^2 \geqslant (r_i+r_j)^2 \tag{2-13}$$

该形式避免了平方根带来的额外非线性，使得梯度表达保持为简单的一次函数，优化器在计算一阶梯度向量和二阶梯度 Hessian 矩阵时更加高效，数值特性也更稳定，尤其适合基于梯度的非线性规划求解器［如 IPOPT（内点法优化求解器）］。因此，虽然式（2-12）与式（2-13）这两种形式在数学上等价，但在涉及数值优化的协同轨迹规划中，平方形式明显会更为友好和实用。

上述讨论主要针对车-车之间的避障约束，但同样的圆盘模型也可用于车与障碍物之间的避障建模。对于静态障碍物，可以通过外接圆来近似其几何外形；对于动态障碍物，则同样采用外接圆拟合，只是在每一时刻需要依赖上游模块提供的轨迹预测结果，以确定障碍物圆心的位置。本质上，车与静态障碍物的避障建模只是车与动态障碍物建模的一种特殊情形，两者在方法上保持一致。

圆盘模型是最简单的避障约束模型，其最大优势在于结构简单、计算高效，能够方便地在优化求解器中直接表达为代数不等式。然而，由于车辆的真实外形多为矩形，当车辆姿态发生较大变化时，圆形近似往往会过于保守，使可行解空间显著缩小［图 2-3（a）］。因此，圆盘模型更适合稀疏环境或对安全冗余不敏感，但对潜在碰撞风险极为敏感的应用场景。为了减少单一圆盘带来的冗余，一些研究[34]使用多个圆盘覆盖车辆轮廓［图 2-3（b）］。这样做能够提高拟合精度，但会导致约束规模显著增加。例如，在某一时刻 t，原本车辆 i 与车辆 j 之间仅需一条避障约束［式（2-13）］，若两车均采用双圆盘表示，则需要考虑 2×2=4 条避障约束。

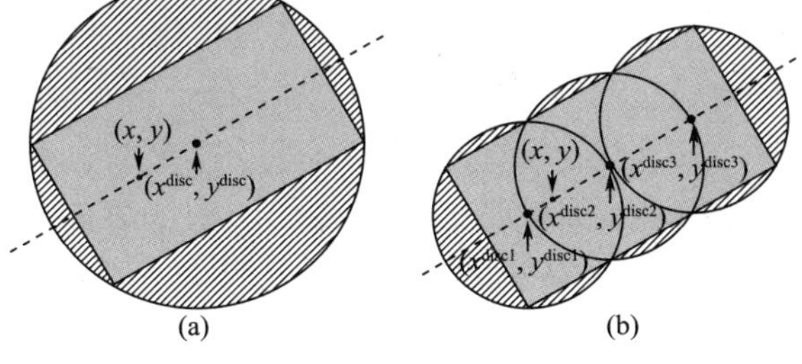

图 2-3　基于圆盘的避障约束模型冗余情况（斜纹阴影区为冗余区域）

2.3.2　基于分离轴定理的凸多边形模型

在传感器层面，环境中的障碍物通常由激光雷达或深度相机以点云的形式获得。经过必要的分割与聚类后，常用凸包运算将每个连通的点云簇在平面上投影为凸多边形

(若某些障碍物呈凹形，则将其分解为若干个相互贴合、边界不重叠的凸多边形)。因此“车身矩形与复杂障碍物不重叠”的问题可划归为“车身矩形与凸多边形不重叠”的问题。本小节将介绍如何直接表达“车身矩形与凸多边形不重叠”这一名义避障条件。

为把“不重叠”转化为可计算的约束表达式，有必要引入计算几何与碰撞检测领域广泛采用的分离轴定理[35]。分离轴定理（separating axis theorem，SAT）是计算几何与计算机图形学中的一个基础结论，在凸集的碰撞检测与避障建模中具有重要作用。该定理的严格表述为：对于二维平面上的两个紧致凸集，它们不相交的充要条件是至少存在一条分离直线，使得将这两个集合沿该直线的法向投影到一维坐标轴上时，其投影区间互不重叠；反之，若不存在这样的直线，则说明两个集合必然发生了相交。

该定理要求至少存在一条能够将两个凸集完全隔开的分离直线，而并不保证其唯一性。换言之，只要两凸集互不相交，往往可以找到多条不同的分离直线（分离轴）。需要注意的是，该定理仅对凸集成立，对于凹集必须先分解为若干凸子集后再应用。

现基于分离轴定理，对两个分别具有 N_1 与 N_2 个顶点的凸多边形建立避障约束模型（车身矩形是特殊的凸四边形，完全包含于此一般情形）。两个凸多边形共有 (N_1+N_2) 条边，每条边由一对相邻顶点连接而成。对任意一条边，记其相邻顶点为 (x_1, y_1) 与 (x_2, y_2)，则该边所在的直线可写成标准标量方程：

$$ax + by + c = 0 \tag{2-14}$$

其中，$a := y_2 - y_1$；$b := x_1 - x_2$；$c := x_1 y_2 - x_2 y_1$。

为确定这条直线两侧的符号方向，应该进行直线系数的检查与标准化调整，具体做法如下：在生成该直线所用的这对顶点之外，从同一凸多边形上再任取一个顶点 (x_3, y_3)，将其代入上述直线等式的左侧，如果该表达式取值为负，则令 a、b 与 c 各自取相反数。

在对直线系数 a、b 与 c 进行检查与标准化调整后，将生成该直线所用的这对顶点及其所属的凸多边形上各个顶点代入上述直线等式的左侧，取值一定具有非负性，这一性质是由多边形的凸性决定的。如果该直线是一条有效的分离直线，那么另一凸多边形上的各个顶点一定落在直线的对侧，即相应坐标代入上述直线等式的左侧，则表达式取值一律为非正。

由于分离轴定理给出的条件是存在至少一条分离直线，而事先并不知道是哪一条，因此对每一条候选直线引入一个二值化的辅助决策变量，以表达“该直线是否被选为分离直线”。具体地，对凸多边形 1 的第 i 条边形成的直线引入 $\gamma_i \in \{0,1\}$：当 $\gamma_i = 1$ 时，要求凸多边形 2 的全部顶点落入该直线的对侧；当 $\gamma_i = 0$ 时不施加约束。借助大 M 法与额外引入的辅助决策变量，可将这一析取条件写成纯线性不等式：

$$a_i x_{\mathrm{p}} + b_i y_{\mathrm{p}} + c_i \leqslant M(1-\gamma_i),\ \forall (x_{\mathrm{p}}, y_{\mathrm{p}}) \in S_2 \tag{2-15}$$

其中，$(a_i,\ b_i,\ c_i)$ 是凸多边形 1 的第 i 条边对应的标准化直线系数；集合 S_2 是保存凸多边形 2 各顶点坐标的集合；M 是足够大的正数。不难发现，若 $\gamma_i = 1$，上述不等式退化为 $a_i x_{\mathrm{p}} + b_i y_{\mathrm{p}} + c_i \leqslant 0,\ \forall (x_{\mathrm{p}}, y_{\mathrm{p}}) \in S_2$，意味着视直线 i 为分离直线，因此有效施加“凸多边形 2 位于直线对侧”的约束；如果 $\gamma_i = 0$，上述不等式没有起到实质性的约束作用，因为正数 M 取值充分大，无论决策量 $(x_{\mathrm{p}}, y_{\mathrm{p}})$ 如何取值都恒成立。通过引入二值决策量与足够大的正数 M，可实现对条件分支约束是否生效的统一建模且不引入任何逻辑运算符号，该技巧称为大 M 法，是运筹优化领域的常用建模方法。

类似地，对凸多边形 2 的第j条边引入二值决策变量δ_j，并施加约束：

$$a_j x_q + b_j y_q + c_j \leqslant M(1-\delta_j),\ \forall (x_q, y_q) \in S_1 \tag{2-16}$$

其中，$(a_j,\ b_j,\ c_j)$是凸多边形 2 的第j条边对应的标准化直线系数；集合S_1是保存凸多边形 1 各顶点坐标的集合；M是足够大的正数。

对两个凸多边形每一条边全部施加上述约束，则得到

$$\begin{aligned} & a_i x_p + b_i y_p + c_i \leqslant M(1-\gamma_i),\ \forall (x_p, y_p) \in S_2,\ i = 1,2,\cdots,N_1 \\ & a_j x_q + b_j y_q + c_j \leqslant M(1-\delta_j),\ \forall (x_q, y_q) \in S_1,\ j = 1,2,\cdots,N_2 \end{aligned} \tag{2-17}$$

此外，应施加以下约束以确保上述潜在分离直线中至少存在一条有效的分离直线：

$$\sum_{i=1}^{N_1} \gamma_i + \sum_{j=1}^{N_2} \delta_j \geqslant 1 \tag{2-18}$$

将上述两个凸多边形分别设置为车身矩形与环境中一个凸多边形障碍物，将二值决策量γ_i、δ_j设置为时间t的函数，在每一时刻$t \in [0, t_f]$都施加式（2-15）、式（2-16）形式的约束，即构成了完整的车 - 障碍物之间的避障约束。以相同的方式可推广至车 - 车之间的避障约束。

不难发现，这种基于分离轴定理的建模方式在计算层面会引入大量约束，其数量与参与碰撞检测的所有凸多边形的边数总和直接相关。同时，为了判断哪一条边能够真正起到分离的作用，命题中必须额外引入二值变量。正是由于二值变量的存在，基于分离轴定理的凸多边形模型相比圆盘模型要复杂得多。圆盘模型中，约束条件往往可以用一条连续的代数不等式直接表示，而基于分离轴定理的矩形精确模型则不同，它需要在多个可能的分支之间进行选择，每个分支都对应着一条潜在的分离边。

在现有研究中，罕有学者直接采用这种方式构建避障模型，其原因正是这种方法复杂度极高。本书之所以仍然在此介绍该方法，是因为它从矩形几何形状的角度出发，提供了最为精确的名义描述。换言之，它的复杂性不仅仅源于技术实现，而且从本质上揭示了两个凸多边形之间精准避障约束的固有难点，可以概括为以下两个方面。

第一，大规模性。由于每条边都可能成为分离边，因此所有边都必须在建模时被考虑进去。这意味着随着障碍物数量和顶点数量的增加，约束条件将快速增长，导致问题规模快速膨胀。

第二，非连续性。在判定是否发生碰撞时，结果可能由任意一条边决定。具体来说，某一条边可能在某一时刻起作用，而另一条边在另一时刻起作用，二者并不会同时成立。因此，这些可能性必须被分别建模为多个互斥的分支，而每个分支都对应着一个逻辑条件：若该边为分离边，则对应的代数不等式必须成立；若该边不是分离边，则该不等式必须被忽略。这类逻辑关系的组织方式正是逻辑运算中的“或”运算：在全部候选分支中，只要有至少一条成立，就足以保证两多边形互不相交。逻辑运算符的引入意味着避障约束在本质上无法通过简单的初等函数予以等价表示。尽管本小节采用了处理技巧以规避显式的逻辑运算，但这一做法并未从根本上降低建模过程固有的复杂性。

2.3.3 基于对偶问题转化的凸多边形模型

本小节将介绍一种巧妙借助对偶问题转化来构建凸多边形之间避障约束的建模方法。为方便叙述，本小节针对两个一般性的凸多边形构建避障约束表达式。

假设两个凸多边形分别用半空间的交集来表示：

$$\Theta_1 = \left\{ \boldsymbol{p} \in \mathbb{R}^2 \middle| \boldsymbol{A}_1 \boldsymbol{p} \leqslant \boldsymbol{b}_1 \right\} \tag{2-19a}$$

$$\Theta_2 = \left\{ \boldsymbol{q} \in \mathbb{R}^2 \middle| \boldsymbol{A}_2 \boldsymbol{q} \leqslant \boldsymbol{b}_2 \right\} \tag{2-19b}$$

其中，凸多边形 Θ_1 的顶点个数为 N_1；凸多边形 Θ_2 的顶点个数为 N_2；$\boldsymbol{A}_1 \in \mathbb{R}^{N_1 \times 2}$；$\boldsymbol{A}_2 \in \mathbb{R}^{N_2 \times 2}$；$\boldsymbol{b}_1 \in \mathbb{R}^{N_1}$；$\boldsymbol{b}_2 \in \mathbb{R}^{N_2}$。矩阵乘法形式的不等式 $\boldsymbol{A}_1 \boldsymbol{p} \leqslant \boldsymbol{b}_1$ 将二维平面上的坐标 $\boldsymbol{p}$ 限定在全集 $\mathbb{R}^2$ 的一个子集上：其中每一条标量不等式都将坐标 $\boldsymbol{p}$ 限定在一个半平面上，所有不等式联立起来得到的是二维平面上的一个闭区域，即凸多边形 Θ_1 占据的区域，同样的情况适用于凸多边形 Θ_2。

命题“两个凸多边形 Θ_1 与 Θ_2 不重叠”等价于“Θ_1 与 Θ_2 之间的最小距离大于 0”，即

$$\min_{\boldsymbol{p} \in \Theta_1,\ \boldsymbol{q} \in \Theta_2} \left\| \boldsymbol{p} - \boldsymbol{q} \right\|_2 > 0 \tag{2-20}$$

如果直接将避障约束按照式（2-20）的最小化形式来建模，就意味着包含该约束的最优控制问题实际上成为一个嵌套优化问题。换言之，外层优化在每一步迭代中，都必须先完全求解内层的最小化子问题，才能继续外层的更新。这种逐层嵌套的结构会导致计算开销极其庞大，难以在合理时间内完成收敛。在协同轨迹规划任务中，这类方式显然无法满足实时性的要求。因此需要对该建模思路进行进一步改造。

将式（2-20）中蕴含的内层优化问题完整书写为

$$\begin{aligned} &\min_{\boldsymbol{p},\, \boldsymbol{q}} \left\| \boldsymbol{p} - \boldsymbol{q} \right\|_2 \\ &\text{s.t. } \boldsymbol{A}_1 \boldsymbol{p} \leqslant \boldsymbol{b}_1, \\ &\qquad \boldsymbol{A}_2 \boldsymbol{q} \leqslant \boldsymbol{b}_2 \end{aligned} \tag{2-21}$$

由运筹优化学科的基础知识可知，该最小化问题的对偶问题是一则最大化问题，表示为

$$\begin{aligned} &\max_{\boldsymbol{\lambda},\, \boldsymbol{\mu}} \ -\boldsymbol{b}_1^{\mathrm{T}} \boldsymbol{\lambda} - \boldsymbol{b}_2^{\mathrm{T}} \boldsymbol{\mu} \\ &\text{s.t. } \boldsymbol{\lambda} \geqslant 0,\ \boldsymbol{\mu} \geqslant 0, \\ &\qquad \boldsymbol{A}_1^{\mathrm{T}} \boldsymbol{\lambda} + \boldsymbol{A}_2^{\mathrm{T}} \boldsymbol{\mu} = 0, \\ &\qquad \left\| \boldsymbol{A}_1^{\mathrm{T}} \boldsymbol{\lambda} \right\|_2 \leqslant 1 \end{aligned} \tag{2-22}$$

在两个多边形均为凸且内部均非空的情况下，原问题［式（2-21）］满足 Slater 条件，从而符合强对偶性。这意味着原问题［式（2-21）］与其对偶问题［式（2-22）］的最优值是相等的，此时命题“Θ_1 与 Θ_2 之间的最小距离大于 0”等价于“对偶问题［式（2-22）］的最大化代价值 $-\boldsymbol{b}_1^{\mathrm{T}} \boldsymbol{\lambda}^* - \boldsymbol{b}_2^{\mathrm{T}} \boldsymbol{\mu}^*$ 大于 0”，其中 $(\boldsymbol{\lambda}^*, \boldsymbol{\mu}^*)$ 代表最优解向量。通过观察式（2-22）中的约束与代价函数不难发现，该问题的可行域是封闭且有界的，因此最大值为有限值，且必然能够被某个可行点取得（支撑该结论的依据为代价函数的连续性以及数学分析中的 Weierstrass 定理）。在最大值存在的前提下，给出如下引理：

引理 2-1：“最优解向量 $(\boldsymbol{\lambda}^*,\boldsymbol{\mu}^*)$ 满足 $-\boldsymbol{b}_1^{\mathrm{T}}\boldsymbol{\lambda}^*-\boldsymbol{b}_2^{\mathrm{T}}\boldsymbol{\mu}^*>0$ ”等价于“存在某一解向量 $(\boldsymbol{\lambda},\boldsymbol{\mu})$ 满足 $-\boldsymbol{b}_1^{\mathrm{T}}\boldsymbol{\lambda}-\boldsymbol{b}_2^{\mathrm{T}}\boldsymbol{\mu}>0$ ”。

证明：首先，已知最优解向量 $(\boldsymbol{\lambda}^*,\boldsymbol{\mu}^*)$ 满足 $-\boldsymbol{b}_1^{\mathrm{T}}\boldsymbol{\lambda}^*-\boldsymbol{b}_2^{\mathrm{T}}\boldsymbol{\mu}^*>0$。设 $\alpha=-\boldsymbol{b}_1^{\mathrm{T}}\boldsymbol{\lambda}^*-\boldsymbol{b}_2^{\mathrm{T}}\boldsymbol{\mu}^*$，任取 $0<\varepsilon<\alpha$，存在可行的解向量 $(\boldsymbol{\lambda},\boldsymbol{\mu})$ 使得 $-\boldsymbol{b}_1^{\mathrm{T}}\boldsymbol{\lambda}-\boldsymbol{b}_2^{\mathrm{T}}\boldsymbol{\mu}>\alpha-\varepsilon$。这意味着存在某一未必是最优解的解向量 $(\boldsymbol{\lambda},\boldsymbol{\mu})$ 也满足 $-\boldsymbol{b}_1^{\mathrm{T}}\boldsymbol{\lambda}-\boldsymbol{b}_2^{\mathrm{T}}\boldsymbol{\mu}>0$。直观来讲，可以找到足够接近最大值的可行解使目标值为正。

其次，若已知存在某一解向量 $(\boldsymbol{\lambda},\boldsymbol{\mu})$ 满足 $-\boldsymbol{b}_1^{\mathrm{T}}\boldsymbol{\lambda}-\boldsymbol{b}_2^{\mathrm{T}}\boldsymbol{\mu}>0$，那么最优解向量 $(\boldsymbol{\lambda}^*,\boldsymbol{\mu}^*)$ 对应的代价函数取值不会落后于它，因此也自然满足 $-\boldsymbol{b}_1^{\mathrm{T}}\boldsymbol{\lambda}^*-\boldsymbol{b}_2^{\mathrm{T}}\boldsymbol{\mu}^*>0$。

由于“最优解向量 $(\boldsymbol{\lambda}^*,\boldsymbol{\mu}^*)$ 满足 $-\boldsymbol{b}_1^{\mathrm{T}}\boldsymbol{\lambda}^*-\boldsymbol{b}_2^{\mathrm{T}}\boldsymbol{\mu}^*>0$ ”与“存在某一解向量 $(\boldsymbol{\lambda},\boldsymbol{\mu})$ 满足 $-\boldsymbol{b}_1^{\mathrm{T}}\boldsymbol{\lambda}-\boldsymbol{b}_2^{\mathrm{T}}\boldsymbol{\mu}>0$ ”可以相互推出，因此它们互为充分必要条件，即二者等价。

引理 2-1 之所以能够将避障约束由“最大化”等价改写为“存在性”陈述，关键在于极值与量词之间的基本对应关系。直观地说，要求最大值不小于某阈值，本质上是在确认集合中至少存在一个元素达到了该阈值；相反，要求最大值不超过某阈值或最小值不小于某阈值，则是在对集合中所有元素同时施加限制。基于此，对偶侧“目标最大值 >0”的判断即可等价转化为“存在一组可行的对偶变量使目标值 >0”，从而以一组可计算的存在性约束替代原本的嵌套极值检验，避免在外层优化的每一步都求解一个内层极大化子问题。

使用引理 2-1 可将避障约束等价地表示为“存在某一解向量 $(\boldsymbol{\lambda},\boldsymbol{\mu})$ 满足 $-\boldsymbol{b}_1^{\mathrm{T}}\boldsymbol{\lambda}-\boldsymbol{b}_2^{\mathrm{T}}\boldsymbol{\mu}>0$、$\boldsymbol{\lambda}\geqslant 0$、$\boldsymbol{\mu}\geqslant 0$、$\boldsymbol{A}_1^{\mathrm{T}}\boldsymbol{\lambda}+\boldsymbol{A}_2^{\mathrm{T}}\boldsymbol{\mu}=0$ 以及 $\left\|\boldsymbol{A}_1^{\mathrm{T}}\boldsymbol{\lambda}\right\|_2\leqslant 1$ ”，那么如何寻找同时符合这些条件的解向量 $(\boldsymbol{\lambda},\boldsymbol{\mu})$ 呢？只需将 $(\boldsymbol{\lambda},\boldsymbol{\mu})$ 纳入轨迹规划的状态变量之中作为待决策变量的一部分，随着整个命题一起求解出来即可。因此表述凸多边形 Θ_1 与 Θ_2 不重叠的完整的避障约束为

$$
\begin{cases}
-\boldsymbol{b}_1^{\mathrm{T}}\boldsymbol{\lambda}-\boldsymbol{b}_2^{\mathrm{T}}\boldsymbol{\mu}>0\\
\lambda\geqslant 0,\ \mu\geqslant 0\\
\boldsymbol{A}_1^{\mathrm{T}}\boldsymbol{\lambda}+\boldsymbol{A}_2^{\mathrm{T}}\boldsymbol{\mu}=0\\
\left\|\boldsymbol{A}_1^{\mathrm{T}}\boldsymbol{\lambda}\right\|_2\leqslant 1
\end{cases}
\tag{2-23}
$$

至此，避障约束的建模已经完成。式（2-23）完全由初等函数构成，复杂度不高。需要说明的是，IPOPT 等常用非线性规划求解器不支持严格不等式，而是接受非严格不等式与等式。因此，当模型中出现形如 $-\boldsymbol{b}_1^{\mathrm{T}}\boldsymbol{\lambda}-\boldsymbol{b}_2^{\mathrm{T}}\boldsymbol{\mu}>0$ 的约束时，应引入充分小的正参数 ε（例如取值 10^{-6}），将其改写为 $-\boldsymbol{b}_1^{\mathrm{T}}\boldsymbol{\lambda}-\boldsymbol{b}_2^{\mathrm{T}}\boldsymbol{\mu}\geqslant\varepsilon$，以满足求解器的输入格式与数值稳定性要求。

该方法由 Zhang 等[36]于 2018 年提出，并将其命名为 OBCA（optimization-based collision avoidance，基于优化的避障）模型，近年来已受到广泛关注[37]。事实上，这一做法其实早在 2004 年就已出现在 Boyd 与 Vandenberghe 合著的运筹学经典著作 *Convex Optimization*[38] 第 8.1.2 小节。为避免式（2-23）所涉及的约束规模过大，Guo 等[39]在 OBCA 模型基础上提出了工程化的冗余约束检查与剪枝策略，从而进一步提升了轨迹规划的计算效率。

读者若希望彻底掌握相关理论背景知识，例如拉格朗日对偶变量、对偶函数、Slater 条件以及强对偶性等核心概念，建议系统地学习 *Convex Optimization* 一书，该书对相关知识进行了全面而严谨的论述，可为更深入理解本节方法提供理论基础。

2.3.4 基于三角面积不等式的凸多边形模型

前述两小节分别给出了凸多边形避障约束的两种建模方案，其共同点在于均需引入额外的辅助决策变量。由此自然产生一个问题：能否在不引入辅助变量的前提下，以更直观的几何方式刻画凸多边形之间的避障约束？答案是可以的。本小节将介绍一种基于三角面积不等式的建模方法。

对于两个凸多边形，要求它们的所有顶点均不得落入对方的内部区域，并据此建立避障约束。然而，这样的表述存在潜在缺陷：在某些极端情况下，即便一个凸多边形的所有顶点均位于另一凸多边形之外，两者仍可能发生严重的重叠或嵌套，从而造成碰撞。尽管如此，在轨迹规划任务背景下，其中一个凸多边形通常表示矩形车身，在车辆与障碍物的交互过程中，碰撞的发生一定源于顶点，不论是凸多边形的顶点还是车身矩形的顶点，因此若能在任意时刻确保顶点与对方凸多边形保持分离，便可从源头上避免碰撞[40]。由此，问题便分解为如何描述质点位于某凸多边形之外。

Li 与 Shao 受到文献［41］启发，于 2015 年提出了三角面积不等式模型[33]，该论文是著者所知的最早在机器人 / 智能车运动规划领域使用该方法的文献。该方法将待判定质点与凸多边形的每一对相邻顶点构成若干三角形，并将这些三角形的面积做代数累加。若累加结果大于原凸多边形的面积，则说明该质点位于多边形的外部（图 2-4）；若二者相等，则表明质点位于多边形的边界上或其内部。这一判定准则的正确性可由初等几何知识直接证明[31]。

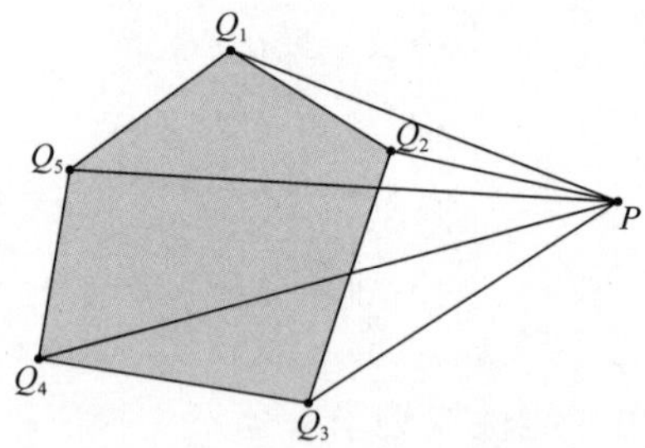

图 2-4　质点落入凸多边形外部的三角面积不等式示意图

将凸多边形的 N 个顶点记为 $Q_1 \sim Q_N$，点 P 处于凸多边形外部的约束表示为

$$S_{\Delta PQ_NQ_1} + \sum_{k=1}^{N-1} S_{\Delta PQ_kQ_{k+1}} > S_{\square Q_1Q_2\cdots Q_N} \tag{2-24}$$

其中，$S_{\Delta PQ_kQ_{k+1}}$ 代表相应三角形面积；$S_{\square Q_1Q_2\cdots Q_N}$ 代表凸多边形面积。$S_{\Delta PQ_kQ_{k+1}}$ 可由三角形顶点坐标来表示：设 $P=(x,y)$、$Q_k=(x_{Qk},y_{Qk})$、$Q_{k+1}=(x_{Q(k+1)},y_{Q(k+1)})$，则有

$$S_{\Delta PQ_kQ_{k+1}} = \frac{1}{2}\left| xy_{Qk} + x_{Qk}y_{Q(k+1)} + x_{Q(k+1)}y - xy_{Q(k+1)} - x_{Qk}y - x_{Q(k+1)}y_{Qk} \right| \tag{2-25}$$

不难发现，式（2-25）中引入了绝对值运算符，并将大量绝对值运算符代入式（2-24）。本质上来讲，绝对值表达式属于条件分支表达式，即具体表达式的内容不能符号化唯一确定，而是依赖表达式具体的取值情形。此类约束在论域上并非处处可微（设想标量函数 $f(x)=|x|$ 在 $x=0$ 点的左右导数是否相等），若将其直接嵌入协同轨迹规划命题中并随后采用基于梯度的优化方法求解，非处处可微的约束将大幅拖累梯度优化算法的收敛效率，严重时甚至导致迭代发散。除绝对值运算符 abs() 外，典型的条件分支运算符还包括 max()、min()、ceil()、floor() [42] 等，据此构建出的约束会因为破坏了处处可微分属性而影响梯度优化的计算性能，著者建议读者慎用。

那么是否可以在式（2-25）中直接消除绝对值符号呢？答案是否定的。绝对值符号在此处的作用是确保面积恒为非负量，若将其直接去除，无疑会破坏公式原有的几何意义。但是，若利用额外的先验信息（例如已知一条能够保证安全避障的参考路径或参考轨迹），则可通过在建模中引入局部信赖域约束，将车辆状态限制在该参考轨迹的某一较小邻域内。在这一做法的前提下，绝对值项的符号性不再产生歧义，因此便可在式（2-25）中安全地去掉绝对值符号。关于这一思路的体系化研究参见陈晓明等 [43] 的论文，其中对三角面积不等式模型中绝对值的去除进行了详尽的分析。

三角面积不等式模型存在一个根本性的缺陷，即当顶点进入多边形内部后，其侵入深度无法被量化。换言之，该模型只能判断碰撞是否发生，却无法提供碰撞程度的连续度量。这一不足在基于梯度的优化求解中尤为致命：若初始解品质较差，车辆已发生碰撞，则罚函数无法指引迭代优化过程脱离碰撞区域，导致优化几乎难以收敛。同样的缺陷也存在于前述的 OBCA 模型中：一旦两个凸多边形发生重叠，其最小距离恒为 0，此时缺乏能够区分不同重叠深度的量化指标，从而使得梯度优化在处理碰撞问题时无法生成有针对性的搜索方向对碰撞予以改善。因此在使用这两种避障约束建模方法时，必须设法为梯度优化提供不发生碰撞的热启动初始解，否则梯度优化效果难以保障。

2.3.5 时空安全走廊模型

本节前述四类避障建模方法主要致力于刻画一般性的避障条件。然而在工程实践中，障碍物往往数量众多，且数量随环境变化可能大幅波动，这将直接影响避障约束的规模和复杂度。除了直接要求某辆网联汽车的车身与环境障碍物或其他车辆车身不发生重叠之外，还存在一种替代性的思路，即在环境的自由空间中预先构造一条安全走廊，并强制车辆始终行驶在该走廊内部。

然而，实际生成的安全走廊往往具有复杂的几何形态，常常表现为凹多边形，使得要求矩形车身始终处于该区域内部的约束表达极为困难。因此，通常的做法是将连续的安全走廊离散化为时间 / 空间上的一系列碎片，每个碎片均为相对简单或规则的区域，从而降低建模与计算难度。

在姑且不考虑车与车之间避障的前提下，另一个关键问题在于环境中存在大量静态障碍物。车辆绕行障碍物时，通常存在多种不同的拓扑同伦类别可供选择，而一旦安全走廊被构造完成，其几何走势就直接限定了绕行方式。换言之，如何生成安全走廊，实际上决定了车辆最终采用的绕行拓扑类别。与上一小节末尾所提情况类似，解决这一问题需要借助参考轨迹作为先验信息，并在此基础上生成相应的安全走廊。这样一来，车辆的绕行拓扑类别在安全走廊构造时就已被固定，后续基于该走廊构建避障约束并完成求解后，将无法再进行更改。本小节将介绍一种基础的时空安全走廊模型。

现假设已知一条先验的参考轨迹 traj，其字段包括位置 $[x_i(t), y_i(t)]$ 与航向 $\theta_i(t)$。据此可根据式（2-7）唯一地确定智能网联汽车 i 在任意时刻 t 的车身足迹。另一方面，为了便于构造隧道（安全走廊）化避障约束，将车辆的矩形轮廓用一个外接圆盘加以覆盖，并设圆盘半径为 R_i。圆盘的圆心位置作为新的状态变量，记为 $[x_{c_i}(t), y_{c_i}(t)]$，它与车辆状态 $[x_i(t), y_i(t), \theta_i(t)]$ 之间存在一一对应关系：

$$
\begin{aligned}
x_{c_i}(t) &= x_i(t) + \frac{L_{\mathrm{w}} + L_{\mathrm{f}} - L_{\mathrm{r}}}{2}\cos\theta_i(t) \\
y_{c_i}(t) &= y_i(t) + \frac{L_{\mathrm{w}} + L_{\mathrm{f}} - L_{\mathrm{r}}}{2}\sin\theta_i(t)
\end{aligned}
\tag{2-26}
$$

以下给出在任意时刻 t 构建隧道化避障约束的具体方法。

第一步，获取环境中所有动、静态障碍物在时刻 t 的瞬时位置，并据此标注它们在平面上占据与未占据的区域，记为集合 map(t)。

第二步，对集合 map(t) 中的障碍物占据区域进行尺度为 R_i 的膨化运算，得到集合 dilated_map(t)。这里所说的“膨化”（dilation）源自计算机视觉与数学形态学的概念，指的是在原始障碍物边界外侧沿各方向扩展一定尺度，从而得到一个比原始障碍物略大的区域，用以补偿车辆轮廓覆盖圆盘的半径。这样一来，保证圆盘圆心不进入 dilated_map(t)，则一定可以推出车辆本体不与障碍物占据区域 map(t) 相交。

第三步，从参考轨迹 traj 中提取时刻 t 的位姿 $[x_i(t), y_i(t), \theta_i(t)]$，并将其换算为圆盘圆心的参考点位，现将其称为种子点 $(x_i^{\text{seed}}, y_i^{\text{seed}})$。

第四步，以种子点 $(x_i^{\text{seed}}, y_i^{\text{seed}})$ 为起始，利用算法 2-1 逐步构造一个轴对齐包围盒（axis-aligned bounding box，AABB）形式的走廊碎片区域（图 2-5），表示为 $[x_{\min}, x_{\max}] \times [y_{\min}, y_{\max}]$。该区域是车辆圆盘圆心在时刻 t 允许抵达的安全走廊碎片。

最后一步，在时刻 t 应该施加的避障约束为

$$
x_{\min} \leqslant x_{c_i}(t) \leqslant x_{\max},\ y_{\min} \leqslant y_{c_i}(t) \leqslant y_{\max} \tag{2-27}
$$

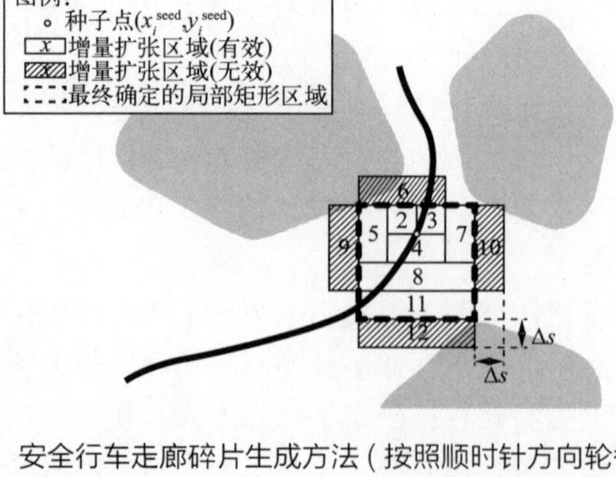

图 2-5　安全行车走廊碎片生成方法（按照顺时针方向轮番拓展）

算法 2-1 安全行车走廊碎片生成算法

输入： 种子点 $(x_i^{\text{seed}}, y_i^{\text{seed}})$，膨化地图 dilated_map($t$)

输出： 局部走廊碎片 $[x_{\min}, x_{\max}] \times [y_{\min}, y_{\max}]$

定义扩张方向集合 direction $= \{\pi, \pi/2, 0, -\pi/2\}$;

构建指标集 $\Omega = \{1, 2, 3, 4\}$ ；

构建扩张长度向量 length $= \{0,0,0,0\}$ ；

定义当前接受区域 Υ，将其初始化为质点 $\left(x_i^{\text{seed}}, y_i^{\text{seed}}\right)$ ；

while $\Omega \not\subset \varnothing$, **do**

  for each $i \in \Omega$, **do**

    将 Υ 向 direction 中第 i 个元素所示方向扩张 Δs ；

    将扩张过程中形成的增量区域定义为 Υ_{trial} ；

    if $\left(\Upsilon_{\text{trial}} \cap \text{dilated\_map}(t) \subset \varnothing\right)$，**then**

      $\text{length}_i \leftarrow \text{length}_i + \Delta s$ ；

      将 Υ_{trial} 合并进 Υ，据此更新 Υ;

    else

      将指标 i 移出 Ω;

    end if

  end for

end while

计算 $x_{\min} = x_i^{\text{seed}} - \text{length}_1$ ；

计算 $x_{\max} = x_i^{\text{seed}} + \text{length}_3$ ；

计算 $y_{\min} = y_i^{\text{seed}} - \text{length}_4$ ；

计算 $y_{\max} = y_i^{\text{seed}} + \text{length}_2$ ；

输出 $[x_{\min}, x_{\max}] \times [y_{\min}, y_{\max}]$ ；

return.

式（2-27）的形式十分简洁，且其约束规模与环境中障碍物的数量无关，这一特性对轨迹规划算法的稳定性具有重要意义。原因在于，在实际应用中往往无法事先确定环境中障碍物的具体数量，如果求解耗时能够与环境复杂度解耦，则可显著提升算法的鲁棒性与实时性。能够得到如此简洁的结果，依赖于三个方面的设计：第一，将车身矩形简化为外接圆盘，并进一步等效为质点模型；第二，安全走廊碎片采用轴对齐包围盒表示；第三，也是最关键的，算法依托于外部提供的先验参考轨迹。需要指出的是，前两项简化不可避免地会引入几何冗余：矩形车身外接圆盘会产生四个半月形冗余区域，而轴对齐包围盒在构造过程中难以避免地浪费相当部分的自由空间（图 2-6）。正因如此，基于安全走廊的避障约束建模方法未必适用于极端狭窄的场景。

图 2-6　时空安全走廊模型效果示意图（斜纹区为走廊碎片未能覆盖的可行驶空间）

Li 等[44,45]提出了利用多个圆盘联合表征车身的方案，并据此构建多组走廊片段，尝试采用有向包围盒而非轴对齐包围盒来表征走廊碎片。这些改进措施在一定程度上缓解了安全走廊模型所固有的冗余问题。

必须强调的是，上述方案并不能满足车辆之间的避障建模需求。针对车 - 车之间的避障问题，可以采用相对安全走廊[46]的方法加以处理，其具体原理与实现方式将在本书第 5 章中作详细阐述。

2.3.6　半空间模型

所谓半空间模型，是指在具备先验参考轨迹的前提下，将名义上的几何避障约束用局部线性化所得到的一条切线半空间来近似，从而把非线性的距离约束转化为线性不等式。

本小节只介绍最简单的情形：智能网联汽车表示为圆盘，障碍物也是圆形。记障碍物的圆心与半径分别为(x_o, y_o)与R_o，车辆圆盘的圆心与半径分别为(x_C, y_C)与R_i。名义上的避障约束表示为

$$(x_C - x_o)^2 + (y_C - y_o)^2 - (R_o + R_i)^2 \geqslant 0 \tag{2-28}$$

从参考轨迹中提取到车辆圆盘的圆心处于参考点$(\bar{x}, \bar{y})$，在该参考点对式 (2-28) 不等号左侧的多项式$f(x_C, y_C) := (x_C - x_o)^2 + (y_C - y_o)^2 - (R_o + R_i)^2$进行一阶 Taylor 展开，则有

$$f(x_C, y_C) \approx f(\bar{x}, \bar{y}) + 2(\bar{x} - x_o)(x_C - \bar{x}) + 2(\bar{y} - y_o)(y_C - \bar{y}) \tag{2-29}$$

式中，约等号右侧的多项式是$f(x_C, y_C)$在参考点$(\bar{x}, \bar{y})$处的线性化近似表达式。令这个线性化近似表达式$\geqslant 0$，则构成一则形如$ax_C + by_C + c \geqslant 0$的半空间约束，其中$a$、$b$、$c$都可唯一确定下来。

不妨选取一组参数进行仿真实验，以直观展示名义上的避障约束［式 (2-28)］与半空间模型的差异。已知静态障碍物圆心位于（0，0），半径R_o为 2.0m，车辆圆盘的半径R_i为 0.5m，车辆圆盘的状态变量为其圆心(x_C, y_C)，此时名义避障约束［式 (2-28)］可写为$x_C^2 + y_C^2 - 6.25 \geqslant 0$，该区域对应图 2-7 中的浅灰色半透明纯色区域。另外，已知圆心变量的一个可行的参考点位为$(x_C, y_C) = (4,2)$，那么可以将$x_C^2 + y_C^2 - 6.25 \geqslant 0$在参考点

(4,2)进行一阶 Taylor 展开，经过计算得到的半空间表示为 $8x_{\mathrm{C}}+4y_{\mathrm{C}}-26.25\geqslant 0$，将其以深浅交替条纹的方式同样呈现在图 2-7 之中。由图可见，深色条纹对应的是在参考点对名义二次距离约束进行一阶线性化得到的半空间。其边界是一条与外扩圆在参考方向上的几何切线平行，并沿法向向外偏移的支撑直线。由于该直线整体位于外扩圆之外，而半空间又取其“远离圆心”的一侧，因此半空间整体被包含于名义可行域之内。与覆盖整个外扩圆外部的名义可行域相比，这一线性化半空间在靠近障碍物的一侧被额外收缩，范围更小，因而体现出更强的保守性。

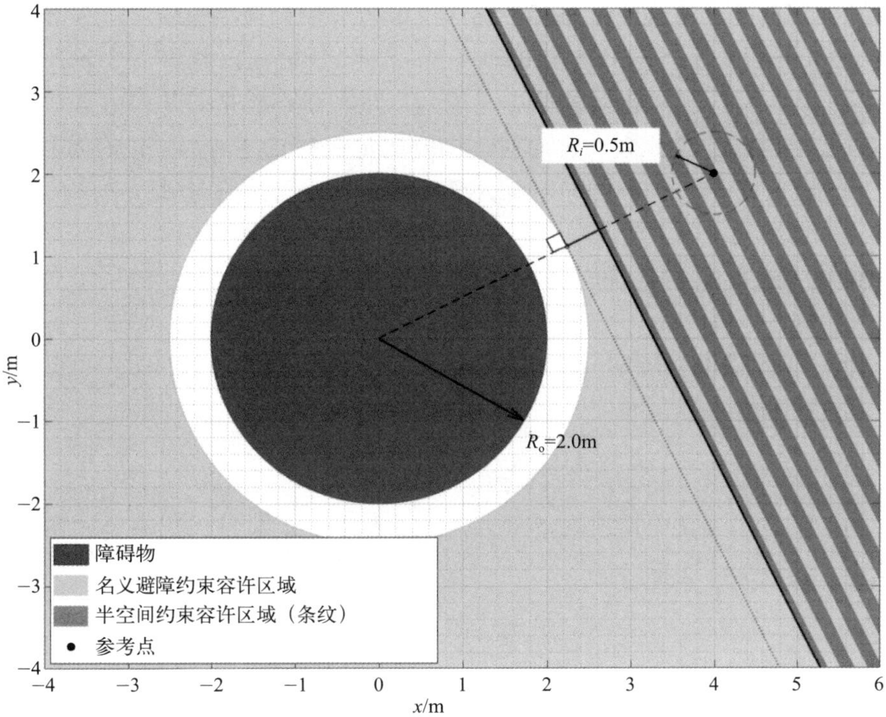

图 2-7　名义避障约束与半空间约束作用域对比

为保证线性化的有效性，通常需要在参考点附近设置信赖域，将更新量限制在局部邻域内，例如

$$-\delta_x\leqslant x_{\mathrm{C}}-\bar{x}\leqslant\delta_x,-\delta_y\leqslant y_{\mathrm{C}}-\bar{y}\leqslant\delta_y \tag{2-30}$$

其中，(δ_x,δ_y)代表信赖域半宽度。

在实际应用中，半空间模型通常结合一种名为序贯凸规划（sequential convex programming，SCP）的方法[47]来使用。其基本思路是：以一条参考轨迹作为初始解，在参考轨迹附近对非线性的避障约束进行线性化近似，从而得到一则凸子问题；求解完成后，再将得到的新轨迹作为新的参考轨迹，重新进行线性化和优化；如此反复迭代，直到结果逐步收敛。由于原始问题本质上是非凸的，这样的迭代过程并不能保证得到全局最优解，但往往能够找到一个足够可行且质量较高的局部解。需要指出的是，在这一过程中会遇到各种数值和几何上的问题，例如线性化近似过于粗糙导致约束不可行，或者解在不同迭代之间发生振荡[27]。工程上常见的解决办法包括设置信赖域以限制解的更新幅度、引入松弛变量以避免子问题失效、通过步长调整来确保每次迭代都有所改进，以及采用逐步放宽或收紧约束的延续策略来帮助优化顺利进行。

2.4 代价函数

前几节介绍了智能网联汽车协同轨迹规划中必须严格满足的各类约束条件，然而，满足这些硬性约束的协同轨迹解通常不止一组，而是存在多个可行解。因此，需要引入一个额外的判别标准，从这些候选解中筛选出最优解作为最终输出。这个判别标准就是代价函数（cost function）。代价函数以高维解向量作为输入，并将其映射为一个单一的数值。必须强调的是，代价函数的输出只能是标量，而不能是向量或更复杂的对象，因为只有标量才能进行大小比较，进而对不同解向量进行排序。如果没有这种“标量化”的度量，就无法在多个可行解之间明确区分优劣，也就无法确定哪一个解应被选为最终的协同轨迹规划结果。

当协同轨迹规划的时域长度 t_{f} 不固定时，将代价函数设置为

$$J = t_{\mathrm{f}} \tag{2-31}$$

这意味着希望整个智能网联汽车编队完成既定行驶任务的时间尽可能短。还可以设置：

$$J = \sum_{i} \left[\int_{\tau=0}^{t_{\mathrm{f}}} \omega_i^2(\tau)\,\mathrm{d}\tau \right] \tag{2-32}$$

其相当于汇总了编队中所有智能网联汽车在整个运动时域内因车轮转角变化而消耗的广义能量。类似地，还有

$$J = \sum_{i} \left[\int_{\tau=0}^{t_{\mathrm{f}}} a_i^2(\tau)\,\mathrm{d}\tau \right] \tag{2-33}$$

将上述性能代价多项式按实际需要加权汇总则得到完整的代价函数。

2.5 总体命题

本节旨在将前文已经建立的各类约束与代价函数统一起来，形成一个自洽而完整的最优控制命题。任何一个合理的最优控制问题都离不开三个基本要素：决策变量、约束与代价函数。决策变量承载未知量，约束界定可行域，代价函数提供筛选价值体系。只要把握住这三要素，最优控制问题的结构便一目了然：无论代价函数如何设计，抑或约束如何表述，归根结底都是对决策变量的运算与限制。

首先是决策变量。协同轨迹规划的决策变量通常包含随时间演化的状态量与控制量，必要时还可能包括终止时刻、辅助的离散型逻辑量以及为增强鲁棒性而引入的松弛量。协同轨迹规划问题建模的第一步就是明确决策变量到底由哪些维度构成。

其次是约束。为便于理解与实施，约束可分为三大类。其一是内在约束，刻画系统自身不可违背的物理规律与几何关系，包括运动学/动力学微分等式、几何关系代

数等式、输入与状态限幅代数不等式。这类约束不依赖外部环境变化，在全时域内恒成立，体现了车辆运动系统“能做什么、不能做什么”的本质边界。其二是环境与交互约束，反映车辆与外界的相互作用，首要代表就是避障约束，此外还包括道路边界、交通规则、通行优先级、编队内部的安全车距与换道约束等。这一类约束常随环境而时变，且往往具有非凸性与组合性，是求解难度的主要来源。其三是任务与边界约束，用以明确起点与终点、时间窗、必须经过或避免的关键区域，乃至编队的构型要求与交付指标。它们把抽象的运动能力与环境条件投射到具体任务上，决定了问题的目标边界与完成判据。把这三类约束按逻辑分清、按接口分层，是保证模型清晰与可维护的前提。

最后是代价函数。代价函数的作用在于把高维解向量映射为单一的数值，用数值对候选解进行排序与取舍。实际设计中，常把通行效率、能耗、舒适性、编队稳定性、公平性等量化指标按权重加权，或采用分层（先满足一级目标，再在其可行域内优化二级目标）的方式实现标量化。所谓“多目标优化”在工程实践中之所以并不常见，并非不可为，而是因为没有必要：即使枚举出帕累托前沿，最终仍需在前沿上挑一个具体解，这一步本质上仍是一次标量化的决策（要么给权重，要么设优先级）。与其把选择推迟到出口处，不如在建模阶段明确偏好，把排序规则直接写进代价函数，使求解器从一开始就朝着可交付的唯一答案收敛。

为了把上述抽象结构落到直观认知，不妨用一个人们熟悉的手机导航应用作类比。用户输入起点与终点，这对应于任务与边界约束；用户选择出行方式（步行、骑行、驾车），这限定了速度上限、可走道路类型等，等价于系统的内在约束；应用从后台调取路网通行性、实时拥堵与临时封闭等信息，这就是环境约束。接下来，用户勾选“时间最短”“费用最低”“不走高速”“少红绿灯”等偏好，应用会把这些偏好折算为一个统一的分值体系，然后在满足三类约束的前提下，寻找分值最小的那条路线予以推荐。因此，以轨迹规划为背景的最优控制问题是有比较固定的内容格式的。

第3章

智能网联汽车协同轨迹规划问题基本解法

3.1 最优控制问题的常见求解方法
3.2 计算最优控制方法体系
3.3 基于搜索的初始解构造方法

本章围绕第 2 章构建的多车协同轨迹规划最优控制问题展开求解。为此，3.1 节先综述适用于该类最优控制问题的常见求解方案；3.2 节进一步阐明本书采用的技术路线，即计算最优控制方法体系；最后，3.3 节对其中的初始解构造进行专题论述。

3.1 最优控制问题的常见求解方法

用于求解最优控制问题的主流路径包括间接法、动态规划法与直接法。

间接法并非意指获得闭式解析解，而是先依据必要条件建立两点边值问题，再用数值手段求解。具体而言，可由变分法推导欧拉 - 拉格朗日方程，或由庞特里亚金极值原理（Pontryagin maximum/minimum principle，PMP）构造伴随系统与最优性条件。传统变分法假定问题足够光滑且不含显式的不等式型控制或状态约束，因而直接处理控制取值受限、路径约束或切换结构时较为困难；PMP 能够自然刻画闭控制域与路径约束，并给出极值轨道的必要条件，但所得解通常只是候选极值解而非必然全局最优，充分性需要借助凸性、次序条件或额外验证，同时数值求解对初始猜测与尺度化较为敏感。

动态规划法基于贝尔曼最优性原理，通过时间与状态离散（或函数逼近）求解贝尔曼方程，从理论上可获得全局最优策略与值函数。其主要瓶颈在于维数灾难：计算与存储开销随状态维度迅速增长，因此更适用于低维场景，或需引入近似动态规划与强化学习等数值逼近技术。各类边界与路径约束可以通过可行集限制、惩罚或约束传播等方式纳入，约束本身并非效率低下的根源。

直接法把连续时间最优控制问题转化为有限维非线性规划（nonlinear programming，NLP），典型做法包括单 / 多重打靶法、配点与伪谱等数值转录，再借助序贯二次规划或内点法等优化算法求解 [48]。该路线无需显式推导解析的必要条件，但其 NLP 的 KKT（Karush-Kuhn-Tucker）条件在离散层面与最优性条件等价，故可视作“隐式地”满足最优性条件。直接法能统一而稳健地处理初末边界、控制与状态约束以及复杂目标，扩展性较好，缺点是所得解通常为局部最优并依赖初始解质量。鉴于协同轨迹规划具有高维耦合与多重约束的特征，直接法在可扩展性与约束统一处理方面更具优势，本书在后续章节将以直接法为核心展开技术路线。

3.2 计算最优控制方法体系

计算最优控制方法包括三个步骤：第一步，将连续时间的最优控制问题离散化，构造为有限维的 NLP 问题；第二步，采用适当的优化算法求解该 NLP 问题以获得离散意义下的最优解；第三步，依据 NLP 最优解，通过插值与重构等方式生成原最优控制问题的时间连续控制 / 状态函数 [31]。本节将扼要阐述这三个步骤的实现方法。

3.2.1 最优控制问题的全联立离散化

为了便于叙述，现将第 2 章构建的最优控制问题抽象地表示为

$$
\begin{aligned}
&\min J(\boldsymbol{z},\boldsymbol{u}) \\
&\text{s.t. } \frac{\mathrm{d}\boldsymbol{z}(t)}{\mathrm{d}t} = F[\boldsymbol{z}(t),\boldsymbol{u}(t)],\ G[\boldsymbol{z}(t),\boldsymbol{u}(t)] \leqslant 0,\ t \in [0,t_{\mathrm{f}}]
\end{aligned} \tag{3-1}
$$

其中，控制量抽象地表示为 $\boldsymbol{u}(t)$；状态量表示为 $\boldsymbol{z}(t)$；$F[\boldsymbol{z}(t),\boldsymbol{u}(t)]=0$ 表示所有微分形式的等式；$G[\boldsymbol{z}(t),\boldsymbol{u}(t)]\leqslant 0$ 表示所有代数形式的等式与不等式。

数值求解最优控制问题的第一步，是将原始连续时间最优控制问题［式 (3-1)］转写为一则维数有限的 NLP 问题。转写的基本思路是用时域 $[0,t_{\mathrm{f}}]$ 上的有限个采样时刻 $\{t_k\}$ 表征连续时间，从而把“确定时间连续的控制量函数 $\boldsymbol{u}(t)$”的原始任务改造为“确定这些采样时刻上控制量取值 $\{\boldsymbol{u}_k=\boldsymbol{u}(t_k) | k=0,1,\cdots,N_{\mathrm{col}}\}$”的简化任务。其中，这些控制点 $(t_k,\boldsymbol{u}_k)$ 称为配置点，配置点个数为 $(N_{\mathrm{col}}+1)$。

按照离散化范围与变量处理方式，常见的离散化方法可归纳为两类。其一为部分离散（又称单射击，sequential/single shooting），仅对控制变量（控制量）$\boldsymbol{u}(t)$ 进行时间离散化，但不对状态变量（状态量）$\boldsymbol{z}(t)$ 进行离散化。在 NLP 迭代求解的过程中，针对当前迭代轮次的控制量 $\{\boldsymbol{u}(t)\equiv\boldsymbol{u}_k,\ \forall t\in[t_k,t_{k+1}) | k=1,2,\cdots,N_{\mathrm{col}}\}$，部分离散方法通过前向模拟的方式确定与之唯一对应的状态变量 $\boldsymbol{z}(t)$。部分离散方法最大的缺陷在于无法直接应付施加在状态变量之上的等式 / 不等式约束❶，因此往往应用于小规模简单问题。其二为全联立离散（又称同时离散、直接转录，simultaneous/direct transcription），在时间网格上同时将状态量与控制量视为地位完全相等的决策变量，并通过代数等式约束来保证系统动力学在离散层面得到满足。这样不仅将路径约束直接纳入 NLP 的框架，而且能够充分利用问题的稀疏结构，因此在约束条件呈现出高维、复杂特征的问题中往往表现得更为稳健。

在流程工业等依赖运筹优化理论支撑的早期阶段，路径约束通常较为简单，加之当时计算硬件性能有限，第一类离散化方法因实现相对容易而长期占据主导地位。随着计算硬件的不断发展以及实际应用中路径约束日趋复杂，学术界和产业界逐渐转向第二类离散化方法 [49]。在自动驾驶轨迹规划领域，路径约束以避障为典型代表，往往规模庞大且非常复杂，因此全联立离散化策略自然成为更为合理的选择。然而，若读者对这一发展历程中的路线之争一无所知，则难以深入理解究竟为何在 NLP 构建时需要将本具有明显因果关系的控制量与状态量以相等地位的方式强行进行联立处理 [50]。为了帮助读者形成系统的认识，以下将介绍一种最常见的全联立离散方案——一阶显式欧拉法。

第一步，定义 $(N_{\mathrm{col}}+1)$ 个采样时刻 $\{t_k | k=0,1,\cdots,N_{\mathrm{col}}\}$，要求这些采样时刻均匀分布于时域 $[0,t_{\mathrm{f}}]$ 上，即

$$
\begin{aligned}
&0=t_0<t_1<t_2<\cdots<t_{N_{\mathrm{col}}}=t_{\mathrm{f}} \\
&t_k-t_{k-1}:=h_k=t_{\mathrm{f}}/N_{\mathrm{col}},\ k=1,2,\cdots,N_{\mathrm{col}}
\end{aligned} \tag{3-2}
$$

第二步，引入一系列变量 $\{\boldsymbol{u}_k | k=0,1,\cdots,N_{\mathrm{col}}\}$、$\{\boldsymbol{z}_k | k=0,1,\cdots,N_{\mathrm{col}}\}$ 来分别表征 $\boldsymbol{u}(t)$ 与 $\boldsymbol{z}(t)$。求解 $\boldsymbol{u}(t)$、$\boldsymbol{z}(t)$ 的任务转化为求解它们在一系列采样时刻的取值，即求解向量 $\{\boldsymbol{u}_k\}$ 与 $\{\boldsymbol{z}_k\}$ 的值。由于在离散化意义下已不存在连续时间变量 t，因此在原始命题［式

❶ 运筹优化领域一般称其为路径约束，这里的“路径”使用了其引申义，而非字面含义。

(3-1)］中与 t 相关的部分均需改造。例如原代价函数若为 $J=\sum_i\left[\int_{\tau=0}^{t_f}u_i^2(\tau)\mathrm{d}\tau\right]$，则转写为有限项加和的形式：

$$J=\sum_i\left[\sum_k(u_i^2h_k)\right] \tag{3-3}$$

代数等式 / 不等式 $G[\boldsymbol{z}(t),\boldsymbol{u}(t)]\leqslant 0,\ \forall t$ 转写为 $G(\boldsymbol{z}_k,\boldsymbol{u}_k)\leqslant 0,\ \forall k$。微分等式的变化方式稍微复杂，将 $\mathrm{d}\boldsymbol{z}(t)/\mathrm{d}t=F[\boldsymbol{z}(t),\boldsymbol{u}(t)]$ 写为以下等价形式：

$$\boldsymbol{z}(t)=\boldsymbol{z}(a)+\int_{\tau=a}^{t}F[\boldsymbol{z}(\tau),\boldsymbol{u}(\tau)]\mathrm{d}\tau \tag{3-4a}$$

由黎曼积分常识可知，无论 a 如何取值，该式都成立。那么，不妨将式（3-4a）中的 t 取为 t_k，并令 $a=t_{k-1}$，则有

$$\boldsymbol{z}(t_k)=\boldsymbol{z}(t_{k-1})+\int_{\tau=t_{k-1}}^{t_k}F[\boldsymbol{z}(\tau),\boldsymbol{u}(\tau)]\mathrm{d}\tau \tag{3-4b}$$

去除式（3-4b）中的积分运算的一个可行的方案是将被积函数 $F[\boldsymbol{z}(\tau),\boldsymbol{u}(\tau)]$ 整体近似为常值 $\boldsymbol{c}$，即 $F[\boldsymbol{z}(\tau),\boldsymbol{u}(\tau)]\equiv\boldsymbol{c},\ \forall\tau\in(t_{k-1},t_k)$。由于函数 $F(\cdot)$ 本身不可能是常值函数，$F[\boldsymbol{z}(\tau),\boldsymbol{u}(\tau)]\equiv\boldsymbol{c},\ \forall\tau\in(t_{k-1},t_k)$ 成立意味着 $\boldsymbol{u}(t)$ 与 $\boldsymbol{z}(t)$ 在子区间 $t\in(t_{k-1},t_k)$ 上取值均恒定，即

$$\boldsymbol{u}(t)\equiv\boldsymbol{c}_u,\ \boldsymbol{z}(t)\equiv\boldsymbol{c}_z,\ \forall t\in(t_{k-1},t_k) \tag{3-4c}$$

其中，$\boldsymbol{c}_u$ 与 $\boldsymbol{c}_z$ 为常量。在此基础上，式（3-4b）中的积分运算可等价转化为

$$\boldsymbol{z}(t_k)=\boldsymbol{z}(t_{k-1})+\boldsymbol{c}_z(t_k-t_{k-1})=\boldsymbol{z}(t_{k-1})+\boldsymbol{c}_zh_k \tag{3-4d}$$

式（3-4d）消除了积分运算与连续变量 t，那么其中常量 $\boldsymbol{c}_u$ 与 $\boldsymbol{c}_z$ 应该如何选取呢？常见的取值方式是选取子区间 (t_{k-1},t_k) 端点处的变量值，即

$$\begin{gathered}\boldsymbol{z}(t)\equiv\boldsymbol{c}_z=\boldsymbol{z}(t_{k-1}),\ \boldsymbol{u}(t)\equiv\boldsymbol{c}_u=\boldsymbol{u}(t_{k-1})\\ \forall t\in(t_{k-1},t_k)\end{gathered} \tag{3-5a}$$

或者

$$\begin{gathered}\boldsymbol{z}(t)\equiv\boldsymbol{c}_z=\boldsymbol{z}(t_k),\ \boldsymbol{u}(t)\equiv\boldsymbol{c}_u=\boldsymbol{u}(t_k)\\ \forall t\in(t_{k-1},t_k)\end{gathered} \tag{3-5b}$$

式（3-5a）、式（3-5b）分别代表在子区间 (t_{k-1},t_k) 左右两端取值，无论选择哪种方案都是可以的。不妨以选取式（3-5a）为例，并在所有子区间 (t_{k-1},t_k) 上重复上述转化，则可形成一则 NLP 问题：

$$\begin{gathered}\min_{\{\boldsymbol{z}_k\},\{\boldsymbol{u}_k\}}J(\boldsymbol{z}_k,\boldsymbol{u}_k)\\ \text{s.t. } \boldsymbol{z}_k=\boldsymbol{z}_{k-1}+F(\boldsymbol{z}_{k-1},\boldsymbol{u}_{k-1})\times(t_\mathrm{f}/N_\mathrm{col}),\ k=1,2,\cdots,N_\mathrm{col};\\ G(\boldsymbol{z}_k,\boldsymbol{u}_k)\leqslant 0,\ k=0,1,\cdots,N_\mathrm{col}\end{gathered} \tag{3-6}$$

至此，将时间连续的最优控制问题［式（3-1）］全联立离散化为 NLP 问题［式（3-6）］。求解该 NLP 问题即求解各采样时刻上的状态与控制配置点 $\{\boldsymbol{u}_k\}$ 与 $\{\boldsymbol{z}_k\}$，在约束条件严格满足的前提下将代价函数最小化。需要再次强调的是，在经全联立离散化而形成的 NLP 问题中，向量 $\{\boldsymbol{u}_k\}$ 与 $\{\boldsymbol{z}_k\}$ 是地位完全相等的待优化变量，它们在 NLP 求解过程结束后是同时计算出来的。

3.2.2 非线性规划问题的求解

为避免概念混淆，有必要先在更广泛的数学规划（mathematical programming，MP）层面厘清基本分类，然后再回到本书关心的最小化问题［式（3-6)］。若代价函数或约束中出现非线性函数，通常这样的数学规划问题统称为非线性规划（nonlinear programming，NLP）。需要强调的是，NLP是一个母类概念，凡是其中不包含线性、锥、半定、二次等特征的优化问题，均视作一般NLP；尽管二次函数本质上也是非线性的，但二次规划及其带二次约束的变体因算法与理论成熟，往往被单列讨论，不能简单地与一般NLP混为一谈。

在按照函数形态与结构特征进行细分时，若代价函数与全部约束均为优化变量的一次函数，则为线性规划（linear programming，LP)。若代价函数为二次函数而约束保持线性，则为二次规划（quadratic programming，QP)。若代价函数为二次函数且约束由线性与二次函数组成，但不含更高阶或其他类型的非线性，则为二次约束二次规划（quadratically constrained quadratic programming，QCQP)。在二次类问题中，当代价函数的二次型为半正定且所有二次约束都是凸二次（对应的矩阵为半正定并满足必要的仿射项条件）时，问题属于凸规划；只要其中任一二次项为非凸，整体就属于非凸问题。进一步地，若代价函数与约束可统一表示为关于某个凸锥（如二阶锥或半定锥）的线性映射，即得到二阶锥规划（second-order cone programming，SOCP）与半定规划（semidefinite programming，SDP)。二者是凸规划的典型代表，在标准正则性条件下可保证全局最优，且具备理论成熟的多项式复杂度解法。另有几何规划（geometric programming，GP)，其代价函数与约束由单项式以及正系数单项式的加和构成，原始形式通常非凸，但对变量做对数变换并在对数域中重写后可转化为凸规划，因而常被单列。凡不属于上述具有明确结构的门类，或虽具有一定结构但缺乏凸性特征者，一般统称为NLP。之所以将这些特殊结构单列，是因为它们对应有专门且高效的算法和/或理论保证，而一般NLP缺乏保障完备性的通用解法。

当数学规划问题中的一部分决策变量属于离散型整数变量时，对应的优化问题称为混合整数数学规划（mixed-integer MP，MIMP)。按连续部分的结构不同，分别形成混合整数线性规划（MILP)、混合整数二次规划（MIQP)、混合整数二次约束二次规划（MIQCQP）以及混合整数二阶锥/半定规划（MISOCP/MISDP)，若连续部分是一般非线性的，则称混合整数非线性规划（MINLP)。引入整数变量会打破凸性并显著提升计算复杂度，因而这类问题通常依赖分支定界、割平面与分支-割等全局性组合优化技术。当连续部分本身属于凸QP、SOCP或SDP时，混合整数规划问题往往可以借助相应的凸优化结构来构造松弛模型，在保持下界收敛性的同时提升求解效率。

对于本书关心的优化问题［式（3-6)］，其约束具有强非凸性，决策变量维数很高且约束规模很大，因此属于一般NLP问题。针对这类问题，目前并不存在普遍适用且能够保证全局最优的解法，常见方法大多只能在一定条件下收敛到局部最优解，以下扼要介绍几种经典求解方案。

序贯二次规划（sequential quadratic programming，SQP）是一种经典的NLP求解算

法[51]。它在每次迭代中将代价函数用二次模型近似，并将约束在当前迭代轮次的迭代点处实施一阶 Taylor 展开（即约束的线性化处理），从而构成一个 QP 子问题，再通过线搜索或信赖域策略逐步改进迭代点。SQP 具有较快的局部收敛速度，尤其在问题规模适中时效果良好，但在高维非凸场景下计算开销较大且对初始解的品质过于敏感。

增广拉格朗日方法（augmented Lagrangian method）通过在代价函数中附加带乘子的罚项来处理约束，外层更新乘子与罚因子，内层求解相对简单的无约束或弱约束子问题。该方法较为稳健，数值实现也相对便捷，但在面对大规模稀疏 NLP 时，其效率往往不及更先进的框架。

内点法（interior-point method，IPM）通过在代价函数中引入障碍项来内化不等式约束，使迭代点始终保持在可行域内部，并沿中心路径逼近最优解。其原始-对偶联合更新机制能够充分利用稀疏矩阵结构与二阶信息，因而在大规模约束优化问题中表现尤为突出[52]。在凸规划中，IPM 具备严格的多项式复杂度保证；在非凸场景下，虽无法确保全局最优，但依然能高效获得可行且高质量的局部解。

近年来，交替方向乘子法（alternating direction method of multipliers，ADMM）在工程应用中逐渐受到关注[53]。ADMM 本质上是增广拉格朗日的分布式变体，通过将原始问题在变量层面拆分为若干子问题并交替求解，再通过乘子更新实现全局协调。它特别适用于具有可分解结构的大规模稀疏优化，且便于并行实现。但需要注意的是，ADMM 的理论收敛性主要建立在凸优化框架下，非凸 NLP 的收敛结果仍有限。

除此之外，信赖域法（trust-region method）、拟牛顿方法（quasi-Newton method）、原始-对偶积极集（primal-dual active set）方法等也常作为补充手段，用于改进收敛性、降低计算开销或增强在特定问题上的适配性。

SQP、增广拉格朗日、内点法和 ADMM 可视为当今最常用的 NLP 求解框架。其中，SQP 强调二次近似，适合中小规模问题；增广拉格朗日易于实现，适合约束较为复杂但规模有限的情形；ADMM 便于并行，适合分布式优化；而内点法凭借其数值稳定性、对稀疏结构的适配性以及在处理复杂约束时的天然优势，与式（3-6）这种强非凸、高维稀疏优化问题的特点契合，因此近年来在自动驾驶轨迹 / 路径规划领域得到了广泛应用。

与其他任何基于梯度或非梯度的优化算法一样，内点法的收敛效果依赖初始解的品质。毫不夸张地讲，优质的初始解能够起到事半功倍的效果，节约 90% 以上的计算资源开销与时间成本。正如本书 2.3 节所说的，OBCA 与三角面积不等式都不是完美的避障约束模型：一旦初始解蕴含的行车轨迹或路径陷入碰撞，这些模型无法向梯度优化过程提供有助于减轻碰撞的任何有效引导信息，迭代因此无法朝着正确方向予以改善。因此，加载这些避障约束的 NLP 问题，在其求解过程中会对初始解的碰撞安全性极为敏感。鉴于初始解在 NLP 求解过程中的关键作用，本书 3.3 节将对此进行专题讨论。

3.2.3 时间连续最优控制 / 状态函数重构

在使用内点法完成 NLP 求解后，得到的是一组定义在时间网格上的离散解向量，即各个配置点时刻的控制量与状态量取值。NLP 的解向量并不是原最优控制问题的解，所以必须进一步重构为时域上的时间连续函数，才能用于仿真验证、轨迹重采样 / 下发以及为闭环跟踪控制提供依据。

重构的方案并非唯一，但应与前述离散化策略保持一致性。以一阶显式欧拉离散为例，通常对控制量使用零阶保持的分段常值（piecewise constant）重构：在相邻配置点之间将控制量保持为常值，允许其在网格节点处发生阶跃跳变。这样得到的控制函数在全时域上处处有定义，但未必是连续函数。正如式（2-1）所给出的，状态变量在时域上应该是处处可微分的，因此它们理应对自变量时间连续。这意味着在 3.2.1 小节中将状态变量按照一阶显式欧拉法离散化为分段常值的模式是存在理论瑕疵的。

在这一问题上，感兴趣的读者可利用重构后的时间连续控制量以充分高的精度（即充分趋于 0^+ 的相邻配置点时间差 h_k）前向模拟出符合式（2-1）的状态变量，随后会发现它与重构后的分段常值状态变量会有一定的偏差，而且随着时间取值增大，偏差逐步累积，这是显式欧拉法的固有缺陷，也意味着计算最优控制方法得到的是最优控制的近似可行解，并非严格意义上的可行解。该误差可通过缩小相邻配置点时间差 h_k、采用更高阶离散模型或使用自适应网格细化与缺陷度量控制加以降低，但不会被完全消除。

在工程实践中，这种数值误差通常处于可接受范围内，因为整体系统还叠加了感知、定位、执行机构和跟踪控制等环节的不确定性与偏差。在现实背景下，保证重构轨迹与约束一致、满足应用精度并具有良好的可实现性，比一味追求理论层面的严格可行更为重要。

3.3 基于搜索的初始解构造方法

在前述整体计算流程中，第二步涉及 NLP 问题的优化求解，而初始解在这一环节中起到了关键作用。所谓初始解，是指在给定时间网格上为所有待优化的决策变量提供的一组起始取值 [54]。精心设置这组起始取值（初始变量）的过程称为初始化（initialization）。在优化求解中常用两类启动方式，即热启动（hot start）与暖启动（warm start）。热启动是指将前一次求解得到的最优解直接作为当前问题的初始解，尤其适用于一系列高度相似的优化问题。由于前一问题的解往往与当前最优解非常接近，因此热启动通常能显著加快收敛；但热启动的一个潜在缺点在于，前一次的最优解可能位于可行域边界或过于接近边界，这在内点法中往往不利于迭代优化的稳定性 [55]。相比之下，暖启动通常针对与当前问题相关但并非完全相同的情形，例如工况略有变化、网络拓扑发生轻微修改或代价函数参数有所调整 [56]。此时，求解器会在利用前一解作为参考的同时，调用额外的初始化程序对初始点进行修正，使其远离边界，并更好地满足当前问题的可行性条件。这样一来，暖启动虽然加速效果不及热启动，但能兼顾数值稳定性与可行性要求。热启动和暖启动都旨在减少迭代次数与计算时间，但前者强调直接复用前一最优解以获得快速收敛，后者则在保证初始点合理性的前提下增强算法的稳健性。在自动驾驶轨迹规划领域通常使用的是暖启动而非热启动，这是因为初始解往往不是从前次优化得来而直接复用的。

如果没有过多运筹优化的学科背景，直接改造优化求解器的难度很大。工科背景的读者在从事数值优化相关开发工作时，与其着眼于改造优化求解器，不如围绕具体任务背景与问题结构特征，将研究精力倾注在如何建立合理的优化命题、设计高效的外层计算架构或是构造高品质的初始解上。本节将介绍一些基于搜索的初始解构造方法。

3.3.1 初始解对梯度优化的意义

梯度优化的计算过程可以比作寻宝者在山区中寻找宝藏。每一座山头都埋藏着宝藏，而寻宝者必须遵循一套严格的运动规则：根据脚下地貌的走势，选择坡度最陡峭且朝下的方向迈出下一步，随后在新的位置再次感受地形并调整步长与方向。初始解就好比寻宝者出发时所处的起点，一旦起点确定，后续的搜索路径也随之被固定。不同的起点会引导寻宝者走向不同的山头，从而找到不同的宝藏。虽然这些宝藏在价值上可能存在差异，但寻宝者通常只要找到一处宝藏便完成任务。这个例子说明，起点的选择影响着寻宝质量。另一方面，起点如果本就位于某个山头附近，寻到宝藏所需的步数显然也会更少，这意味着起点的选择影响着寻宝效率。

为了让读者直观感受到初始解对梯度优化过程与结果的影响，在此构造了一个处处连续且光滑的一维函数$f(x)$：

$$f(x)=\tanh(x)+0.2x\mathrm{e}^{-0.1x^2}+0.3\sin(2.5x) \tag{3-7}$$

该函数的定义域为完整实数域$x\in\mathbb{R}$，这是因为其中的$\tanh(x)$、$0.2x\mathrm{e}^{-0.1x^2}$以及$0.3\sin(2.5x)$都在实数范围内有定义并且高阶连续可导。优化的目标是在该函数上寻找极小值，这属于无约束优化问题，选用最基本的梯度下降法（gradient descent method）进行求解。通过将初始解设置在不同位置，可以观察到梯度优化的收敛结果的差异。为此，编写了以下MATLAB脚本，可直接在MATLAB环境中一键运行（其依赖的grad_descent函数需要额外下载至当前工作目录中）。实验结果如图3-1所示，当初始解设置在不同位置时，迭代过程可收敛至不同的极小值点，表3-1相应地列出了初始解、最优解、极小值、收敛结论以及迭代轮次等具体实验结果。

```
f  = @(x) tanh(x) + 0.2*x.*exp(-0.1*x.^2) + 0.3*sin(2.5*x);
df = @(x)sech(x).^2+ 0.2*(1 - 0.2*x.^2).*exp(-0.1*x.^2) + 0.75*cos(2.5*x);
x0_list = [-6, -3.2, -1, -0.2, 0.05, 0.8, 1.8, 2.3, 3.14, 3.5, 4.2, 5.5];
alpha = 0.1; tol = 1e-4; max_iter = 500;
results = strings(length(x0_list)+1, 5);
results(1,:) = ["x0", "x*", "f(x*)", "iters", "status"];
close all; hold on; box on;
xs = linspace(-8, 8, 100000);
plot(xs, f(xs), 'LineWidth', 1.5, 'DisplayName', 'f(x)');
xlabel('x'); ylabel('f(x)'); title('一维多极值函数及梯度下降收敛点'); grid minor;
for i = 1 : length(x0_list)
    x0 = x0_list(i);
   [x_star, f_star, iters, status, traj] = grad_descent(f, df, x0, alpha,
tol, max_iter);
    results(i+1,:) = [num2str(x0), num2str(x_star), num2str(f_star),
```

```
num2str(iters), status];
        plot(traj, f(traj), '-o', 'MarkerSize', 4, 'LineWidth', 1.0);
    end
```

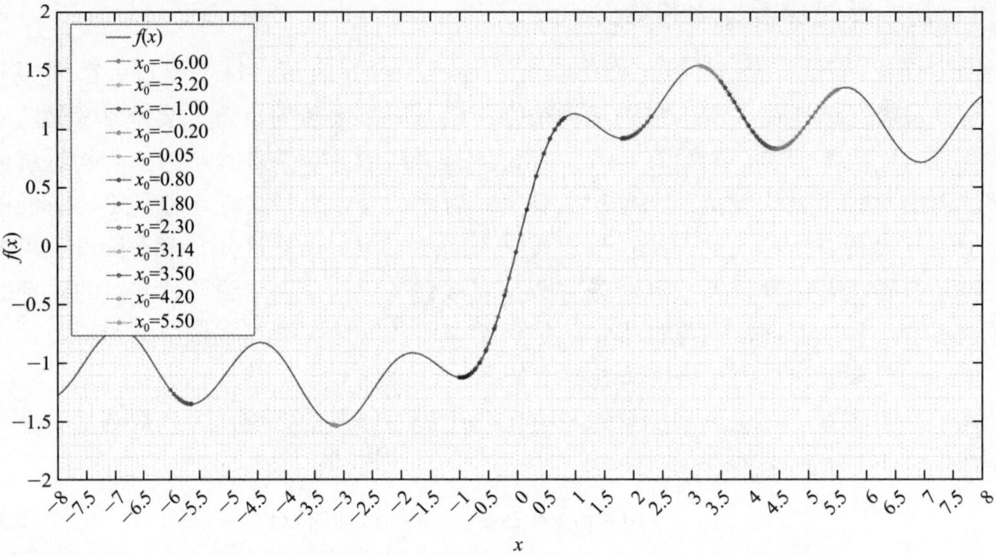

图 3-1　一维函数走势及不同初始解（x_0）条件下的收敛足迹

表 3-1　不同初始解条件下的梯度优化收敛效果对比结果

初始解 x_0	最优解 x^*	极小值 $f(x^*)$	迭代轮次	收敛结论
−6	−5.6314	−1.3467	34	已收敛
−3.2	−3.1083	−1.5315	26	已收敛
−1	−0.98143	−1.1224	18	已收敛
−0.2	−0.98066	−1.1224	33	已收敛
0.05	−0.98064	−1.1224	34	已收敛
0.8	−0.98067	−1.1224	42	已收敛
1.8	1.8018	0.91391	9	已收敛
2.3	1.8029	0.91391	41	已收敛
3.14	4.4413	0.82502	55	已收敛
3.5	4.4413	0.82502	40	已收敛
4.2	4.4413	0.82502	31	已收敛
5.5	4.4421	0.82502	47	已收敛

从表 3-1 不难发现，设置不同的初始解可以改变收敛的极值点以及相应极值；即便是收敛到同一处极值点，初始解距极值点越近，所需的迭代轮次往往越少。由此观之，

初始解深刻地影响着梯度优化的计算表现。

3.3.2 初始解对协同轨迹规划的意义

在基于梯度优化的协同轨迹规划中，初始解的重要性不仅体现在优化的效率上，更直接影响最终解的结构特征。与一般的数值优化问题相比，协同轨迹规划因其所处任务环境的复杂性而表现出一些特殊的规律。

首先，考虑环境中存在静态障碍物的情形。各个智能网联汽车在绕行障碍物时必须在几何上选择从左侧或右侧绕过，这一选择对应不同的绕行拓扑结构。由于梯度优化的迭代过程一般无法跨越障碍物，因此一旦初始解预设了绕行方向，最终的收敛解也会保持同侧。这里引入同伦类别的概念，即若在不穿越障碍物的条件下，初始解与收敛解之间能够通过连续变形互相转换，则二者属于同一同伦类别；反之，则属于不同类别[22]。由此可见，初始解实际上在收敛之初就已经确定了绕行障碍物的空间决策[57,58]。

其次，在存在动态障碍物时，初始解同样具有决定性作用。以纵向速度规划为例，若障碍物从前方经过，则智能网联汽车必须在抢行或让行之间做出选择。若初始解设定为抢行通过，则优化输出的结果不会违背这一决策；若初始解体现为让行决策，则优化也会让行[59]。

在多车协同轨迹规划的任务中，情况更为复杂。各智能网联汽车之间也存在着拓扑同伦类别的决策问题[60]。随着车辆数量增加，潜在的同伦类别也将快速增长。

因此，合理设计初始解对于多车协同轨迹规划任务也是至关重要的。梯度优化方法本身仅能利用局部信息，缺乏生成合适的全局初始解的能力，因而需要借助采样或搜索等方法来提供全局视野。机器人导航领域的研究经验表明，通过在状态空间中进行采样、构建连通图，再基于图搜索生成路径或轨迹，可以得到具备全局合理性的初始解。这类解虽然精度不高，却能准确反映空间拓扑结构以及抢行 / 让行等全局性决策特征。基于此，自动驾驶领域的轨迹规划或协同轨迹规划普遍采用“两阶段”策略：第一阶段利用采样或搜索生成全局最优性较好的粗略解；第二阶段在其基础上应用数值优化进行局部细化，从而在保证全局合理性的同时提升局部最优性[61]。这一分层计算方案已在近年来的研究中得到非常广泛的使用。接下来的几个小节将进一步介绍几类典型的初始解构造方法。

3.3.3 基于二维空间 A* 搜索算法的路径构造

A* 搜索算法由 Hart 等于 1968 年提出[62]。A* 搜索的任务是在图的连通结构中，从给定的起始节点出发，通过有条理、有组织的搜索找到一条能够衔接到目标节点的通路，并尽可能降低这条通路的代价。A* 搜索并非漫无目的的遍历，而是始终在“哪一个节点最有希望成为通路的一部分”的原则引导下，稳步推进，直至搜索抵达预设的目标节点，此时便意味着已经建立了一条从起点到终点的通路。需要澄清的是，A* 搜索的目标节点在连通图中并非未知，A* 搜索并不是在未知环境中寻找目标节点，而是确定如何有效衔接起始节点与目标节点，即构建一条优质的连接通路。

A* 搜索算法自连通图中的起始节点出发，将与起点直接相连的可达节点收集到候选池中作为候选对象。随后对这些候选节点分别进行一次结合历史路径与未来潜力的综合评估，从中挑选出最具前景的节点加以核查，并将其相邻且尚未纳入候选集合的新节点补充进入候选池。每个进入候选池的节点都需记录其“介绍人”，即引入它的前驱节点；而候选池中已完成核查的节点则会被移除，且不会再次进入。以上步骤不断重复，在不同轮次的搜索中，若多个已核查节点均能通向候选池中的同一节点，则该节点需根据综合评估值判断是否更换其“介绍人”；若更换可使评估值降低，则更新前驱关系，否则保持不变。当某一轮展开核查工作时恰好触及目标节点，前述的前驱记录就发挥作用：自目标节点沿单链式的来路进行逆向回溯，可以得到一条从终点唯一衔接回起点的路径，将该路径逆序输出即得到从起始节点向终止节点衔接的通路。

从上述形象化的叙述中不难看出，搜索在执行过程中并非盯着终点直接猛冲，而是依靠综合评估与排序，以评估结果为准则有序推进搜索。这种方式既有助于避免陷入死端（dead end），也有助于提升搜索结果的最优性。

在具体场景中，A* 搜索所依赖的连通图需要首先构建出来。连通图并非凭空存在，而是通过将连续的空间进行离散化操作获得的。最常见的做法是将平面划分为规则的网格，类似于在地面上铺设棋盘格，每一个格子代表一个节点，若两个格子之间可直接通行，则在节点间建立连边。这样一来，原本无限连续的空间就被转化为有限而清晰的连通结构。在二维网格的构建中，常见的邻接方式有两类（图 3-2）：其一是四连通，即每个节点只与其上下左右四个相邻格子建立连接；其二是八连通，在此基础上进一步把对角方向的四个邻居也纳入，从而形成更加稠密的连边关系。四连通对应的是一种更保守的表达，而八连通则能更充分地近似连续空间中的通行可能性。这种邻接关系的选择直接决定了搜索所依赖的连通图形态，无疑也在很大程度上影响最终生成路径的表现。当然，除八连通外，必要时还可设置更多外层节点与中央节点连通，这样能够表达的路径结构就会更加丰富。

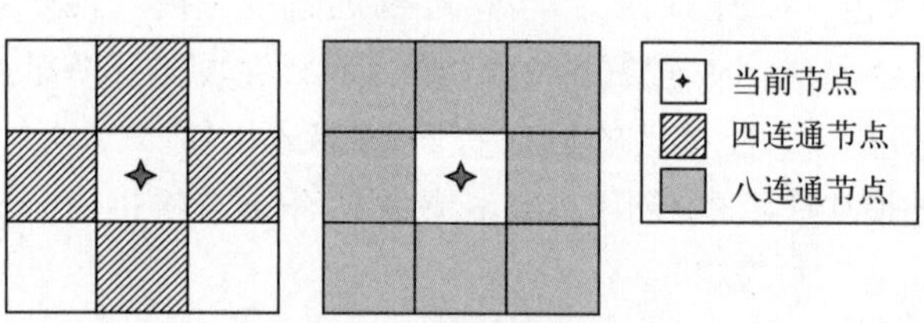

图 3-2　二维网格中的四连通与八连通方案对比

在二维路径规划中应用 A* 搜索时，首先将连续二维平面空间离散为网格，这一步本质上就是采样[1]，即从无限到有限的转化；随后在采样形成的有限节点与连边构成的连通图上开展搜索——这才是 A* 算法的职责所在。换句话说，A* 本质上只是一款搜索工具，但当它用于二维网格环境时，其具象化形式就是一种采样 + 搜索算法。

在理解了 A* 搜索算法在二维网格连通图中的运行方式之后，将视角提升至更一般的采样 + 搜索类规划算法，其本质一般都是先用有限的节点和连边去近似原始的连续状

[1] 本章 3.2.1 小节介绍的时间轴离散化本质上也是一种用有限个时刻代表实数域无穷多个时刻的采样。

态空间，再在该近似结构上开展搜索。著者结合自身多年理论研究与实践经验，提炼出影响算法优劣的三个关键点，可作为设计与评价采样 + 搜索算法的准则。

第一点在于采样的质量。连续空间如何被离散为有限的表达，决定了问题能够被刻画到何种程度，也直接限定了求解品质的上限。如果采样策略粗糙，理想的路径结构从源头上就不在采样的表达范围内，那么后续搜索无论多么精巧，也不可能凭空找出能力范围之外的解。栅格的分辨率、节点的组织方式、是否考虑朝向与动力学约束等源头性的选择，决定了一个采样 + 搜索算法的天花板。

第二点在于代价函数的价值观。一旦采样模式确定，众多候选路径必然存在优劣差别，而算法要依赖代价函数来区分与取舍。路径长度、安全裕度、转向平滑性、时间消耗与能耗等因素究竟如何权衡，都必须在代价函数中得到清晰而稳定的表达。如果价值观存在偏差，把次优解误判为优解，那么即使搜索过程再高效，也只会坚定而快速地走向错误的答案。

第三点在于搜索的覆盖性。在前两点得到保证的前提下，搜索算法本身才成为决定因素：它必须有能力覆盖所有应当被考虑的备选解，不因搜索策略的漏洞而遗漏潜在的优良路径。试想，如果最优连通链路真实存在，但因为搜索机制的某些差错而注定无法被搜索到，最终输出的品质也一定会有所损失。

上述这三点是采样 + 搜索方法体系的核心，也是本小节形成的最重要的升华结论。它们为算法设计者提供了一套清晰的行动指南，无论面对何种具体场景和任务，都可以据此诊断 / 排查算法的优劣，直接指引改进完善的研发方向。

3.3.4 基于三维时空 A* 搜索算法的轨迹构造

在二维平面中，A* 搜索得到的是一条路径；若进一步引入时间作为额外的维度，它便能够直接生成三维时空中的轨迹。具体做法是在空间离散的基础上，对时间轴也进行离散化，从而使原本的平面网格经过时间维度的直积运算而构成三维时空网格。这样，路径节点不再只是位置的组合，而是“位置 - 时刻”的联合表达，自然构成了三维连通图结构。

从结构上看，这种扩展并不复杂。二维网格依靠空间相邻关系构建连通，而三维时空网格则在此基础上引入时间的衔接关系。由于时间具有单向性，连通图在时间维度上的拓展只能向前推进。换言之，轨迹在空间上可以停留、折返或反复绕行，但在时间轴上必须持续向前，逆向的边是非法的。这样一来，轨迹不仅在空间上保持连贯，也在时间上符合物理规律。

三维时空 A* 搜索算法输出的结果已不再是静态的二维平面路径，而是包含演化时间过程的轨迹。本小节不涉及具体实现细节（技术细节参见文献［63］），而是强调一种对连通图的通用理解：在二维平面采样而成的连通图中引入时间维度可得到一张新的连通图，在其中自然可以开展搜索工作。

3.3.5 基于冲突搜索的多车协同轨迹构造

3.3.4 小节介绍了基于三维时空 A* 搜索的单车轨迹生成方法，若把这一做法直接推广到多车协同，一个很自然的思路是把所有车辆的状态放进一套联合状态空间里：每个离散时刻同时给出所有车辆在空间中的位置，并共享一个时间轴。这样做虽然状态维度随车辆数线性增加，但是连通图中的节点个数却随着车辆数呈指数级增长，进而导致计算机处理器与内存开销急速失控。这个现象通常称为“维数灾难”（curse of dimensionality）。例如，二维平面空间采样形成的网格共包含 100 个节点，时间轴采样形成 25 个节点，那么单车轨迹生成是在 100×25 个节点的连通图中搜索；当进行协同轨迹生成时，假设车辆数目为 N，那么连通图中的节点数暴涨至 $100^N\times25$ 。因此，如果希望为 N 辆智能网联汽车同时生成相互避撞的协同轨迹，直接在高维联合空间采样形成的连通图中开展 A* 搜索是不现实的。

为了在多车协同轨迹生成中避免维数灾难，Sharon 等提出了冲突搜索（conflict-based search，CBS）。该方法最早发表于 2012 年的一篇会议论文 [64]，完善于 2015 年的期刊论文版本 [65]。冲突搜索算法将高维联合搜索拆解为低维的逐步搜索：高层在一棵约束树上定位并分解最早时刻出现的两车冲突，以“谁在该时刻回避”为准则进行二选一分叉，将全局问题切分为一系列带有轻量约束的子问题；低层仅对新增约束所涉及的个别车辆实施基于三维时空 A* 搜索的轨迹生成，其余车辆轨迹保持不变，从而将改动局部化。高层维护按总代价排序的候选方案池，始终优先处理当前总代价最小的方案，即采用最优优先搜索（best-first search）策略；当取出的方案已不含任何冲突，即得到全局一致的协同轨迹，则终止。

首先，冲突搜索算法的预备步骤从分别对各车辆进行独立的单车轨迹规划开始：为每一辆车调用一次三维时空 A* 搜索，生成其单车轨迹（此时各车辆完全无视同伴的存在独立进行单车轨迹规划）。待所有车辆的轨迹汇总后，为每辆车设置一个对应的冲突集（初始为空），各车轨迹与各车冲突集合起来构成一套“完整方案”。随后，由小到大地逐个时间采样点检查各车轨迹之间是否存在冲突。冲突包括两类：一是不同车辆在同一时刻占据同一空间节点，二是两车在同一时刻沿相反方向交错经过同一边。如果未发现冲突，则直接输出该方案作为协同轨迹并终止算法；若存在冲突，则进入冲突搜索的迭代过程，以下进行详细介绍。

当最早时刻的冲突被锁定到具体的两辆车 A 与 B 时，冲突搜索算法将这一冲突分解为两种互斥的化解方案：要么约束 A 车在该时刻避让此冲突位置，要么约束 B 车避让此位置。由此，当前方案在冲突点自然分裂为两个分支，每个分支只对被要求避让的车辆在自身冲突集中加入一条相应的时空约束。随后在考虑冲突集的前提下对该车重新执行三维时空 A* 搜索以生成更新轨迹，而其他车辆的轨迹保持不变，并与更新结果合成为新的完整方案。若重规划失败，说明当前冲突集方案过于苛刻，因此此方案需要被舍弃。两条分支分别得到新方案后，将其中至多两套可行方案分别加入候选池。

冲突搜索算法随后从候选池中挑选综合代价最低的方案，再次锁定其中最早出现的冲突，并按同样方式进行二分化解、单车重规划、方案更新以及存入候选池等操作。如此循环往复，直到某一轮取出的方案不再包含任何冲突，此时即得出一组合法的多车协同轨迹。

从理论分析上看，冲突搜索算法能够保证最优性，其关键在于高层节点代价的定义。每个高层节点所记录的总代价，是在该约束条件下由低层单车搜索得到的最优轨迹之和，因此它自然构成所有满足该约束的多车解的下界。高层按照代价最小优先展开节点，相当于在逐步收紧问题的下界空间；当首次取出的节点已经不含冲突时，这一节点的代价不仅是下界，同时也是一个合法解的真实代价，从而直接确立为全局最优解。从直观角度理解，冲突搜索的过程也可以看作不断压缩解的最优上界。候选池中任何一条无冲突轨迹一旦生成，就会提供一个当前的可行上界；而随着搜索推进，所有低于该上界的候选节点都会被依次检验与分裂，不会有潜在的优质解被遗漏。最终，当某个无冲突节点首次以最小代价被取出时，其代价恰好与最优上界重合，这一刻上界被压缩到最优解本身，算法随即终止。无论是从下界递进的严格逻辑，还是从上界收紧的直观理解，冲突搜索算法都在保证最优性的同时，显著避免了直接在高维联合状态空间中进行指数级搜索所引发的维数灾难。

至此，本小节介绍的冲突搜索算法可以得到一组带时间属性的多车协同轨迹，其空间表示依然基于二维网格的离散化，虽然粗糙，却可作为数值优化的初始解，反映了智能网联汽车集群在离散时空下的同伦类别与次序。车辆的宽度可通过以几何中心为参考并适度膨胀来处理，保证同一采样时刻各车占据的区域不重叠。在涉及前进与倒退的局部运动时，网格化的路径难以准确表达，因此有学者提出结合车辆运动学约束的改进冲突搜索算法[66]。同时需要注意，随着车辆数量增加，冲突搜索的计算代价迅速上升，一般认为冲突搜索算法是不具备实时性的。

第 4 章

结构化道路场景中的多车协同换道轨迹规划方法

4.1 场景特点与任务难点解析
4.2 协同轨迹规划命题构建
4.3 求解思路
4.4 基于稀疏编队重构策略的多阶段协同轨迹规划
4.5 完整算法流程

本章将介绍结构化道路场景中多智能网联汽车协同换道任务下的协同轨迹规划方法。4.1 节分析该类场景与任务的特征及其难点，4.2 节将多车协同换道轨迹规划任务建模为最优控制问题，4.3 节提出基本的求解思路，4.4 节阐述具体的求解策略，4.5 节给出完整的计算流程与理论分析。

4.1 场景特点与任务难点解析

本章聚焦的研究对象是结构化道路环境下的多智能网联汽车协同换道任务。与非结构化场景相比，结构化道路具有较为规整的特点：道路形态明确，通常由车道线进行引导，纵向与横向运动可在 Frenet 坐标系下实现清晰的解耦。即便道路存在一定的弯曲，在该坐标系下仍可将其转化为纵向沿车道中心线与横向车道偏移的组合，从而便于建模与计算[67]。城市道路和高速公路的大部分路段均属于此类场景，因此其具有典型性和代表性。

在这一场景中，所谓“协同”指的是多辆智能网联汽车组成的编队在运行过程中需要根据任务需求调整队形。例如，队尾车辆需要驶至队首，或者整个编队需要为突发的紧急车辆（如救护车[68]）让行。这类调整往往需要部分车辆临时或永久地更换车道，以满足动态任务的要求。在建模时，假设初始状态下各车辆均沿所在车道中心线平稳前行，任务输入不仅应给出目标车道的位置约束，还应预先规定在目标车道中具体的纵向排序，因为车辆在目标车道上所处的前后关系会直接影响整体队形和运行效率。

这一特征使得任务不仅包含换道轨迹的生成，还隐含着车辆在目标车道中纵向位置的指派问题。不同的指派结果可能对应着相互差异巨大的局部解，若要追求全局最优解，需要对多种指派组合进行枚举与评估。然而在真实道路环境中，车辆行驶速度较高，换道需求往往具有紧迫性，不可能在有限时间内完成大规模组合优化。因此，如何在有限时间内平衡求解速度与解的品质，成为此类任务的核心难点。一味追求最优性可能导致计算延迟而失去实际价值，而单纯追求快速响应又可能牺牲全局性能。

4.2 协同轨迹规划命题构建

如图 4-1所示，可将道路右侧边沿线设置为 X 轴，以道路前进方向为其正方向；设置 Y 轴正方向指向道路左侧边沿线；坐标系原点 O 可结合具体任务确定。在该图中，$y = \mathrm{LB}$ 及 $y = \mathrm{RB}$ 分别构成了道路左右两侧隔离带的边界。在变更车道过程中，每一辆车应避免与其他协同运动车辆相撞，并避免与道路两侧隔离带碰撞。各智能网联汽车之间的碰撞躲避约束可利用双圆盘模型[69]构建。对于智能网联汽车 i 的矩形车身轮廓 $A_iB_iC_iD_i$，可采用以点 $\mathrm{P\_r}_i = (\mathrm{P\_r}_{ix}, \mathrm{P\_r}_{iy})$ 及 $\mathrm{P\_f}_i = (\mathrm{P\_f}_{ix}, \mathrm{P\_f}_{iy})$ 为圆心、以 R_i 为半径的双圆盘均匀覆盖（图 4-2），并满足以下关系式：

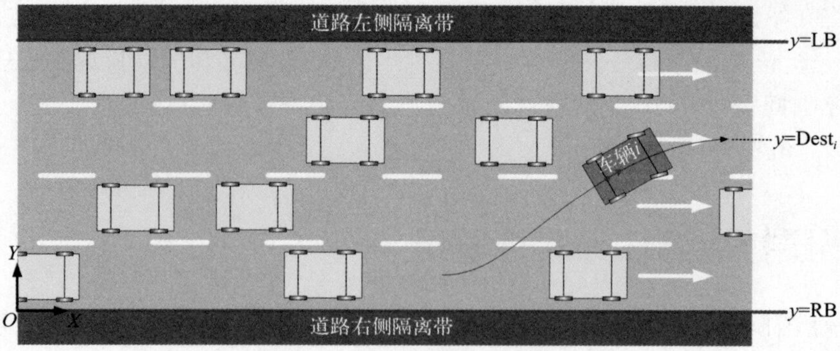

图 4-1　多车协同换道场景示意图

$$
\begin{aligned}
&\mathrm{P\_r}_{ix} = x_i + \frac{1}{4}(L_\mathrm{w} + L_\mathrm{f} - 3L_\mathrm{r})\cos\theta_i \\
&\mathrm{P\_r}_{iy} = y_i + \frac{1}{4}(L_\mathrm{w} + L_\mathrm{f} - 3L_\mathrm{r})\sin\theta_i \\
&\mathrm{P\_f}_{ix} = x_i + \frac{1}{4}(3L_\mathrm{w} + 3L_\mathrm{f} - L_\mathrm{r})\cos\theta_i \\
&\mathrm{P\_f}_{iy} = y_i + \frac{1}{4}(3L_\mathrm{w} + 3L_\mathrm{f} - L_\mathrm{r})\sin\theta_i \\
&R_i = \frac{1}{2}\sqrt{\left(\frac{L_\mathrm{r} + L_\mathrm{w} + L_\mathrm{f}}{2}\right)^2 + {L_\mathrm{b}}^2}
\end{aligned}
\tag{4-1}
$$

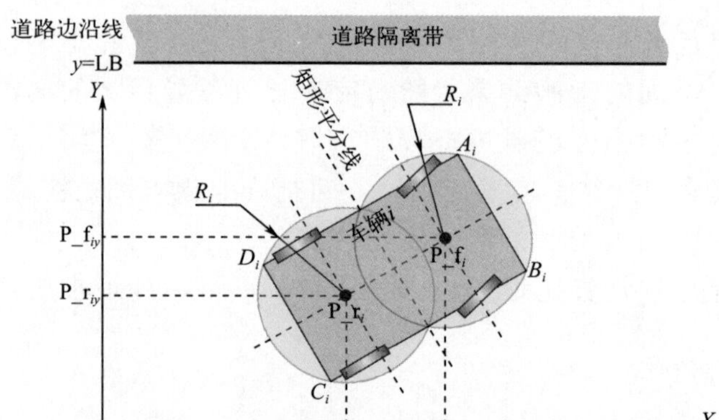

图 4-2　采用双圆盘描述的车辆轮廓以及车辆与道路边沿的避障约束示意图

假设智能网联汽车编队之中一共包括 N_V 辆车，它们之间相互不发生碰撞等价于每辆车所属的双圆盘均不与其余车辆所属的任一圆盘重叠，即

$$
\begin{aligned}
&[\mathrm{P\_f}_{ix}(t) - \mathrm{P\_f}_{jx}(t)]^2 + [\mathrm{P\_f}_{iy}(t) - \mathrm{P\_f}_{jy}(t)]^2 \geqslant (R_i + R_j)^2 \\
&[\mathrm{P\_f}_{ix}(t) - \mathrm{P\_r}_{jx}(t)]^2 + [\mathrm{P\_f}_{iy}(t) - \mathrm{P\_r}_{jy}(t)]^2 \geqslant (R_i + R_j)^2 \\
&[\mathrm{P\_r}_{ix}(t) - \mathrm{P\_f}_{jx}(t)]^2 + [\mathrm{P\_r}_{iy}(t) - \mathrm{P\_f}_{jy}(t)]^2 \geqslant (R_i + R_j)^2 \\
&[\mathrm{P\_r}_{ix}(t) - \mathrm{P\_r}_{jx}(t)]^2 + [\mathrm{P\_r}_{iy}(t) - \mathrm{P\_r}_{jy}(t)]^2 \geqslant (R_i + R_j)^2
\end{aligned}
$$

$$\begin{aligned}&\forall i,j=1,2,\cdots,N_{\mathrm{V}},\ i\neq j\\&\forall t\in[0,t_{\mathrm{f}}]\end{aligned}\tag{4-2}$$

其中，$[0,t_{\mathrm{f}}]$代表规划时域，时域末端$t_{\mathrm{f}}>0$不固定。

智能网联汽车与道路两侧边沿线之间的碰撞躲避约束条件可建立为

$$\begin{aligned}&\mathrm{RB}+R_i\leqslant \mathrm{P\_f}_{iy}(t)\leqslant \mathrm{LB}-R_i\\&\mathrm{RB}+R_i\leqslant \mathrm{P\_r}_{iy}(t)\leqslant \mathrm{LB}-R_i\\&\forall t\in[0,t_{\mathrm{f}}]\\&\forall i=1,2,\cdots,\mathrm{N_V}\end{aligned}\tag{4-3}$$

此外，在换道过程中应避免出现车辆逆向行驶或者倒车行驶的情况，即

$$-\frac{\pi}{2}\leqslant\theta_i(t)\leqslant\frac{\pi}{2},\ t\in[0,t_{\mathrm{f}}],\ i=1,2,\cdots,N_{\mathrm{V}}\tag{4-4a}$$

$$v_i(t)\geqslant 0,\ t\in[0,t_{\mathrm{f}}],\ i=1,2,\cdots,N_{\mathrm{V}}\tag{4-4b}$$

在换道过程的初始时刻$t=0$，智能网联汽车i的位置$[x_i(0),y_i(0)]$给定为(x_i,y_i)，其他变量的边值应在满足初始时刻平稳性假设[31]的基础上，确保车辆i沿道路前向行驶，即

$$[x_i(0),y_i(0)]=[x_i,y_i],\ i=1,2,\cdots,N_{\mathrm{V}}\tag{4-5a}$$

$$\left[a_i(0),\phi_i(0),\omega_i(0),v_i(0),\theta_i(0)\right]=\left[0,0,0,v_{\mathrm{st}},0\right],\ i=1,2,\cdots,N_{\mathrm{V}}\tag{4-5b}$$

其中，$v_{\mathrm{st}}>0$为各车辆平稳行驶的标准速度。

在终止时刻$t=t_{\mathrm{f}}$，智能网联汽车i应沿目标车道平稳行驶，设智能网联汽车i的目标车道中心线为$y=\mathrm{Dest}_i$，则终止时刻约束可建立为

$$y_i(t_{\mathrm{f}})=\mathrm{Dest}_i\tag{4-6a}$$

$$\left[a_i(t_{\mathrm{f}}),\phi_i(t_{\mathrm{f}}),\omega_i(t_{\mathrm{f}}),v_i(t_{\mathrm{f}}),\theta_i(t_{\mathrm{f}})\right]=\left[0,0,0,v_{\mathrm{st}},0\right],\ i=1,2,\cdots,N_{\mathrm{V}}\tag{4-6b}$$

换道过程应尽早结束，且换道过程应平缓，据此可建立以下时间 - 能量综合的代价函数：

$$J=t_{\mathrm{f}}+w_{\mathrm{w}}\int_{\tau=0}^{t_{\mathrm{f}}}\left\{\sum_{i=1}^{N_{\mathrm{V}}}[\omega_i(\tau)]^2\right\}\mathrm{d}\tau+w_{\mathrm{a}}\int_{\tau=0}^{t_{\mathrm{f}}}\left\{\sum_{i=1}^{N_{\mathrm{V}}}[a_i(\tau)]^2\right\}\mathrm{d}\tau\tag{4-7}$$

其中，w_{w}、$w_{\mathrm{a}}>0$为权重系数，反映了代价函数对任务完成的时效性与舒适性的综合考虑。

至此，完整的多车协同换道轨迹规划任务表述为以下最优控制问题：

$$\begin{aligned}&\min[\text{式(4-7)}]\\&\text{s.t. 运动学约束[式(2-1)、式(2-2)、式(4-4)],}\\&\qquad\text{两点边值约束[式(4-5)、式(4-6)],}\\&\qquad\text{避障约束[式(4-1)、式(4-2)、式(4-3)]}\end{aligned}\tag{4-8}$$

与现行交通法规有所不同，最优控制问题［式（4-8）］并未禁止车辆直接跨越至非相邻车道：在学术研究层面保留这一可能性，有助于发挥协同行驶的潜力，同时为自动驾驶立法提供技术探索的初步依据。

4.3 求解思路

针对结构化道路场景中的多车协同换道任务，本章提出一种分阶段的协同轨迹规划思路：将完整的换道过程划分为两个连续的阶段，以降低多车之间的强耦合性，从而简化问题求解过程。

在第一阶段，编队中的各智能网联汽车保持原有车道，不进行横向偏移。车辆仅通过纵向的加速或减速来调整自身速度与位置，使得整体编队逐步演化为一个更加稀疏、彼此保持安全间距的稳定队形。此阶段的目标是通过纵向调节缓解潜在的横向干扰，为后续的换道操作创造有利条件。

在第二阶段，编队中的各车辆在已经形成足够稀疏队形的前提下，可以在无需再考虑与其他车辆相互避让的条件下，同时并立即执行换道操作。换道在这一阶段以并行的方式完成，当所有车辆均到达目标车道后，整个换道过程立即结束。

这一分阶段求解思路的关键优势在于，将原本复杂的多车同时换道并需相互避让的高耦合问题，转化为纵向稀疏化调整与横向独立换道这两个相对简单的子过程，从而在保证安全性的同时显著提升求解的可行性与效率。

在明确了分阶段求解的基本思路之后，有必要通过典型案例进一步说明稀疏编队重构在协同换道中的作用。如图 4-3（a）所示，假设车辆 1 与车辆 2 均有换道意图，若两车在起始位置直接同时实施换道，而完全忽视潜在的碰撞风险，则在随后的某一时刻必然发生侧向碰撞。而在图 4-3（b）所示的情形中，车辆 1 与车辆 2 同样意图互换车道，但由于初始间距更大，即使两车在换道过程中互不避让，也依然能够安全完成换道。由此可以看出，车间距的大小直接决定了换道操作的可行性。将这一结论推广至更大规模的编队，可以得到一个关键认识：只要通过纵向调整使编队达到足够稀疏的状态，各车辆便能够在不用考虑相互避让的条件下，同时且安全地完成换道。

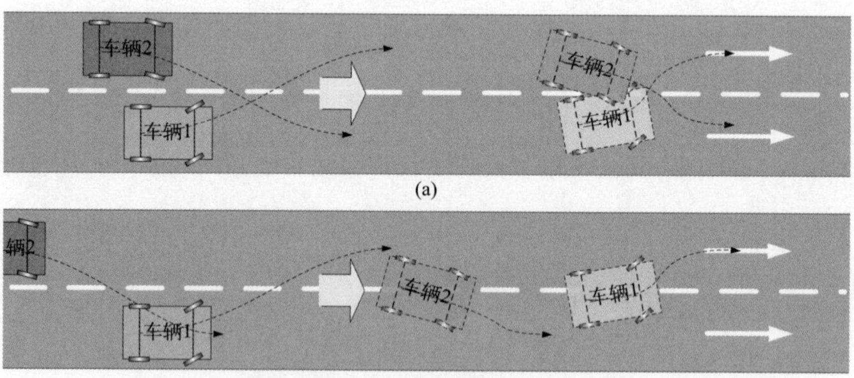

图 4-3　稀疏编队重构思路的合理性解释示例

为叙述简洁，现将“不用考虑与其他车辆潜在碰撞风险而直接执行的换道行为”称为“盲目换道”。这里的“盲目”并无贬义，而是强调在稀疏条件保障下换道动作的特征。

在这一两阶段换道思路中，需要解决三项核心问题：

① 如何定量地确定充分稀疏的编队构型而不至于使编队构型过度稀疏；

② 如何将车辆编队从初始构型迁移至预先设定的稀疏构型；

③ 如何在稀疏条件下安全且高效地实施盲目换道。

下一节将逐一解决这三项问题。

4.4 基于稀疏编队重构策略的多阶段协同轨迹规划

首先对稀疏编队进行定义。一个编队构型是否充分稀疏，取决于以此为初始状态立即开始的多车同时盲目换道过程是否会发生碰撞。为了得知盲目换道行为是否安全，应该先求解盲目换道模式下的行驶轨迹，并判断各智能网联汽车在此模式下行驶是否会发生冲突：如果未发生冲突，说明当前编队初始构型已足够稀疏，各智能网联汽车直接同时开始换道行驶即可；如发生了冲突，说明当前的初始编队构型仍不够稀疏，还需进一步调整。

第一步，求解一个多智能网联汽车同时盲目换道的运动规划问题：

$$
\begin{aligned}
&\min[\text{式(4-7)}]\\
&\text{s.t. 运动学约束[式(2-1)、式(2-2)、式(4-4)]},\\
&\qquad \text{两点边值约束[式(4-5)、式(4-6)]},\\
&\qquad \text{避障约束[式(4-1)、式(4-3)]}
\end{aligned}
\tag{4-9}
$$

与原始问题［式（4-8)］相比，新问题［式（4-9)］剔除了描述车辆之间避障约束的式（4-2)，而式（4-2）正是造成原始问题［式（4-8)］难以实时求解的最重要原因。在式（4-2）剔除后，约束的规模与非线性程度得到了大幅度降低，因此在以线性渐变的方式简单地构造初始解的基础上，式（4-9）的数值优化求解难度很低，现将式（4-9）的最优解记为χ_1。

第二步，对χ_1中多车盲目换道过程进行安全检验。具体做法是在每一个配置点时刻对各智能网联汽车的足迹进行重叠性检查，在任一时刻出现任何重叠，则直接退出该检验，并判定χ_1蕴含的多车同时盲目换道过程存在冲突；如果在所有时刻任何两辆智能网联汽车的足迹均不存在重叠，则判定χ_1不包含冲突，此时应将智能网联汽车编队在$t=0$时刻的构型直接视为稀疏编队并跳过后续步骤。

第三步，将全部N_V辆智能网联汽车按照其所在车道及车道内的位序重新进行二元编码，称第i条车道内第j辆智能网联汽车为车辆i,j。将编队中的所有智能网联汽车按照其在$t=0$时刻的横轴坐标值进行从大到小排序，横轴坐标值取值越大则赋予该车越高的优先级（如横轴坐标值相等则按照所在车道排序)。将所有智能网联汽车的优先级记录于指标集$\Phi=\{\Phi_1,\Phi_2,\cdots,\Phi_{N_V}\}\in\mathbb{N}^{1\times N_V}$中，其中第$i$个元素$\Phi_i$记录着优先级为$i$的智能网联汽车的二元编码。如图4-4所示，编队中的头车拥有最高优先级1，以此类推。

第四步，执行算法4-1，生成从当前编队构型变为稀疏编队构型的相对偏置量。

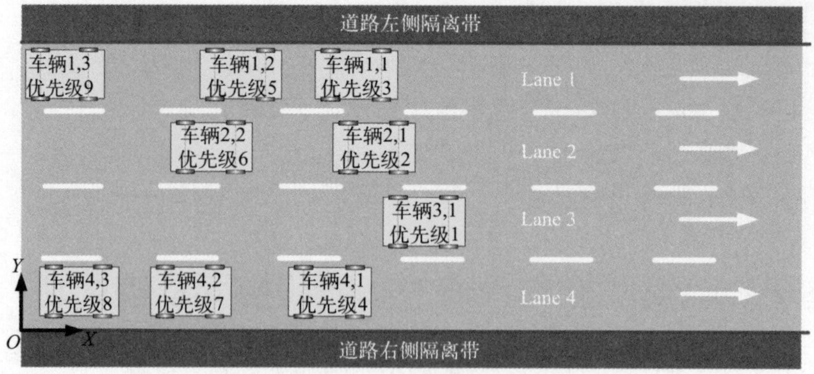

图 4-4　智能网联汽车编队编码与优先级设置示意图

算法 4-1　稀疏编队构型生成算法

输入： 指标集 $\varPhi$ 与多车同时盲目换道解 χ_1

输出： 稀疏编队构型相对偏置向量 $\boldsymbol{d}$

1. 将 χ_1 中对应的各车轨迹按照 $\varPhi$ 记录为集合 $\mathrm{Traj}=\{\mathrm{traj}_k \mid k\in\{\varPhi_1,\varPhi_2,\cdots,\varPhi_{N_{\mathrm{V}}}\}\}$；
2. 定义向量 $\boldsymbol{d}=\{d_i\geqslant 0 \mid i=2,3,\cdots,N_{\mathrm{V}}\}\in\mathbb{R}^{1\times(N_{\mathrm{V}}-1)}$，并初始化各元素为 0；
3. **for** $n=2:N_{\mathrm{V}}$，**do**
4. 　　**while** $\mathrm{traj}_{\varPhi_n}$ 与 Traj 的子集 $\left\{\mathrm{traj}_{\varPhi_{n-1}},\cdots,\mathrm{traj}_{\varPhi_1}\right\}$ 中任何元素发生碰撞，**do**
5. 　　　　将 $\mathrm{traj}_{\varPhi_n}$ 整体向 X 轴负方向平移单位距离 Δs；
6. 　　　　**for** $k=(n+1):N_{\mathrm{V}}$，**do**
7. 　　　　　　**if** $\varPhi_n$ 与 $\varPhi_k$ 在起始时刻属于同一车道，**then**
8. 　　　　　　　　将 $\mathrm{traj}_{\varPhi_k}$ 整体向 X 轴负方向平移单位距离 Δs；
9. 　　　　　　**end if**
10. 　　　　**end for**
11. 　　**end while**
12. 　　根据当前 $\mathrm{traj}_{\varPhi_n}$ 计算 $d_n=x_{\varPhi_1}(0)-x_{\varPhi_n}(0)$；
13. **end for**
14. **return**

算法 4-1 的实现思路是尝试不断拉大各车辆间的距离，直到车辆间距足以使盲目换道轨迹变得安全为止。步骤 5 涉及的参数 $\Delta s>0$ 代表了每次尝试拉大车间距的单位平移长度。通过该算法得到的向量 $\boldsymbol{d}$ 表征了编队内的各车辆与领头车辆 $\varPhi_1$ 的相对落后位置关系。

第五步，利用算法 4-1输出的相对偏置向量 $\boldsymbol{d}$ 推算出稀疏编队相对构型。至此，理想的稀疏编队构型得以确定下来。

在获得理想的稀疏编队构型后，接下来的问题是如何使智能网联汽车编队从初始时刻的构型重构为这一稀疏构型。现将编队重构运动过程定义为阶段 1，假设其发生于时

间区间 $[0,t_1]$（其中 $t_1>0$ 未固定），要求车辆编队在该过程的终止时刻 $t=t_1$ 平稳地形成上述理想稀疏构型，因此 t_1 时刻的边值条件可据此建立为

$$[v_i(t_1),a_i(t_1),\theta_i(t_1),\phi_i(t_1),\omega_i(t_1)]=[v_{\mathrm{st}},0,0,0,0],\ i=1,2,\cdots,N_{\mathrm{V}} \tag{4-10a}$$

$$x_{\Phi_1}(t_1)-x_{\Phi_j}(t_1)=d_j,\ j=2,3,\cdots,N_{\mathrm{V}} \tag{4-10b}$$

在编队构型调整的过程 $t\in[0,t_1]$ 中，各车辆始终沿着自己原有车道向前直行，即

$$\phi_i(t)=0,\ t\in[0,t_{\mathrm{f}}],\ i=1,2,\cdots,N_{\mathrm{V}} \tag{4-11}$$

结合边值可进一步确定：

$$\theta_i(t)=0,\ t\in[0,t_{\mathrm{f}}],\ i=1,2,\cdots,N_{\mathrm{V}} \tag{4-12}$$

将其代入式（2-1）中可将各智能网联汽车的运动学约束简化为一维数轴上的质点模型：

$$\frac{\mathrm{d}}{\mathrm{d}t}\begin{bmatrix}x_i(t)\\y_i(t)\\\theta_i(t)\\v_i(t)\\\phi_i(t)\end{bmatrix}=\begin{bmatrix}v_i(t)\\0\\0\\a_i(t)\\0\end{bmatrix},\ t\in[0,t_1] \tag{4-13}$$

由于车辆沿着车道行驶，它们与道路边界不存在相撞的可能，因此表示避障约束的式（4-3）可剔除，而表示避障约束的式（4-2）也可简化为数轴上的质点模式：

$$x_{i,j}(t)-x_{i,j+1}(t)\geqslant L_{\mathrm{w}}+L_{\mathrm{f}}+L_{\mathrm{r}},\ t\in[0,t_{\mathrm{f}}],\ \forall i,j \tag{4-14}$$

代价函数相应地调整为

$$J=t_1+w_{\mathrm{a}}\int_{\tau=0}^{t_1}\left\{\sum_{i=1}^{N_{\mathrm{V}}}[a_i(\tau)]^2\right\}\mathrm{d}\tau \tag{4-15}$$

据此构建以下以稀疏编队重构为目的的多车协同轨迹规划问题：

$$\begin{aligned}&\min\ [\text{式}(4\text{-}15)]\\&\text{s.t. 运动学约束}[\text{式}(4\text{-}13)、\text{式}(2\text{-}2)、\text{式}(4\text{-}4\text{b})、\text{式}(4\text{-}11)、\text{式}(4\text{-}12)],\\&\quad\ \text{两点边值约束}[\text{式}(4\text{-}5)、\text{式}(4\text{-}10)],\\&\quad\ \text{避障约束}[\text{式}(4\text{-}14)]\end{aligned} \tag{4-16}$$

如果不是包含着未知的终止时刻变量 t_1，式（4-16）经过离散化形成的数学规划问题是非常容易快速计算的一则典型 QP。通过数值优化可得到式（4-16）的解，将其记为 χ_2。

在车辆编队完成稀疏化重构运动过程后，第三个待解决的问题是，各车辆在第二阶段应如何实施盲目、安全的换道行为。在第二阶段，各车辆的盲目换道运动轨迹的形态与式（4-9）的最优解 χ_1 一致，只需将 χ_1 中各车辆的轨迹向 X 轴正方向适当平移即可得到盲目换道运动轨迹。将 χ_2 与更新后的 χ_1 衔接，即可得到多车协同换道轨迹完整结果。

4.5 完整算法流程

基于 4.4 节的分析，现将完整的多车协同换道轨迹规划流程总结如算法 4-2 所示。

算法 4-2　基于稀疏编队重构的多车协同换道轨迹规划算法

输入：智能网联汽车编队初始位置与换道意图

输出：多车协同换道完整轨迹

采用数值优化方法求解式（4-9），将解记录为 χ_1；
if χ_1 中的各车辆行驶过程无冲突，**then**
　　return χ_1；
end
构造指标集 Φ；
向算法 4-1 输入 χ_1 与 Φ，将输出的向量记为 $\boldsymbol{d}$；
采用数值优化方法求解式（4-16），将解记录为 χ_2；
for　$i=1:N_{\mathrm{V}}$，**do**
　　定义 $\mathrm{gap}_i=\chi_2 x_i(t_1)-\chi_1 x_i(0)$；
　　将 χ_1 中车辆 i 的轨迹向 X 轴正方向平移 gap_i；
end for
将 χ_2 与 χ_1 顺次拼接，形成完整的协同换道轨迹 χ；
return χ.

在算法4-2中所求解的问题［式（4-9）与式（4-16）］中均不包含车辆间的避障约束，因此算法4-2的实时性较好。虽然复杂的避障约束未体现在优化模型中，却用作碰撞的判断条件（隐含在算法4-1的步骤4）。将名义命题中大规模复杂避障约束转化为优化过程以外的碰撞检查，是本章所提出算法最核心的特点，也是其在线求解时效性得到保障的根本原因。本章提出的算法已正式发表于文献［19］。

第5章

非结构化路口场景中的多车协同通行轨迹规划方法

5.1 场景特点与任务难点解析
5.2 基于安全走廊与相对安全走廊的避障约束
5.3 基于社会力模型的参考轨迹生成
5.4 基于轻量化迭代优化的求解鲁棒性增强策略
5.5 基于批次划分的求解实时性保障机制

本章将介绍非结构化无信号灯路口场景中的多车协同轨迹规划方法。5.1 节分析该场景的特点与协同轨迹规划所面临的难点；5.2 节设计了避障约束构建方法，重点说明如何利用安全走廊与相对安全走廊来刻画复杂环境中的避障约束；走廊的构建依赖参考轨迹，5.3 节介绍如何生成参考轨迹；5.4 节阐述轻量化迭代优化方法，以增强协同轨迹规划的计算鲁棒性；最后，5.5 节提出基于批次划分的整体求解策略，用于保障上述算法应对超大规模车辆编队的计算实时性与可拓展性。

5.1 场景特点与任务难点解析

本章研究的对象是非结构化无信号灯交叉路口（简称非结构化交叉路口或非结构化路口）环境下的多车协同轨迹规划任务。该类场景的核心目标在于解决来自不同方向的车辆同时通行时所产生的潜在冲突与通行效率低下的问题。通过对多车进行协同轨迹规划，可以最大化利用路口的时空资源，实现安全高效的通行。与传统依靠信号灯管控的结构化路口不同，非结构化无信号灯路口允许所有方向的车辆同时进入交叉区域，从而在理论上能够更充分地发挥路口的通行潜力。为了保障安全性，此类路口通常会部署路侧传感器与计算单元，用于实时检测车辆状态，并通过协同规划算法生成多车轨迹后下发至车辆执行，实现多车安全高效通过。非结构化交叉路口广泛存在于露天矿区、港口等特殊交通环境中，其典型形态如图 5-1 所示。与结构化路口相比，这类路口边界不规则、可通行区域狭窄，并且有重载车辆频繁通行。

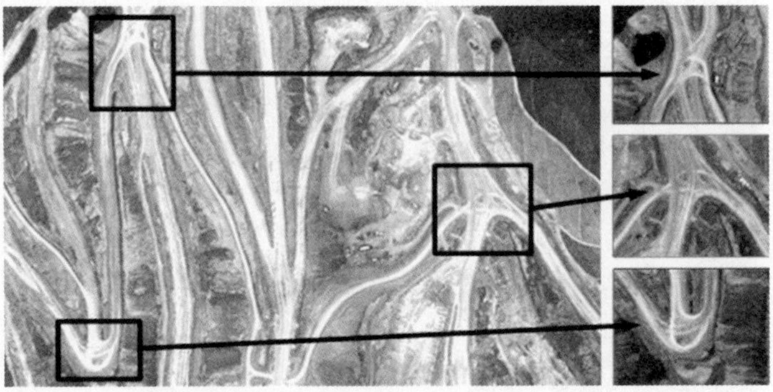

图 5-1　露天矿区环境中的复杂非结构化路口场景

上述场景特征使多车协同轨迹规划面临一系列的难点。首先，狭窄空间与不规则边界导致冲突区域高度集中，并会产生多个不同的通行同伦类别，使得选择最优通行类别变得困难。其次，非结构化路口常包含大曲率弯道，车辆必须在接近其最大转向能力的条件下才能完成通行，不仅带来严苛的运动学约束，而且频繁启停还会造成额外的能耗与机械磨损。再次，由于存在大曲率环境，采用 Frenet 坐标系进行单车轨迹规划往往会得到超出车辆转向极限的轨迹，而在同一曲线坐标系下实现多车协同轨迹规划则几乎不可行。因此，该类场景下的多车协同轨迹规划必须直接在笛卡儿坐标系中进行，以确保轨迹的可执行性和整体协同性。

5.2 基于安全走廊与相对安全走廊的避障约束

由前文分析可知，非结构化路口的协同轨迹规划主要受不规则道路边界与狭窄空间影响，避障约束呈现非凸、非线性的特征，难以在有限时间内得到最优解。为此，本节提出基于安全走廊与相对安全走廊的避障约束构建方法，以降低约束的维数与非线性程度。其核心思路是：先为每辆车给定一条粗略参考轨迹，并在其周围构建盒状安全走廊，将车辆可行运动范围限制在走廊内，从而隔绝车 - 环境碰撞，使外部环境的复杂性不再直接传导至约束建模；对任意两车，利用各自参考轨迹计算相对参考轨迹，并据此构建相对安全走廊，将两车的相对运动限制在该走廊内，以维持安全间距、避免车 - 车碰撞。

通过上述处理，车辆可行域被限定在由安全走廊与相对安全走廊共同定义的范围内，原本高维、非凸的名义避障约束被替换为结构化的线性约束，从而显著降低求解难度。相对安全走廊方法由 Park 与 Kim [46] 提出，最初用于无人机群体的避障约束建模，本节将其应用于地面车辆编队的协同轨迹规划。需要强调的是，本节假设用于生成安全走廊与相对安全走廊的参考轨迹已知，其生成方式将在 5.3 节中专门讨论。

5.2.1 基于安全走廊的车 - 环境避障约束构建

在参考轨迹已知的前提下，本小节构造安全走廊，以便在建模环节防止智能网联汽车与环境障碍物之间的碰撞。为此，采用单圆盘近似表示车辆外形：以半径为 r_i 的圆盘替代实际车身，其圆心记为 $[x_{c_i}(t), y_{c_i}(t)]$。在该模型下，“车辆不与道路边界发生碰撞”等价为“圆盘与环境不重叠”。进一步地，可将圆盘与环境的避障约束等价地转化为质点与膨化环境的不重叠约束（图 5-2）：将代表车辆的圆盘收缩为其圆心，同时把环境障碍物（例如道路边界）向外扩一个半径为 r_i 的缓冲带，得到膨化环境，只要圆盘圆心在任一时刻不落入膨化环境区域内，即可保证车身圆盘与原始环境不碰撞。对于每个时刻，圆心的安全区域可定义为可通行区域剔除膨化环境后的集合，如果圆心始终处于该安全区域内，则可判定车辆与环境无碰撞 [44]。

基于上述思路，沿参考轨迹构建由若干轴对齐边界框拼接而成的安全走廊。该类走廊形状规则、参数量少且稳定，便于以结构化的边界约束形式嵌入最优控制问题模型，具有较高的计算表达效率。为确定走廊边界，定义上、下、左、右四个扩展方向，并以宽度和长度均为零的初始矩形为起点，按四个方向逐步尝试扩展。每次扩展均需检测与膨化道路边界是否发生重叠，若出现重叠，则拒绝该次扩展并终止该方向；若未出现重叠，则将扩展部分并入当前允许区域，并记录可达的最大边界，详情可参见第 2 章的 2.3.5 小节。为避免过度扩张或跨越细小几何特征引发的安全性下降，应设置合理的最大扩展幅度，必要时还可额外添加约束以保障走廊在空间上的连续性与连通性，使车辆能够沿参考轨迹在走廊内连续通过。

在约束表达层面，只需将车辆圆心在整个运动过程中限制于上述走廊的矩形集合之内，即可把复杂的车 - 环境之间的避障替换为规则的盒式边界约束，从而降低求解难度并提升计算稳定性。

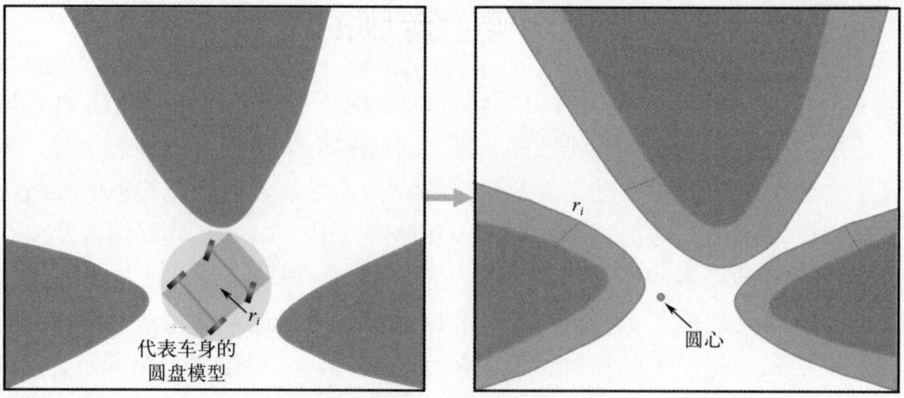

图 5-2　车 - 环境避障约束向圆心 - 膨化环境避障约束等效转化示意图

由第 i 辆智能网联汽车的参考轨迹可推知，其圆盘圆心在 t 时刻所处位置为 $(x_i^{\text{seed}}, y_i^{\text{seed}})$，按照第 2 章 2.3.5 小节介绍的走廊构建算法（算法 2-1）可得到该时刻 t 对应的安全行车走廊碎片，不妨表示为 $[x_i^{t\min}, x_i^{t\max}] \times [y_i^{t\min}, y_i^{t\max}]$。对全部 N_{V} 辆智能网联汽车在整个时域施加此类约束，则有

$$\begin{aligned} & x_i^{t\min} \leqslant x_{c_i}(t) \leqslant x_i^{t\max} \\ & y_i^{t\min} \leqslant y_{c_i}(t) \leqslant y_i^{t\max} \\ & \forall t,\ \forall i = 1,2,\cdots,N_{\text{V}} \end{aligned} \tag{5-1}$$

5.2.2　基于相对安全走廊的车 - 车避障约束构建

5.2.1 小节已经介绍了安全走廊约束，其主要用于避免车辆与环境之间的碰撞。而相对安全走廊的目标则是防止车辆之间发生相互碰撞 [46]，其核心逻辑可以归纳为两个连续步骤。第一步是识别潜在冲突的车辆，由于每辆车的运动范围已被限制在对应的安全走廊中，因此只需检查在同一时刻两个安全走廊是否发生重叠。如果存在重叠，就说明这两辆智能网联汽车存在潜在的碰撞风险。第二步是在发现风险后，为相关车辆构建相对安全走廊，以进一步约束它们的相对运动，确保安全距离得以维持。

为了说明相对安全走廊的构建方式，可以将两辆可能存在冲突的智能网联汽车抽象为质点模型。在同一时刻，如果两个质点不发生重合，就可以判定两车不会碰撞。这一条件在轨迹层面上可以表述为：两辆车的参考轨迹在同一时刻不发生交叉。基于此，引入相对参考轨迹的概念，用于定量刻画两车之间的相对关系，并在此基础上构建相对安全走廊，从而保证两车的相对运动始终保持在安全区域内。假设第 i 辆智能网联汽车与第 j 辆智能网联汽车的参考轨迹分别为 χ_i 和 χ_j，则车辆 i 相对于车辆 j 的相对参考轨迹 $\chi_{i,j}$ 可由相应参考轨迹的减法运算得到：

$$\chi_{i,j} = \chi_i - \chi_j \tag{5-2}$$

相对参考轨迹的定义是：选定一辆智能网联汽车为参照车，将其在每一时刻的位置平移至原点，此时另一辆车在同一时刻相对该原点的位置随时间连成的曲线，即为两车的相对参考轨迹。该轨迹仅描述相对位移，并未反映车辆实际尺寸。由于智能网联汽车具有非零物理尺度，若仅采用质点模型会低估碰撞风险，因此需在相对参考轨迹的基础上引入相对障碍物。所谓相对障碍物，是以原点为圆心、两车圆盘半径之和为半径构成的禁入区域 $C_{i,j}$：

$$C_{i,j} := \left\{(x,y)\middle| x^2 + y^2 \leqslant (r_i + r_j)^2\right\} \tag{5-3}$$

只要相对轨迹始终不进入该区域，便可认为两车在几何意义上不会发生碰撞：

$$\begin{gathered}[\boldsymbol{p}_i(t) - \boldsymbol{p}_j(t)] \cap C_{i,j}(t) = \varnothing \\ \forall t,\ \forall i \neq j\end{gathered} \tag{5-4}$$

其中，$C_{i,j}$ 表示相对障碍物；$\boldsymbol{p}_i(t)$ 表示车辆 i 圆盘圆心的二维坐标：

$$\boldsymbol{p}_i(t) := [x_{c_i}(t), y_{c_i}(t)] \tag{5-5}$$

由此，车 - 车避障问题可转化为相对轨迹点与相对障碍物之间的空间关系判定问题。其求解可直接采用第 2 章 2.3.5 小节介绍的方法，但需做出相应替换：将参考轨迹替换为相对参考轨迹，将避障约束中的轨迹状态变量替换为相对轨迹，将膨化地图替换为相对障碍物，并将输出的安全走廊替换为相对安全走廊。算法 5-1 给出了基于相对安全走廊模型的车 - 车避障约束建模方法，其中 Iscollided() 函数用于检测两个平面区域是否存在重叠。

对于一组可能发生碰撞冲突的智能网联汽车 i 和 j，其在 t 时刻的安全走廊范围为 $\Gamma^{i,j}_{\text{rel\_safe}}(t) = \left\{x^{t\min}_{i,j}, x^{t\max}_{i,j}, y^{t\min}_{i,j}, y^{t\max}_{i,j}\right\}$。据此得到车 - 车之间的避障约束：

$$\begin{gathered}x^{t\min}_{i,j} \leqslant x_{c_i}(t) - x_{c_j}(t) \leqslant x^{t\max}_{i,j} \\ y^{t\min}_{i,j} \leqslant y_{c_i}(t) - y_{c_j}(t) \leqslant y^{t\max}_{i,j} \\ \forall t, \forall i \neq j\end{gathered} \tag{5-6}$$

算法 5-1　相对安全走廊生成算法

输入：各车辆的参考轨迹 $\chi_i(t)$，安全走廊 $\Gamma^i_{\text{safe}}(t)$，车辆圆盘半径 r_i
输出：相对安全走廊集合 $\Gamma_{\text{rel\_safe}}(t)$

初始化相对安全走廊 $\Gamma_{\text{rel\_safe}}(t) = \varnothing$；
for $i = 1, 2, \cdots, (N_{\text{V}} - 1)$，**do**
　　for $j = (i+1), \cdots, N_{\text{V}}$，**do**
　　　　if IsCollided[$\Gamma^i_{\text{safe}}(t)$, $\Gamma^j_{\text{safe}}(t)$]，**then**
　　　　　　计算相对轨迹点 $\chi_{i,j}(t) = \chi_i(t) - \chi_j(t)$；
　　　　　　构造相对障碍物 $C_{i,j} := \left\{(x,y)\middle| x^2 + y^2 \leqslant (r_i + r_j)^2\right\}$；
　　　　　　将 $C_{i,j}$ 视为障碍物，以 $\chi_{i,j}$ 为种子点构建相对安全走廊 $\Gamma^{i,j}_{\text{rel\_safe}}$；
　　　　　　$\Gamma_{\text{rel\_safe}} \leftarrow \Gamma_{\text{rel\_safe}} \cup \Gamma^{i,j}_{\text{rel\_safe}}$；
　　　　else
　　　　　　continue
　　　　end if
　　end for
end for
return

式（5-1）与式（5-6）分别对单车绝对位置和多车相对位置进行了限定，将非结构化交叉路口中原本布局复杂、规模多变的名义避障约束转化为规模相对较为稳定的线性约束（图 5-3）。

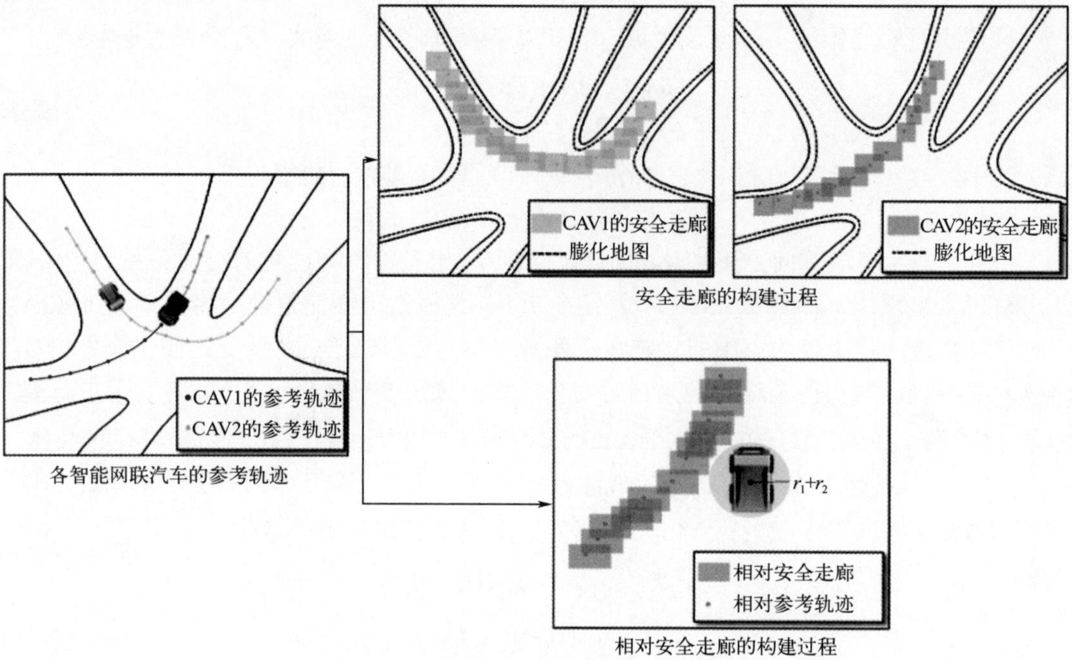

图 5-3　安全走廊与相对安全走廊的构建方法示意图

5.3　基于社会力模型的参考轨迹生成

5.2 节介绍了基于走廊的避障约束构建方法，无论是安全走廊还是相对安全走廊，其构建均依赖于参考轨迹，因此如何生成高质量的参考轨迹成为关键问题。本节将介绍对传统社会力模型的改进方法，使其能够在非结构化路口中快速为智能网联汽车集群中各车辆生成高质量的参考轨迹。在本章提出的协同轨迹规划算法体系中，参考轨迹的作用主要体现在两个方面：其一，安全走廊与相对安全走廊的构建需要参考轨迹作为依据；其二，如第 3 章 3.3 节所述，一个无碰撞且运动学可行的初始解不仅能够加快最优控制问题的求解速度，还能提升最优解的整体质量。由此，理想的参考轨迹需要满足两项条件：第一，轨迹应当无碰撞并尽可能符合车辆的运动学约束；第二，轨迹生成方法应当具备较高的实时性与完备性。传统基于冲突搜索或混合整数数学规划的方法难以同时兼顾这两点。

受到最初用于人群疏散仿真的社会力模型的启发，本节提出了一种基于前向模拟的多车协同参考轨迹生成方法。社会力模型的前向模拟机制能够保证计算过程的高效性与稳定性。与此同时，为满足智能网联汽车在运动学约束和避障方面的需求，本节在经典社会力模型的框架中引入了车辆的运动学规律，形成适用于阿克曼转向车辆的改进型社会力模型。

5.3.1 基础社会力模型

社会力模型（social force model，SFM）由 Helbing 等[70]于 1995 年提出，用于模拟大规模人群运动与紧急疏散场景。该模型将环境中的每一位行人视为受力驱动的独立个体，其运动轨迹并非依循预先设定的固定路径，而是由多种力的实时合力自然生成的结果。这些力是虚拟的，旨在量化和再现个体在社会环境中的行为动机。其中最核心的一种力是目标驱动力，它源于行人从当前位置移动至目标点的内在意愿，并通过一个期望速度持续牵引行人朝向目标方向运动，构成了个体运动的主要驱动因素。

除了目标驱动力，模型还定义了源自外部环境的交互力。为了避免与他人发生碰撞并下意识地保持舒适的社交距离，引入了个体排斥力；同理，为防止撞上墙壁等物理障碍，又引入了障碍物排斥力。这些排斥力的作用机制类似于同极磁铁之间的相互排斥：距离越近，作用越强。因此，在任意时刻，个体的最终运动决策（即加速度与方向）由内在的目标驱动力与来自周围个体及障碍物的排斥力共同决定，其表现为一种动态平衡的结果。正是由于这种简洁而直观的力学机制，社会力模型在仿真中能够涌现出逼真而复杂的群体现象，例如在人群密集的通道中自动形成对向分流、在出口瓶颈处出现拱形堵塞等，从而展现出微观建模能力与宏观预测效果。

5.3.2 考虑车辆运动学规律的社会力模型改进思路

经典的社会力模型在模拟行人等自由个体时表现优异，其根本原因在于模型假设个体具备全向移动能力，可以随时向任意方向调整运动。然而，车辆与行人存在本质差别：车辆属于典型的非完整约束系统，无法像行人那样自由改变方向，其运动必须严格遵循自身的动力学和运动学规律。如果将经典社会力模型直接应用于车辆，则生成的轨迹往往会违背车辆的转向性能与加减速限制，因而难以满足运动学上的可行性要求。

为解决这一问题，本小节将经典社会力模型扩展为适用于驾驶场景的改进社会力模型，使其能够显式考虑车辆的运动学规律。该模型的核心改进在于，不再将合力结果直接等同于个体的加速度或位姿角，而是引入车辆的系统状态方程作为约束条件。在这一框架下，合力仍然由吸引力与排斥力的动态平衡产生，但车辆的运动结果必须是在严格满足系统状态方程约束的前提下前向模拟得到的，而不是直接按照合力方向生成的。

在改进后的社会力模型框架下，智能网联汽车的运动由两类核心社会力共同主导，如图 5-4 所示。其一是吸引力，来源于一条预先设定的引导路线。该路线被离散为若干引导点，车辆在行驶过程中始终受到前方最近引导点的吸引作用，从而在因避障等因素偏离原有路径时，仍具备回到正确行驶方向的趋势，保证了整体轨迹的合理性和稳定性。其二是排斥力，主要来自周围的其他智能网联汽车以及环境中的障碍物，作用机理类似于同性电荷之间的相互排斥，使车辆在局部范围内能够主动远离潜在的碰撞风险。

在每一时刻，作用于车辆的吸引力与所有排斥力应进行矢量叠加，形成合力。这一合力并不会直接转化为车辆的运动结果，而是作为中间变量进一步解析。具体而言，期望合力首先被分解，并结合车辆的当前运动状态，通过车辆运动学模型计算得到下一时刻的控制指令，即纵向的加速度与前轮的转向角。随后，车辆根据自身的运动学约束，以这些控制指令为输入，通过前向积分更新当前位置与姿态，得到新的轨迹点。

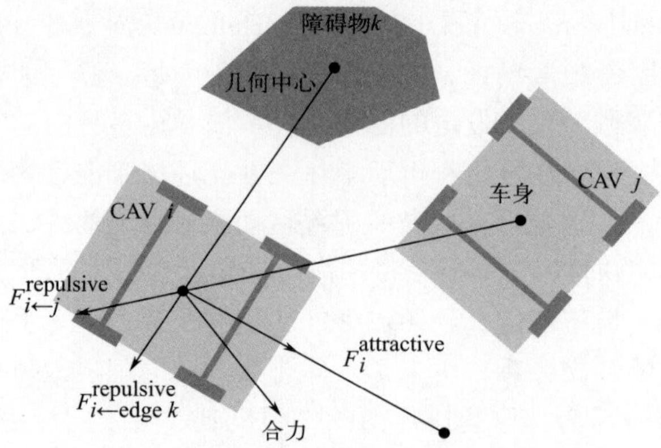

图 5-4　社会力模型受力情况示意图

上述过程在时间维度上不断重复滚动：每一时刻都通过叠加社会力得到合力，再由运动学模型逆解控制量，并通过前向模拟更新车辆状态。通过连续迭代，便可生成一条完整的、符合车辆运动学规律的参考轨迹。其具体实现步骤如下：

（1）步骤 1：引导路径的计算

吸引力是引导智能网联汽车沿期望方向行驶的关键，其直接来源是一条预先生成的引导路径。因此，在构建吸引力模型之前，首先需要为车辆计算一条高质量的几何路径，并将其离散化为一系列引导点，作为后续吸引力的依据。引导路径的生成属于离线问题，可以采用多种成熟的方法实现，例如五次多项式样条、lattice 采样或数值优化方法[71]。此时一般无需考虑避障问题，而是重点保证路径在整体上尽量贴合对应的车道中心线，并尽可能保障曲率高阶连续，从而生成平滑、稳定且便于跟随的轨迹。该步骤得到的引导路径将作为离散引导点序列，为后续的吸引力建模提供基础支持。

（2）步骤 2：合力的计算

引导点的吸引力是引力的唯一来源，其作用大小与智能网联汽车当前位置到引导点的欧氏距离成正比，即

$$\boldsymbol{F}_i^{\text{attractive}}(t)=w_{\text{attractive}}\frac{\boldsymbol{p}_{\text{ref}}(t)-\boldsymbol{p}_i(t)}{\left\|\boldsymbol{p}_{\text{ref}}(t)-\boldsymbol{p}_i(t)\right\|}\tag{5-7}$$

其中，$\boldsymbol{p}_i(t)\in\mathbb{R}^2$ 代表智能网联汽车 i 的当前位置；$\boldsymbol{p}_{\text{ref}}(t)\in\mathbb{R}^2$ 代表相应引力点的位置；$w_{\text{attractive}}>0$ 代表引力权重。引导点 $\boldsymbol{p}_{\text{ref}}(t)$ 的选取方式为：将智能网联汽车 i 的位置 $\boldsymbol{p}_i(t)$ 向引导路径投影，沿着投影点向前走过一定距离得到当前时刻的引导点。式（5-7）中的引力权重 $w_{\text{attractive}}>0$ 用于调节吸引力度相对于其他力的幅值。

排斥力包括两部分：

其一是智能网联汽车之间的相互排斥力，其大小与两车间距离成反比，车辆 i 受到车辆 j 所施加的排斥力 $\boldsymbol{F}_{i\leftarrow j}^{\text{repulsive}}(t)\in\mathbb{R}^2$ 的具体形式为

$$
\boldsymbol{F}_{i\leftarrow j}^{\text{repulsive}}(t)=w_{\text{repulsive}}\frac{\boldsymbol{d}_{i,j}(t)}{\left\|\boldsymbol{d}_{i,j}(t)\right\|_2}\exp\frac{r_i+r_j-\left\|\boldsymbol{d}_{i,j}(t)\right\|_2}{w_{\text{distance}}} \tag{5-8}
$$

其中，$w_{\text{repulsive}}>0$代表斥力权重，$w_{\text{distance}}>0$用于调节斥力随距离幅值衰减的快慢程度，这两个参数共同决定车辆之间斥力的幅值；范数$\left\|\boldsymbol{d}_{i,j}(t)\right\|_2$代表两车之间的欧氏距离；$\boldsymbol{d}_{i,j}(t)\in\mathbb{R}^2$代表车辆智能网联汽车$i$与$j$之间的坐标矢量差：

$$
\boldsymbol{d}_{i,j}(t)=\boldsymbol{p}_i(t)-\boldsymbol{p}_j(t) \tag{5-9}
$$

其二是车辆与道路边界之间的排斥力，其建模方式与前者一致，与车辆到其周围一定较小范围内各障碍物的最短距离相关。例如，第k个障碍物对智能网联汽车i施加的斥力$\boldsymbol{F}_{i\leftarrow\text{edge }k}^{\text{repulsive}}(t)\in\mathbb{R}^2$可定义如下：

$$
\boldsymbol{F}_{i\leftarrow\text{edge }k}^{\text{repulsive}}(t)=w_{\text{repulsive}}\frac{\boldsymbol{d}_{i,\text{edge }k}(t)}{\left\|\boldsymbol{d}_{i,\text{edge }k}(t)\right\|_2}\exp\frac{r_i-\left\|\boldsymbol{d}_{i,\text{edge }k}(t)\right\|_2}{w_{\text{distance}}} \tag{5-10}
$$

其中，$\left\|\boldsymbol{d}_{i,\text{edge }k}(t)\right\|_2$表示第$i$辆智能网联汽车与环境障碍物$k$之间的欧氏距离。

最终，车辆在任一时刻t所受的合力$\boldsymbol{F}_i^{\text{resultant}}(t)\in\mathbb{R}^2$由吸引力与两类排斥力进行矢量叠加得到，其结果为

$$
\boldsymbol{F}_i^{\text{resultant}}(t)=\boldsymbol{F}_i^{\text{attractive}}(t)+\sum_{j\neq i}\boldsymbol{F}_{i\leftarrow j}^{\text{repulsive}}(t)+\sum_{k}\boldsymbol{F}_{i\leftarrow\text{edge }k}^{\text{repulsive}}(t) \tag{5-11}
$$

（3）步骤3：运动学模型的嵌入

在计算出驱动智能网联汽车前进的合力之后，关键在于将这一抽象的力学矢量映射为车辆可执行的控制指令。鉴于智能网联汽车的运动系统属于非完整约束系统，无法全向移动，合力的作用需分别体现在纵向速度与横向转向两个通道上。

首先是纵向通道。合力沿车辆当前行驶方向的分量$F_i^{\text{resultant}|_{\log}}$用于调节车辆的期望速度与加速度：通过对该分量施加比例缩放即可得到与运动学模型相符合的车辆加速度，并在速度更新的同时考虑速度上限、加速度上限及其变化率等约束。

其次是横向通道。合力在车辆横向的分量$F_i^{\text{resultant}|_{\text{lat}}}$用于生成期望的转向响应$\phi_i^{\text{expect}}(t)$：

$$
\phi_i^{\text{expect}}(t)=w_{\text{turning}}\arctan\frac{F_i^{\text{resultant}|_{\log}}(t)}{F_i^{\text{resultant}|_{\text{lat}}}(t)} \tag{5-12}
$$

其中，引入转弯权重$w_{\text{turning}}>0$反映转向响应幅度。基于式（5-12）得到$\phi_i^{\text{expect}}(t)$后，应考虑前轮角度与前轮转角速度限幅因素，将$\phi_i^{\text{expect}}(t)$投影至容许区间内。

（4）步骤4：轨迹的更新

在完成控制指令的计算后，智能网联汽车i在一段单位采样时间Δt内执行该控制指令，基于前文介绍的前向模拟方法生成车辆的局部行驶轨迹弧段。重复上述步骤即可生成一条完整的参考轨迹。本节介绍的基于前向模拟的多车协同参考轨迹构造方法已发表于文献［72］。

5.4 基于轻量化迭代优化的求解鲁棒性增强策略

本节将介绍用于提升协同轨迹规划鲁棒性的轻量化迭代优化方法。该方法通过在建

模过程中引入约束软化策略，首先构建一个轻量化的中间问题（intermediate problem），再以迭代方式反复求解不同参数下的中间问题，从而逐步逼近原始问题的一个近似最优解，在提升计算效率的同时有效增强整体求解过程的鲁棒性。

5.4.1 名义求解方法及其不足

基于前文提出的安全走廊与相对安全走廊，可分别得到非结构化无信号灯交叉路口场景下的车 - 环境避障约束与车 - 车避障约束。在此基础上，可建立该场景多车协同轨迹规划的固定时域最优控制问题：避障约束采用式（5-1）与式（5-6）；边值约束采用第 2 章 2.2 节内容，但要特别注意适当放宽在终止时刻 $t = t_{\mathrm{f}}$ 的位置限制；广义运动学约束包括式（2-1）、式（2-2）以及式（2-26）；代价函数定义为

$$\begin{aligned} J = w_{\mathrm{w}} \int_{\tau=0}^{t_{\mathrm{f}}} \left\{ \sum_{i=1}^{N_{\mathrm{V}}} [\omega_i(\tau)]^2 \right\} \mathrm{d}\tau + w_{\mathrm{a}} \int_{\tau=0}^{t_{\mathrm{f}}} \left\{ \sum_{i=1}^{N_{\mathrm{V}}} [a_i(\tau)]^2 \right\} \mathrm{d}\tau + \\ \sum_{i=1}^{N_{\mathrm{V}}} \left\{ [x_{c_i}(t_{\mathrm{f}}) - x_i^{\mathrm{goal}}]^2 + [y_{c_i}(t_{\mathrm{f}}) - y_i^{\mathrm{goal}}]^2 \right\} \end{aligned} \tag{5-13}$$

其中，w_{w}、$w_{\mathrm{a}} > 0$ 为权重系数；$(x_i^{\mathrm{goal}}, y_i^{\mathrm{goal}})$ 位于目标车道远端且在规划时域 $[0, t_{\mathrm{f}}]$ 内不可达：该设计并非要求智能网联汽车实际到达该点，而是通过最小化终端位置与该远端点的距离，使车辆在时域末端保持向既定方向的前行意愿，从而在微观层面促使其尽可能沿车道向前推进，以提升总体通行效率。

整合上述约束与代价函数后，可得到多车协同轨迹规划名义问题：

$$\begin{aligned} & \min[\text{式}(5\text{-}13)] \\ & \text{s.t. 运动学约束}[\text{式}(2\text{-}1)、\text{式}(2\text{-}2)、\text{式}(2\text{-}26)], \\ & \quad \text{两点边值约束}[\text{式}(4\text{-}5)\text{等}], \\ & \quad \text{避障约束}[\text{式}(5\text{-}1)、\text{式}(5\text{-}6)] \end{aligned} \tag{5-14}$$

宽泛地讲，当谈及一个最优控制问题是不是可行的，关注的焦点不在于代价函数，而在于其是否包含互斥的成对约束。式（5-14）有可能成为不可行问题，其原因在于安全走廊与相对安全走廊的引入易引发两类冲突，以下进行详细解释。

第一类冲突表现为不同智能网联汽车的走廊之间在空间或时间上的重叠。当多个车辆在交叉区域同时规划轨迹时，其各自的走廊可能发生部分交集，从而导致车 - 车避障约束无法同时满足。第二类冲突则来自走廊与车辆运动学约束之间的矛盾。尽管某条参考轨迹在走廊约束下保持可行，但若该走廊的几何特性与车辆的转向半径、加速度或速度等运动学条件相冲突，式（5-14）同样会变得不可行。

这两类冲突背后有更深层次的原因。其一，走廊的引入在本质上缩减了自由空间。数学建模时，将走廊表示为一系列与坐标轴对齐的矩形框。虽然这种形式化表达极大简化了约束构建与后续求解，但也不可避免地带来保守性。这些矩形框可能遗漏框外一些实际上可通行的区域，在斜向或较为开阔的空间中尤为明显。强制要求所有车辆轨迹始终保持在这些预先构造的矩形走廊内，便可能使求解空间过度缩减。在某些极端情况下，这种保守性甚至会将所有潜在可行轨迹完全排除，最终导致优化问题无解。其二，参考轨迹的品质对整体求解有决定性影响。如果参考轨迹仅仅是可行解，而未能接近最

优或近似最优，其不足将直接放大避障约束与运动学约束之间的矛盾。换言之，低质量的参考轨迹可能使得车辆在走廊内被迫采用不合理的加减速或转向模式，从而进一步加剧约束冲突，降低式（5-14）的可解性。

因此，参考轨迹与走廊机制在降低问题复杂度方面虽然具有重要价值，但如果其潜在冲突和保守性严重限制可行解的存在，那么就应采取有效手段予以纠正与完善。

5.4.2 轻量化迭代优化方法

轻量化迭代优化方法（lightweight iterative optimization method，LIOM）由 Li 等[73]于 2022 年正式提出，其核心要点在于：针对包含难以调和的硬性约束冲突的原始优化问题，将其分解为一系列经软化处理、难度降低且规模更轻量的中间问题；每次求解得到的中间问题解，一方面用于重构部分冲突约束，另一方面作为下一轮求解的初始解以实现暖启动。如此循环推进，当原先尖锐的冲突逐步缓解直至消失时，即可获得原始问题的可行解，并通常能够逼近最优解。

将轻量化迭代优化方法应用于本章聚焦的非结构化路口多车协同轨迹规划任务，需要对式（5-14）做出四点改造，以将其转化为便于迭代推进的轻量化中间问题。其中前三点涉及约束层面的处理，第四点涉及代价函数的调整。

第一点，为化解走廊约束［式（5-1）］与相对走廊约束［式（5-6）］之间可能出现的矛盾，以松弛化的方式对相对走廊约束［式（5-6）］进行改造，一旦实施改造，二者之间尖锐的对立冲突就可得到彻底缓解。具体而言，引入额外的松弛变量 $\delta_{i,j}(t) \geqslant 0$，并将其嵌入相对走廊的不等式约束［式（5-6）］中，以确保无论在何种情况下，该不等式总能通过选择合适的 $\delta_{i,j}(t)$ 取值而成立。通过这种方式，原有的相对走廊约束形成所谓的松弛相对走廊。松弛相对走廊通过自调整相对走廊的范围，从而有效缓解走廊与相对走廊之间的潜在冲突：

$$
\begin{aligned}
& x_{i,j}^{t\min} - \delta_{i,j}(t) \leqslant x_{c_i}(t) - x_{c_j}(t) \leqslant x_{i,j}^{t\max} + \delta_{i,j}(t) \\
& y_{i,j}^{t\min} - \delta_{i,j}(t) \leqslant y_{c_i}(t) - y_{c_j}(t) \leqslant y_{i,j}^{t\max} + \delta_{i,j}(t) \\
& \forall t \in [0, t_{\mathrm{f}}], \forall i, j \in \{1, 2, \cdots, N_{\mathrm{V}}\}, \ i \neq j
\end{aligned} \tag{5-15}
$$

第二点，在式（5-15）中，$\delta_{i,j}(t)$ 表示第 i 辆与第 j 辆智能网联汽车涉及的相对安全走廊（相对走廊）在时刻 t 对应的松弛宽度变量。该变量是在原有最优控制问题［式（5-14）］的基础上额外增补的待决策量，需要与状态量和控制量一并联立求解。为此，应补充显式约束：

$$
\delta_{i,j}(t) \geqslant 0, \forall t \in [0, t_{\mathrm{f}}], \forall i \neq j \tag{5-16}
$$

第三点，为缓解走廊约束［式（5-1）］与运动学等式约束之间可能出现的矛盾，采用硬约束软化的方式对运动学模型进行改造，具体做法是将原本作为强制条件的等式约束［式（2-1）与式（2-26）］从式（5-14）中移除。通过这一处理，走廊约束与运动学约束之间原本尖锐的对立关系得以从根本上缓解。

第四点，在对约束进行上述改造的同时，还需要对代价函数做出相应调整。其基本思路是通过增补惩罚项，使被松弛或软化的内容有望拉回至严格成立的状态。具体而言，代价函数中增添两类补充项：

其一，引入一项关于 $\delta_{i,j}(t)$ 的积分惩罚项 $J_{\text{penalty\_slack}}$：

$$J_{\text{penalty\_slack}} = w_{\text{slack}} \sum_{i} \sum_{j \neq i} \int_{\tau=0}^{t_{\text{f}}} \delta_{i,j}(\tau) \mathrm{d}\tau \tag{5-17}$$

其中，$w_{\text{slack}} > 0$ 为权重。对该项进行最小化的最理想效果在于驱使所有时刻上的所有松弛变量 $\delta_{i,j}(t) \geqslant 0$ 收缩至零，即 $J_{\text{penalty\_slack}} = 0$ 时，相对走廊约束无需再进行任何松弛操作，车辆之间能够严格保持避障。

其二，引入一项针对软化约束的二次外罚项。具体做法是，将原本的硬性等式约束［可抽象表示为 $g(t) = 0$］转写为多项式 $g(t)$ 的平方，并将其作为被积函数在整个时域 $t \in [0, t_{\text{f}}]$ 上进行积分：

$$J_{\text{penalty\_softening}} = w_{\text{softening}} \int_{\tau=0}^{t_{\text{f}}} [g(\tau)]^2 \mathrm{d}\tau \tag{5-18}$$

其中，$w_{\text{softening}} > 0$ 为权重。若该积分结果收缩至零，即表明所有智能网联汽车在全时域 $t \in [0, t_{\text{f}}]$ 内严格满足原有的全部运动学约束。至于为何式（5-18）需要写成平方形式而式（5-17）不需要，著者将这一简单问题留给读者思考。

在引入 $J_{\text{penalty\_slack}}$ 与 $J_{\text{penalty\_softening}}$ 后，式（5-14）的代价函数改写为

$$J_{\text{LIOM}} = J + J_{\text{penalty\_slack}} + J_{\text{penalty\_softening}} \tag{5-19}$$

并使用式（5-19）置换式（5-14）中的代价函数。至此，得到了一则硬性约束仅包含简单线性约束的轻量化子问题：

$$\begin{aligned} &\min \ [\text{式}(5\text{-}19)] \\ &\text{s.t.} \ \text{运动学约束}[\text{式}(2\text{-}2)\text{、式}(5\text{-}16)], \\ &\qquad \text{两点边值约束}[\text{式}(4\text{-}5)\text{等}], \\ &\qquad \text{避障约束}[\text{式}(5\text{-}1)\text{、式}(5\text{-}15)] \end{aligned} \tag{5-20}$$

在构建好中间问题［式（5-20）］后，下面正式介绍轻量化迭代优化方法的执行流程。该方法主要步骤都在一个 while（1）死循环中执行，包含成功与失败两类跳出循环的机制：成功退出指满足预设的收敛与可行性判据；失败退出则指迭代轮次或累计计算时间超出设定上限而仍未满足判据。进入迭代之前，需要由 5.3 节介绍的方法初始化一组参考轨迹，通过逆解运动学方程推出轨迹位姿之外的其余状态量、控制量，从而组成完整的初始解，并将其代入代价函数［式（5-13）］，计算出的标量值记为“前一轮代价值”。随后步骤都在循环中执行。

在每一轮循环中，首先依据当前参考轨迹构造走廊与相对走廊约束，并按式（5-15）对相对走廊进行松弛；同时按前述做法对运动学等式约束进行软化处理。随后，以当前参考轨迹为暖启动，通过计算最优控制方法求解该轻量化问题。由于走廊冲突已通过松弛与软化得到化解，且由参考轨迹构成的初始解是一个可行解，因此中间问题是可行问题且能够得到快速求解。求解完成后，将解向量代入多项式 $J_{\text{penalty\_slack}}$ 与 $J_{\text{penalty\_softening}}$ 中，如果对应标量数值充分趋于 0^+（用 0^+ 的某一预设邻域量化），则判断当前解向量的可行性达标；将解向量代入多项式 J 中，如果计算出的代价数值 q 与前一轮代价值相差充分小且解出来的当前最优轨迹与参考轨迹差距充分小，则判断当前解向量的收敛性达标。

如果可行性与收敛性同时达标，则可跳出循环并返回当前解向量。如可行性与收敛性未同时达标，则保存当前解向量，将参考轨迹替代为当前解向量中蕴含的各车轨迹，将前一轮代价值记录为 q，将 w_{slack} 与 $w_{\text{softening}}$ 适当调大，随后进入下一轮循环。

轻量化迭代优化方法是本章最关键的一项设计[73]，其核心机制是协同优化，即令互斥的约束在多轮循环中“双向奔赴”，直至硬性冲突得到化解。若在初始阶段就要求互斥的约束对同时严格满足，这显然是徒劳的，因此轻量化迭代优化方法在一开始放宽约束，使其具备一定松弛或软化的余地，而临时放宽余地正是为了未来更好地收紧约束，做原本做不到的事。除自动驾驶轨迹规划领域[34]，轻量化迭代优化方法已在穿刺手术柔性针进针运动规划[74]、舰载机队形重构轨迹规划[75]等涉及复杂高冲突约束优化的领域得到了应用。

5.5 基于批次划分的求解实时性保障机制

前文介绍了如何在非结构化无信号灯路口中实现快速而鲁棒的多车协同轨迹规划。然而，在真实场景中，车辆往往是连续不断地涌入路口，并且来源方向随机，数量规模难以预估，这给算法的实时性带来新的挑战。即便规划算法本身已经具备较高的运行效率，其计算时间依然不可忽略。车辆处于运动状态时，哪怕算法时间开销只有 0.1 ms，只要车辆处于非静止状态，其位置也会相对于规划起点发生变化，这意味着计算延迟直接影响轨迹的可执行性。另一方面，如果试图将路口范围内的所有车辆统一纳入一个庞大的优化问题，计算规模将急剧膨胀，导致运算难以在有限时间内完成，从而无法满足实际部署的需求。

为解决这一问题，本节提出基于批次划分的处理机制。其核心思路是将大规模、连续、难以整体处理的车辆群体划分为若干规模适中、可控的批次。同一批次内部的车辆使用前文提出的协同轨迹规划方法来获得高质量的协同轨迹；而不同批次之间则通过一种开销更低的预约策略来避免相互干扰，从而在精细化与高效性之间取得平衡。

具体而言，整个车辆通过路口的过程可划分为四个阶段（图 5-5）。

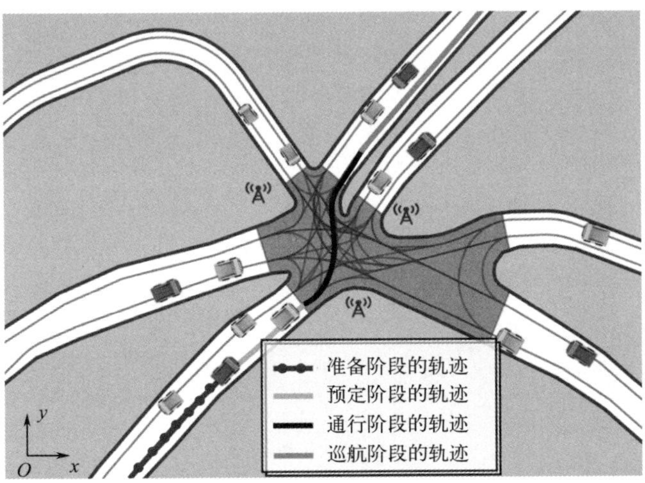

图 5-5 路口通行任务中的超大规模智能网联汽车编队批次划分方案示意图

第一阶段是准备阶段。当车辆进入路口的感知与控制范围时，会主动向路侧设备发送自身状态，并在该阶段结束时调整至标准化的运行状态，例如保持一致的速度，以便为后续的统一规划创造条件。

第二阶段是预定阶段。路侧设备根据车辆的纵向距离和预计到达时间，将它们动态地分配到相应的批次，并为整个批次分配一个进入路口核心区域的时间窗口。在此过程中，系统会先利用协同轨迹规划方法为该批次内的车辆预演其通过轨迹，若发现与当前已在路口的车辆存在潜在冲突，则适当推迟该批次进入的时间，以避免碰撞。此后，路侧平台会为车辆提供速度规划，确保它们能够在规定时间进入交叉口。

第三阶段是通行阶段。当时间窗口到达时，同一批次内的车辆作为一个整体，严格按照此前规划好的协同轨迹驶入路口核心区域，并同步完成穿越。

第四阶段是巡航阶段。车辆驶离路口核心区域后，逐渐恢复至标准化的运行状态，以平稳衔接后续路段的交通秩序。

这种机制的本质是将复杂的大规模协同问题拆解为两个层次：批次内部通过轨迹规划方法解决高精度的协同问题，确保车辆群在核心冲突区域内安全高效地通过；批次之间则通过低开销的预约方式实现时间分配，保证不同批次互不干扰。由此，原本难以在全局范围内实时求解的庞大问题被化整为零，转化为一系列计算规模可控、运行稳定的子问题，从而有效保障了算法在真实路口场景下的实时性与可部署性。本节介绍的批次划分方案已发表于文献［17］。

最后需要指出的是，本书著者倡导将可拓展性作为评价协同轨迹规划算法的一项重要指标，要求算法性能能随计算硬件与求解软件的进步而等比例获益。在批次划分框架下，算力受限时以较小批次保障实时性；算力提升后相应扩大批次与收紧时间窗口，使解质随资源单调改进并渐近逼近名义最优。由此，好的算法可以与软硬件演进形成可持续耦合，而缺乏这种随资源增长而提效的能力的算法不具备良好的可拓展性。

第6章

无序、杂乱、低速场景中的多车协同避障轨迹规划方法

6.1 场景特点与任务难点解析
6.2 协同轨迹规划命题构建
6.3 求解思路
6.4 约束尺度自适应缩放优化
6.5 进一步提升计算效率的策略

本章将介绍多智能网联汽车在无序、杂乱、狭窄且低速的局部场景中实现安全避障通行的协同轨迹规划方法。6.1 节分析该类场景及任务的特征与难点，6.2 节将多车协同轨迹规划建模为最优控制问题，6.3 节阐述求解思路，6.4 节给出具体的求解方案，6.5 节探讨了一些算法性能增强策略。

6.1 场景特点与任务难点解析

第 5 章重点讨论了非结构化无信号灯路口的协同轨迹规划问题。该类路口的显著特征是几何走势不规则，但整体自由空间相对宽敞，通行通常仍遵循一定的方向性和大致的次序，因此在建模时能够通过构造隧道化的安全走廊对规划空间加以有效约束。

与之相比，本章关注的局部低速场景更为复杂，兼具无序、杂乱、拥挤与狭窄等特点，且车辆运行速度较低、通行秩序不明确。现实中，此类场景常见于厂区、园区、矿区道路及停车场内部等区域（参见图 6-1与图 6-2）。相较第 5 章在空间属性上同样存在的不规则性，这里还额外突出两点：其一是低速通行，其二是无序状态。前者意味着车辆在局部运动中不仅前进，还可能需要倒退并多次调整姿态方能完成通行；后者则进一步加剧环境的不确定性与决策的复杂度。

图 6-1　无序、杂乱、低速场景示例

图 6-2　著者团队搭建的无序、杂乱、低速模拟场景

此外，静态障碍物往往密集且分布无规律，导致可行走廊极为狭窄、有效规划空间被显著压缩。在此背景下，第 5 章采用的走廊构造方法易产生大量冗余，难以直接用于高密度场景；同时，由于车辆间缺乏明确的先后次序与方向性，局部交互极为频繁，整体运动更接近无序随机过程，使本章场景下的协同轨迹规划复杂性显著高于非结构化路口。进一步而言，低速允许倒退的条件对初始解生成提出额外挑战：常见的基于社会力或采样搜索的方法通常默认轨迹光滑且单向，而一旦允许倒退，轨迹可能出现折返与非光滑特征，既提高了采样精度要求，也增大了搜索难度。与此同时，狭窄空间与点状障碍的组合会诱发多条同伦路径并存，不同同伦类别的选择直接影响局部解的质量，这种差异在拥挤复杂场景下被进一步放大，更易使求解陷入局部最优。

6.2 协同轨迹规划命题构建

假设在一个狭窄空间内有 $N_{\rm V}$ 辆智能网联汽车低速协同行驶，且环境中分布有 $N_{\rm OBS}$ 个静态的圆形障碍物。所有车辆的状态变量统一记为 $\boldsymbol{z}(t)\in\mathbb{R}^{N_{\rm V}\times N_{\rm Z}}$，控制变量记为 $\boldsymbol{u}(t)\in\mathbb{R}^{N_{\rm V}\times N_{\rm U}}$，其中 $N_{\rm Z}$ 和 $N_{\rm U}$ 分别表示各智能网联汽车中状态变量与控制变量的维数。为了方便叙述，本章约定 i 表示第 i 辆车 $(i=1,2,\cdots,N_{\rm V})$。$\boldsymbol{z}_i(t)$ 与 $\boldsymbol{u}_i(t)$ 分别表示第 i 辆车的状态变量和控制变量，具体定义如下：

$$
\begin{aligned}
\boldsymbol{z}_i(t)&=[x_i(t),\ y_i(t),\ \theta_i(t),\ v_i(t),\ \phi_i(t)]\\
\boldsymbol{u}_i(t)&=[a_i(t),\ \omega_i(t)]
\end{aligned}
\tag{6-1}
$$

其中，(x_i,y_i) 代表第 i 辆车后轮轴中心点的二维坐标；θ_i 为车头朝向角；v_i 为纵向速度；ϕ_i 为前轮转角；a_i 为纵向加速度；ω_i 为前轮转动的角速度。

该场景下的一般多车协同轨迹规划任务可表示为如下最优控制问题：

$$\min_{\boldsymbol{z}(t),\,\boldsymbol{u}(t),\,T} J[\boldsymbol{z}(t),\boldsymbol{u}(t),T] \tag{6-2a}$$

$$\text{s.t. } \dot{\boldsymbol{z}}_i(t)=f[\boldsymbol{z}_i(t),\boldsymbol{u}_i(t)] \tag{6-2b}$$

$$\underline{\boldsymbol{z}}_i\leqslant\boldsymbol{z}_i(t)\leqslant\overline{\boldsymbol{z}}_i,\ \underline{\boldsymbol{u}}_i\leqslant\boldsymbol{u}_i(t)\leqslant\overline{\boldsymbol{u}}_i \tag{6-2c}$$

$$\boldsymbol{z}(0)=\boldsymbol{z}_{\rm INIT},\ \boldsymbol{u}(0)=\boldsymbol{u}_{\rm INIT} \tag{6-2d}$$

$$g_{\rm END}[\boldsymbol{z}(T),\boldsymbol{u}(T)]\leqslant 0 \tag{6-2e}$$

$$\text{fp}[\boldsymbol{z}_i(t)]\cap\text{fp}[\boldsymbol{z}_j(t)]=\varnothing \tag{6-2f}$$

$$\text{fp}[\boldsymbol{z}_i(t)]\cap O_m=\varnothing \tag{6-2g}$$

$$i,j\in\{1,2,\cdots,N_{\rm V}\},\ i\neq j,\ m\in\{1,2,\cdots,N_{\rm OBS}\},\ t\in[0,T]$$

式中，T 代表所有车辆完成终止时刻约束 $g_{\rm END}[\boldsymbol{z}(T),\boldsymbol{u}(T)]\leqslant 0$ 的时刻；$\underline{\boldsymbol{z}}_i$、$\overline{\boldsymbol{z}}_i$、$\underline{\boldsymbol{u}}_i$ 以及 $\overline{\boldsymbol{u}}_i$ 分别代表第 i 辆智能网联汽车的状态 / 控制变量边界；$\boldsymbol{z}_{\rm INIT}$ 和 $\boldsymbol{u}_{\rm INIT}$ 分别为状态 / 控制变量的初始值；$\text{fp}(\cdot)$ 代表车辆状态到车身足迹的映射；O_m 代表第 m 个障碍物在二维平面上占据的区域。

式（6-2a）给出了需要最小化的代价函数。本节采用时间 - 能量最优的准则，将代价函数定义为：

$$J = T + w\sum_i \int_{\tau=0}^{T} [a_i^2(\tau) + v_i^2(\tau)\omega_i^2(\tau)]\mathrm{d}\tau \tag{6-3}$$

其中，第一项表示整个多车协同过程的总耗时，最小化该项旨在使协同通行尽早完成；第二项用于衡量轨迹的平滑性，以保证车辆运动过程的稳定与可行[76]，$w>0$为权重。

在式（6-2b）中，$\dot{z}_i$表示第i辆车的状态随时间的导数$\mathrm{d}\boldsymbol{z}_i/\mathrm{d}t$，方程$\dot{z}_i = f[\boldsymbol{z}_i(t), \boldsymbol{u}_i(t)]$代表第$i$辆车的运动学规律，详情参见第2章的式（2-1）。

在式（6-2c）中，$[\underline{\boldsymbol{z}}_i, \overline{\boldsymbol{z}}_i]$和$[\underline{\boldsymbol{u}}_i, \overline{\boldsymbol{u}}_i]$分别表示第$i$辆车的状态/控制变量双侧幅值，具体写为第2章的式（2-6）。

在式（6-2d）中，$\boldsymbol{z}_{\mathrm{INIT}}$和$\boldsymbol{u}_{\mathrm{INIT}}$分别定义了所有车辆的状态/控制变量在初始时刻的值，具体表示为

$$\left[x_i(0), y_i(0), \theta_i(0), v_i(0), \phi_i(0)\right] = [x_{0_i}, y_{0_i}, \theta_{0_i}, v_{0_i}, \Phi_{0_i}] \tag{6-4}$$

末值时刻的约束［式（6-2e）］可表示为

$$\begin{gathered}\left[x_i(T), y_i(T), v_i(T), \phi_i(T), a_i(T), \omega_i(T)\right] = [x_{T_i}, y_{T_i}, 0, 0, 0, 0] \\ \sin\theta_i(T) = \sin\theta_{T_i} \\ \cos\theta_i(T) = \cos\theta_{T_i}\end{gathered} \tag{6-5}$$

为确保末端状态是真正意义上的静止，该式在终端时刻同时要求车速为零且加速度为零。若仅在T时刻强制车速为零，而不对其加速度加以约束，则可能出现车速在该时刻呈现“一过性”为零的情况，之后仍存在继续运动的非稳态。将加速度在末端限制为零，可使末端状态成为动力学平衡点，从而避免由离散化或优化器内在误差引起的假静止与末端反弹，有利于与后续时域的无缝衔接。相较之下，起始时刻不对加速度施加点约束，是为了不给问题过度定死边界。起点的姿态与速度通常由感知与定位直接给定，若再强制加速度取定值，易挤压可行域、降低初始机动性并放大测量误差对可行性的影响。将起始加速度作为决策变量，可让优化在满足安全与约束的前提下，自主选择更优的起步加减速轨迹，提高可行性与全局性能。

式（6-2f）表示车-车之间的避障要求。采用第4章4.2节提到的双圆盘均匀覆盖矩形车身，车辆前后圆盘圆心坐标由式（4-1）定义，车-车之间的避障约束表示为式（4-2）。

式（6-2g）表示车-障碍物之间的避障要求。假设环境中存在N_{OBS}个圆盘状的静态障碍物，其中第m个圆心位于$(x_m^{\mathrm{OBS}}, y_m^{\mathrm{OBS}})$，半径为$r_m^{\mathrm{OBS}}$，那么式（6-2g）具体表示为

$$\begin{gathered}\left(\mathrm{P\_r}_{ix} - x_m^{\mathrm{OBS}}\right)^2 + \left(\mathrm{P\_r}_{iy} - y_m^{\mathrm{OBS}}\right)^2 \geqslant \left(R_i + R_m^{\mathrm{OBS}}\right)^2 \\ \left(\mathrm{P\_f}_{ix} - x_m^{\mathrm{OBS}}\right)^2 + \left(\mathrm{P\_f}_{iy} - y_m^{\mathrm{OBS}}\right)^2 \geqslant \left(R_i + R_m^{\mathrm{OBS}}\right)^2 \\ i \in \{1,2,\cdots,N_{\mathrm{V}}\},\ m \in \{1,2,\cdots,N_{\mathrm{OBS}}\},\ t \in [0, T]\end{gathered} \tag{6-6}$$

6.3 求解思路

在多车协同轨迹规划问题中，避障约束是导致优化问题高维复杂、难以求解的最重要原因。表面上，每辆车在每个时刻都可能与所有其他车辆发生碰撞，但实际上这是不可能的：车辆起点和终点各不相同，且在空间上往往存在一定的分离距离，因此名义上的避障约束中必然包含大量冗余。这些冗余约束呈现出“互补松弛”的特性，即某些约束一旦成立，另一部分约束便自然得到满足。然而问题在于，哪些约束是冗余的并不事先可知，直接求解时不得不将其全部纳入，导致问题规模过大。

为了解决避障约束规模庞大的问题，一个自然的思路是，先暂时忽略全部避障约束，直接优化求解一次；如果求解得到的协同轨迹未产生碰撞，则该解一定也是原问题的最优解；如果求解得到的协同轨迹产生碰撞，再将对应的局部避障约束按需（on-demand）增补进来重新求解，反复如此直至求解得到的协同轨迹不再涉及任何碰撞为止。通过这种方式，避障约束不再被一次性全部加载，而是以逐步累加或自适应增删的方式逐步调整。

然而，这种逐步调整避障约束的序贯求解方案会带来新的困难。由于每次调整约束后，临时待求解的中间问题都在发生变化，上一轮求得的解是当前轮新问题的一个不可行点，从而易于导致收敛失败。若缺乏恢复机制，序贯求解会无法进行下去。为避免这一情况，本节考虑设计一种能够动态调节约束施加尺度的自适应机制，使循环能够持续推进。一个直观的做法是：将车辆周围的一定空间设定为“作用半径”，按照参考轨迹信息，当其他车辆在该半径范围内时才施加相应的避障约束；若某次求解失败，则适当缩小半径，减少约束数量，以恢复可行性；若求解顺利，则适当扩大半径，使约束范围覆盖得更全面。这种基于半径的自适应调节机制，可以在可行性与完备性之间实现平衡。

进一步地，经验表明碰撞风险并不总是来自远处，有时近处的碰撞冲突反而会严重妨碍优化过程的收敛。为此，可将约束范围设计成参数化的环形区域，从而允许忽略部分近距离冲突。这样一来，优化过程可以避开小范围内的强干扰区域，先应对远近适中的环带上的碰撞冲突，再逐步将被忽略的近距避障约束重新纳入。随着循环的推进，最终所有必要的避障约束都会予以考虑，从而获得既满足避障要求又具有较好最优性的解。

6.4 约束尺度自适应缩放优化

约束尺度自适应缩放优化（adaptive-scaling constrained optimization，ASCO）方法由 Li 等[15]于 2021 年提出。其核心思路是在循环过程中不断求解约束被适度简化的中间问题，并通过迭代逐步修正。当某一中间问题的最优解能够同时满足所有名义避障约束时，即可认定该解不仅是中间问题的最优解，也是原始问题的最优解。约束尺度自适应缩放优化方法的具体执行流程如算法 6-1 所示。

算法 6-1　约束尺度自适应缩放优化算法

输入： 规划任务 task、环境障碍物信息 $\mathcal{O}$

输出： 最优协同行驶轨迹 Traj

1. Traj $\leftarrow$ GenerateInitialGuessViaHA(task, $\mathcal{O}$) ;
2. 初始化 $S^{\mathrm{LB}} \leftarrow S_{\min}$, $S^{\mathrm{UB}} \leftarrow S_{\max}$;
3. **while** (1), **do**
4. $\mathcal{G} \leftarrow$ AddConstraintOnDemand(Traj, S^{LB}, S^{UB}, $\mathcal{O}$) ;
5.   Ocp $\leftarrow$ FormulateOcp($\mathcal{G}$, task) ;
6.   [Traj, is_good] $\leftarrow$ SolveOcp(Ocp, Traj) ;
7.   **if** (!is_good) , **then**
8. $S^{\mathrm{LB}} \leftarrow \min(S^{\mathrm{LB}} + \alpha, S_{\max})$;
9.   **else**
10.   is_valid $\leftarrow$ IsSolutionValid(Traj, $\mathcal{O}$) ;
11.   **if** (is_valid) , **then**
12.   **return** Traj ;
13.   **else**
14. $S^{\mathrm{LB}} \leftarrow \max(S^{\mathrm{LB}} - \alpha, S_{\min})$;
15. $S^{\mathrm{UB}} \leftarrow \min(S^{\mathrm{UB}} + \beta, S_{\max})$;
16.   **end if**
17.   **end if**
18. **end while**

算法 6-1 的主要步骤在一个 while（1）死循环中执行，只有当得到的解向量满足全部避障约束时，算法才会立即退出；若不满足，则持续反复迭代。进入循环之前，算法首先利用混合 A* 搜索 [77] 为每辆智能网联汽车生成能够避让环境障碍物 $\mathcal{O}$ 的单车路径，随后结合庞特里亚金极值原理为这些路径匹配相应的速度，从而构成各车辆的初始解轨迹。由于车辆到达各自终点的时间各不相同，早到的车辆在到达后保持静止等待，而最晚到达的车辆所用时间视为规划时域的长度。在此基础上，通过逆推其他状态与控制量以补全解向量，从而在算法 6-1 的第 1 行得到一套完整的初始解，记为 Traj。与第 5 章情形类似，这一初始解不仅用于梯度优化的暖启动，更重要的是作为避障约束筛选的临时参考，届时称其为参考轨迹。

在算法 6-1 的第 2 行，需要对关键参数 S^{LB} 与 S^{UB} 进行初始化，用于确定避障约束作用域的环形覆盖范围。在 while 循环中，依据当前的 S^{LB} 与 S^{UB} 取值，以各车辆的参考轨迹为基准，在每一时刻计算任意两车之间的最小欧氏距离。若该距离落在区间 $[S^{\mathrm{LB}}, S^{\mathrm{UB}}]$ 内，则将对应的车 - 车避障约束纳入集合 $\mathcal{G}$，形成本轮迭代需要处理的约束集。这里需要说明的是，当前循环轮次的集合 $\mathcal{G}$ 并不继承到下一轮，每一轮循环中使用的集合 $\mathcal{G}$ 都是独立构建的。具体做法如下：

为便于阐明约束触发的时序一致性，先设参考轨迹的时域为 $[0,t_{\mathrm{f}}]$，其中 t_{f} 已知；而本章待求解的多车协同轨迹规划问题采用 $[0, T]$ 作为规划时域，其中 T 为待优化的终端时间，这一点与第 5 章固定时域的设定不同。基于此差异，避障约束的构造采取等比例映射方式处理：凡是在参考轨迹时域 $[0,t_{\mathrm{f}}]$ 上判定需要施加避障约束的任一时刻 t_0，均对应于规划时域中的相对时刻（t_0/t_{f}）$\times T$。例如，参考时域为 [0, 18.63s] 时，若在 $t=0.3\mathrm{s}$ 处发现两车参考距离落入避障约束施加区间，则在规划时域中写入的约束时刻不是绝对时刻 $t=0.3\mathrm{s}$，而是相对时刻 $(0.3/18.63)\times T$。这样处理的要点在于：无论决策变量 T 如何随优化而变化，参考轨迹中可能发生风险的时机都会被一致地投射到当前的规划时域，避免因终端时间可变而产生约束错位。

从严格性出发，理论上应在参考轨迹时域 $[0,t_{\mathrm{f}}]$ 上的每一个时刻进行距离判定与映射。考虑到 $[0,t_{\mathrm{f}}]$ 为包含无穷多时刻的稠密实数区间，工程实践中采用足够高精度的等间隔采样来近似完成这一过程。需要强调的是，判定在参考域进行，写入在规划域完成，写入一律使用等比例得到的相对时刻，而非直接采用参考域的绝对时刻。

至于车辆间距离的测算，建议采用式（4-2）所示的双圆盘模型，将判定拆分为四条相互独立的约束分别检验；若其中任一条满足触发条件，则将对应约束加入集合，彼此不相干扰。以第 2 条约束为例，令 i 车的前圆盘与 j 车的后圆盘构成一对检测对象，其间距离 dist 可定义为

$$\mathrm{dist}=\max\left[0,\sqrt{\left(\mathrm{P\_f}_{ix}-\mathrm{P\_r}_{jx}\right)^2+\left(\mathrm{P\_f}_{iy}-\mathrm{P\_r}_{jy}\right)^2}-R_i-R_j\right] \tag{6-7}$$

随后判断该距离 dist 是否落在 $[S^{\mathrm{LB}}, S^{\mathrm{UB}}]$ 区间中。

算法 6-1 中其余各行的含义已由函数名的字面意思清晰表征，此处不再赘述。

6.5 进一步提升计算效率的策略

本节将介绍一些常见的计算策略，从而提升多车协同轨迹规划的计算效率或收敛质量。

6.5.1 分组

在多车协同轨迹规划中，事先分组的目的在于以潜在碰撞关系为依据，将整体问题拆分为若干规模可控的子任务。具体做法是：基于当前参考轨迹与风险作用域构建车辆关系图，将在该作用域内互不构成碰撞风险的车辆划入不同连通分量；随后，针对各连通分量分别开展协同规划，并行求解各子任务。这样，必要约束集中在组内处理，组间由于在当前作用域下无直接风险而暂不施加约束，从而显著降低单次求解的规模并提升整体效率 [18]。

需要强调两点。其一，分组判定依赖于风险作用域的设定：作用域过宽会使关系图高度连通，难以产生有效分组；作用域设定得当，则能在保留组内关键交互的同时剔除组间不必要的约束，实质性减轻计算负担。其二，各组得到解后仍需进行一次全局一致性检查，确保不同分组的解在时间与空间上无残余冲突；如发现跨组干扰，则应适度调整作用域或更新分组并重新求解。

6.5.2 约束施加域精准调整

为进一步减少不必要的约束并提升实时性，约束尺度自适应缩放优化算法中的有效约束环形作用域宜由各智能网联汽车分别持有，并随时间自适应调整，而非所有车辆设定一套统一参数。其基本原则是在作用域规划中纳入运动学可达性：当车辆处于低速或静止状态，且受周围几何环境强烈限制时，短时间内可到达的空间范围较小，环形作用域的内外边界应相应收紧，避免将当前阶段不具备实际可达性的远端交互强行纳入；当车辆即将接近潜在冲突区域时，可到达范围扩大，作用域亦应同步外展，以提前覆盖更广的风险关系。

6.5.3 序贯凸规划

序贯凸规划（sequential convex programming，SCP）是一种求解非凸轨迹规划问题的迭代方法，由 Augugliaro 等[47]于 2012 年提出。其基本流程为：以一条参考轨迹为展开点，将其中的非凸环节在当前点附近做一阶线性化或局部凸化，典型对象包括避障约束以及非线性运动学约束；在此基础上构造一个易于求解的凸子问题（常见为二次规划或二次锥规划），求得更新解后，将更新解作为新的展开点，重新构造信赖域或安全走廊并再次线性化；重复“线性化、凸求解、更新”的循环直至收敛。由于碰撞约束被近似为若干半空间的交集，序贯凸规划常被视作走廊构造范式的实现形式之一；参考轨迹既提供线性化展开点集，也充当走廊骨架，因此所得解的同伦类别通常与参考轨迹一致，这会带来对初始轨迹质量的敏感性。若线性化点偏离真实可行域，或信赖域设置不当，中间凸子问题可能无解，从而中断序贯过程。基于这些特性，序贯凸规划更适合作为确定了可行同伦后的高效局部优化器；若用于同伦尚未确定或场景强非凸的情形，通常需要配合走廊宽度调节、参考轨迹修正与可行性恢复策略，以维持可解性并提高收敛稳定性。关于序贯凸规划的系统阐述与早期应用，可进一步参阅本领域的两篇奠基性文献——文献［47］与［27］，二者分别从方法论框架与多机器人轨迹规划实践层面奠定了后续研究的基础。

6.5.4 基于机器学习的参考轨迹构造

在无序、拥挤、狭窄的非结构化场景中，参考轨迹既是后续优化的骨架，也是同伦类别的锚点。鉴于参考轨迹生成处于前置环节，可以考虑采用以学习为主、以优化为辅的融合思路：离线阶段以监督学习为核心，汇集仿真与实测的高质量样本，提炼关键通过位点、可行通道骨架、速度型式与回退动作等要素，训练能够在复杂障碍分布下快速给出多候选参考轨迹的生成模型；在线阶段以生成器为入口，结合轻量级评估器对候选项进行排序筛选，将少量优胜候选项交由后续的规划与优化模块进一步打磨。评估器应从运动学可行性、最小安全间隙、曲率与曲率变化的连续性、同伦多样性、预计通行时间与邻车交互的可消解性等维度进行综合打分，并给出不确定性估计以支持低置信放弃和自动回退。为适应强随机性的现场环境，可在保持安全边界的前提下引入强化学习作为补充，用以学习局部绕行动作和倒退策略等难以由监督数据充分覆盖的机动技能，再通过离线蒸馏或安全约束投影，将探索得到的策略压缩为可控的参考轨迹生成器。整体流程应当支持多候选项并行试算与快速淘汰机制：当首选候选项在后续求解中暴露出局部不可行或与其他车产生难以化解的冲突时，系统能够迅速切换到备用候选项，或退回到基于启发式的保守参考解；同时利用在线反馈对生成模型与评估器进行小步长更新，逐步提升对新型拥堵形态与障碍布局的适应力。

6.5.5 基于混合整数规划的参考轨迹构造

与 6.5.4 小节一样，本小节聚焦于参考轨迹的高品质构造过程。要在较长时间范围内协调多车与静态或动态障碍的互斥关系，混合整数规划具有天然优势：通过少量整数型决策量显式刻画空间与时间上的互斥与选择，例如车辆间的先后次序、不同车在同一时段能否共占局部安全域、绕行方向的二择一等；与连续几何量在同一框架内联合求解，从而输出带有可验证安全性的参考解集。相较搜索方法，它能一次性统筹更长时域、同时处理多源冲突、降低路径依赖；相较基于模拟的反应式方法，它避免短视效应并保留全局一致性检查；相较基于机器学习的方法，它不依赖数据分布与置信度估计，能给出清晰的可行性证据，适合纳入计算最优控制方法体系中，形成稳健的起始一环。对该项研究工作感兴趣的读者可参考文献［78］。

混合整数规划问题的建模时应重点把握以下要点。其一，时空离散粒度需要在降维与保真之间取得平衡：过细导致维数灾难，过粗则损伤可行性与平滑性。其二，逻辑互斥关系宜采用紧凑的建模手法，以减少不必要的松弛误差；走廊连续性与车辆能力的约束应当少而准，避免冗余限制压缩可行域。其三，走廊单元的尺寸与位置需同时兼顾智能网联汽车的车体尺度、运动学可达性与速度变化幅度，使参考轨迹具备足够的安全裕度与可跟踪性。

第7章 自由空间中的超大规模编队重构协同轨迹规划方法

7.1 场景特点与任务难点解析

7.2 求解思路

7.3 滚动时窗逐步优化

本章将介绍超大规模智能网联汽车集群在自由空间中实现队形重构的协同轨迹规划方法。7.1 节分析该类场景特征及任务难点，7.2 节阐述求解思路，7.3 节给出具体的求解方案。

7.1 场景特点与任务难点解析

本章研究对象为自由空间中的超大规模编队重构。环境中不再设置静态障碍，整体空间开阔，车辆规模达到数百量级，场景中车辆的密度较高。所谓编队重构，并非一般意义上的列队整形，而是面向表演与展示等应用的字符化、图案化构型切换，同时也可用于特定任务的复杂队形变化，如图 7-1 所示。与第 6 章所讨论的无序、低速场景不同，这里不再考虑外部障碍物的阻挡，但由于车辆密度显著增大，车辆之间的相互作用成为影响规划成败的主导因素。

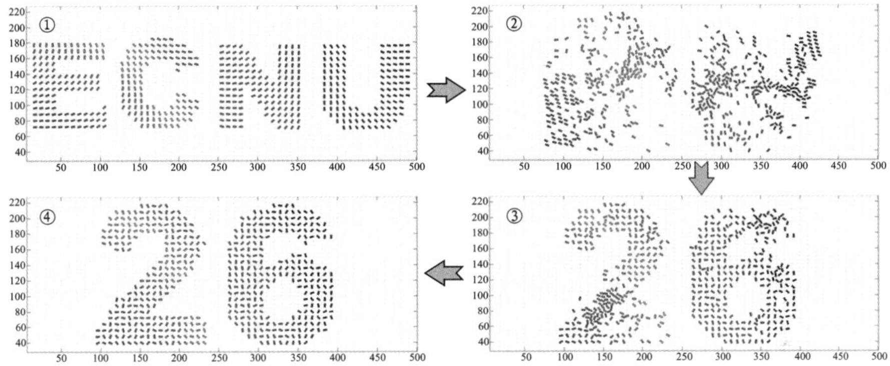

图 7-1 超大规模车辆编队重构过程
（516 辆智能网联汽车编队构型从字符 ECNU 迁移为字符 26）

在上述设定下，超大规模编队重构协同轨迹规划任务表述为：在给定初始构型与目标构型的前提下，为全体智能网联汽车生成时空连续、运动学可行且全程无碰撞的协同轨迹，使其在末端时刻达到既定目标构型并停止。首先，车辆数量的急剧上升使名义上的车 - 车避让约束规模快速增长，在高密度条件下，有效冲突集合远超稀疏情形。其次，冲突关系随时间快速演化，同一车辆在不同时间片段的潜在碰撞对象不断切换，若一次性加载过多严格约束，将收缩可行域并增加数值求解难度，而约束过少又可能遗漏关键的避障限制，此时返工重算又会“牵一发而动全身”，导致层出不穷的新冲突。

7.2 求解思路

本章聚焦于当车辆规模达到数百量级且局部密度极高时的求解难题。长时域内的车 - 车避让关系会以组合方式急剧增多，潜在冲突对象又随着时间快速更替，约束数量与决策维度因此难以控制。前几章给出的空间层面的约束精简与活跃关系筛选，在小规模或中等规模下成效显著；但在本章所面对的高密度情形中，即便完成了空间上的精简，只要时域过长，离散化后的配置点与变量规模也会近似随时域线性增长，计算压力依旧超出可承受范围。基于这一现实，将注意力由空间转向时间，即通过缩短规划时域，同时压缩活跃约束与配置点数量，把单次优化规模收敛到可实时处理的水平。

据此建立滚动窗口式的短时域增量推进框架。全程任务被划分为相邻的短时域子问题，每一轮只在当前窗口内求解协同轨迹，终点不做刚性要求，而以末端的软引导项推动车队持续朝目标构型前进；求解完成后仅执行窗口前段，再将窗口沿时间轴平移进入下一轮优化。为保证下一轮具备严格可行的暖启动初始解，在每个窗口末端统一施加零速度条件，使未执行的尾段可以自然补全为静止片段；在自由空间设定下，静止补全不会引入新的外界干扰，因此由已执行前段与静止尾段拼接而成的整段轨迹可以直接作为下一轮的初始解。需要说明的是，这一做法源自著者在矿山自动驾驶实践中的启发：当轨迹在平台端计算并下发至自动驾驶矿用卡车时，必须防范通信突发中断带来的安全风险，于是每次下发的轨迹都在时域末端令车速衰减至零，以避免矿用卡车在失联情况下继续按照惯性跑飞；将这一朴素而有效的工程经验转化为规划层面的制度化设计，恰可为滚动优化提供始终可行的衔接与补全，从而在不额外依赖线性化技巧的前提下，把非凸性问题留给求解器处理，并通过严格可行的暖启动与短时域的小步滚动，稳定数值过程并维持持续收敛与前进。

7.3 滚动时窗逐步优化

滚动时窗逐步优化以时间轴切分为核心特色，将全程协同轨迹规划任务分解为若干相邻短时窗，按顺序逐段求解，在每一段内求解一个轻量的集中式的子问题。该方法的关键在于两点：一是保证每一轮子问题都有严格可行的暖启动，二是在当前时窗内只保留对安全与可行性确有贡献的约束，从而在超大规模与高密度条件下仍维持稳定的数值过程与可观的协同质量。为此，在每个时窗开端由上一轮的截断解构造初值，在时窗末端统一施加零速度条件以实现静止补全，使得未执行的尾段可以自然闭合为一条严格可行的静止轨迹，并直接作为下一轮的初始解使用。由于本章场景属于自由空间，静止补全不会引入外界冲突，这一做法可以降低非凸求解对初值的敏感性，保证滚动推进的连续性与稳健性。

在单个时窗内的建模与约束管理遵循按需施加避障约束的原则。首先围绕参考轨迹为每辆智能网联汽车设置随时间维度缓慢放宽的信赖域，使其运动限制在一段有限的空间带内；随后对每一组车辆对 (i, j) 仅在各自信赖域经适度膨胀后发生碰撞风险的时刻添加车 - 车避障约束［式（2-13）］，将名义上二次增长的约束规模压缩到近似线性水平。这种按需添加约束的机制既保证了安全，又避免把与当前时窗无关的冗余约束代入求解。配合短时窗离散化，单次子问题的维度与活跃约束数量都得到同步抑制，使集中式数值优化在数百量级车群中仍具备可实施性。

求解流程在一个 while（1）死循环中执行。循环沿时间轴滚动推进时窗，按解出局部段、存储前段、平移窗口、补全初值这一节奏逐步向前，并在每轮结束时将新得到的局部段拼接进全局解，每次以上一轮的最优解为暖启动初始解以及参考轨迹，据此更新车 - 车避障约束集与信赖域边界，并在代价收敛或进展不足时收敛退出。为在全程尺度上兼顾优化的前瞻性，还可以引入时窗长度自适应调整策略，当连续多轮推进乏力时，适度加长时窗以获得更多前瞻信息，反之则缩短以回到轻量求解区间。上述设计共同作用，既延续了耦合建模的全局潜在最优性，又通过时间维度的拆分与严格可行的暖启动规避了维数灾难。滚动时窗逐步优化的执行过程参见算法 7-1。

算法 7-1　面向超大规模编队重构任务的滚动时窗逐步优化算法

输入： 规划任务 task

输出： 最优协同行车轨迹 traj

1. 初始化 $T_{\text{window}} \leftarrow T_{\text{init}}$, progress $\leftarrow \varnothing$;
2. local_traj $\leftarrow$ ConstructFirstInitialGuess(config$_{\text{init}}$, T_{window}) ;
3. **while**（1），**do**
4. 　[constraints, trust_regions] $\leftarrow$ BuildCollisionAvoidance(local_traj) ;
5. 　local_ocp $\leftarrow$ FormulateLocalOcp(constraints, trust_regions, local_traj, config$_{\text{goal}}$, T_{window});
6. 　local_traj $\leftarrow$ SolveOcp(local_ocp, local_traj) ;
7. 　current_progress $\leftarrow$ EstimateProgress(config$_{\text{goal}}$, local_traj) ;
8. 　traj $\leftarrow$ MergeLocalIntoGlobal(traj, local_traj) ;
9. 　**if** (current_progress< ε_{tol}), **then**
10. 　　**return** traj ;
11. 　**end if**
12. 　progress $\leftarrow$ progress $\cup$ current_progress ;
13. 　$T_{\text{window}} \leftarrow$ UpdateWindowLength(T_{window}, progress) ;
14. 　local_traj $\leftarrow$ ConstructNewInitialGuess(T_{window}, local_traj) ;
15. **end while**

在算法 7-1 中，local_ocp 是在当前短时窗内构造的一个轻量化最优控制子问题，其代价函数由两部分加权构成：一部分推动各智能网联汽车在本时窗末端尽可能接近各自的全局目标位置与姿态，另一部分体现行驶的柔顺性与可跟踪性。约束方面包括三部分：其一，为每辆车施加符合阿克曼车辆的运动学与幅值边界，并仅在本时窗内生效；其二，在时窗起点继承上一轮已生成的局部解作为起始状态，从而与滚动推进衔接；其三，在时窗末端统一要求车速必须降为零，并叠加信赖域与按需施加的车 - 车避让约束，使车辆在被控制的空间带内运动，只对确有潜在交互的车对加载避让条件，从而显著压缩活跃约束规模并保证局部可解性与稳定性。

上一轮的结果经裁切与补全后必然是下一轮迭代的可行解，原因在于滚动机制对解的延续性做了结构化设计。具体而言，上一轮局部解的已执行前段直接并入全局解，未执行尾段在时窗末端因零速度条件而可无缝延展为一段静止片段；在自由空间设定下，静止片段不会引入新的外界冲突，同时信赖域与按需避让的构造保证了这一拼接后的轨迹满足当前时窗内的所有约束。由此得到的已执行前段加静止尾段的整段轨迹，天然为下一轮局部问题提供一个全时域、严格可行的暖启动初始解，保证每一轮数值优化都从可行点出发并快速收敛。算法 7-1 中其余各行的含义已由函数名的字面意思清晰表征，此处不再赘述。

第 8 章

智能网联汽车协同轨迹规划软件系统部署方法

8.1 Ubuntu 操作系统的安装
8.2 机器人操作系统的安装
8.3 协同轨迹规划算法所依赖的软件库安装与配置
8.4 协同轨迹规划示例程序的运行

前述章节详细讨论了多种不同场景下的智能网联汽车协同轨迹规划方法，这些内容主要聚焦于规划方法本身的理论推导与算法实现。然而，仅有理论基础尚不足以帮助读者在实践中成功运行和应用这些方法。因此，本章在前述理论算法讲解的基础上，进一步介绍如何在计算机中配置相应的软件运行环境，以实现前述理论方法的实际应用。

本章的内容设计面向零基础学习者，采用逐步深入、循序渐进的讲解方式，从计算机程序开发中最基本的操作系统安装开始，逐步完成对相关软件配置方法的细节介绍。本章不要求读者具备计算机科学领域的专业背景，只需读者具有基本的计算机操作能力，即可按照本章给出的具体操作步骤，一步一步地完成多智能网联汽车协同轨迹规划程序的顺利运行，实现理论算法向实践操作的转化。

8.1 Ubuntu 操作系统的安装

Ubuntu 是主要面向桌面应用的 Linux 发行版操作系统，由南非企业家 Mark Shuttleworth 于 2004 年创立，其名称来源于非洲南部祖鲁语或豪萨语中的“ubuntu”一词，原意为人性或博爱，代表着一种非洲传统价值观，反映出该系统所秉持的开放、共享与协作的核心理念。Ubuntu 基于 Debian 发行版，并以 GNOME 作为默认的桌面环境，在易用性与界面美观性方面获得了广泛的认可与用户支持。此外，Ubuntu 还拥有活跃且庞大的用户社区，令用户能够快速获得技术帮助和交流支持。

Ubuntu 发行版本的更新周期较为固定：普通版本每六个月发布一次，而长期支持（long-term support，LTS）版本则每两年发布一次，且该版本享有长达五年的安全更新和技术支持服务，因此在稳定性与安全性上更具优势，非常适合开发者与企业用户长期使用。值得强调的是，Ubuntu 系统从设计之初便注重安全性，其默认用户程序均以较低权限运行，这种设计可有效防止用户对操作系统本身或其他用户文件的意外损坏。

与当前主流的 Windows 相比，Ubuntu 在系统流畅性与响应速度方面通常更为出色，这得益于 Linux 内核的架构优势及较为轻量的系统设计。但是，Windows 依托长期的市场占有率与成熟的商业软件生态，在易用性与应用可得性方面仍占明显优势。综合来看，Ubuntu 的高效能与开源生态为研发提供了灵活而低开销的环境，近年来已被越来越多的开发者用于科研与工程开发的日常平台，而 Windows 依然是通用办公与广泛应用场景的首选系统。

从安装与部署的角度来看，Ubuntu 与大多数 Linux 发行版一样，既可以独立安装在计算机中运行，也可以部署在虚拟机环境下。然而，虚拟机方式下由于虚拟化技术本身带来的性能损耗和硬件功能限制，运行效率往往不及物理机安装。在物理机安装时，较为理想的方案是采用双系统模式，将 Windows 与 Ubuntu 同时安装在同一台计算机的硬盘中。这样用户在开机时即可通过启动菜单选择操作系统，不仅能够在两个系统之间便捷切换，还能完整调用硬件资源，从而最大程度发挥出 Ubuntu 的性能优势。

本节以 Windows 11 家庭中文版作为宿主系统，系统性地介绍 Ubuntu 20.04 LTS 的安装方法。本节将按照步骤逐一展开，力求让从未接触过 Linux 的读者也能顺利完成安装过程，从而为后续智能网联汽车协同轨迹规划软件的部署与运行奠定坚实基础。

8.1.1 Ubuntu 安装包镜像的获取

为了顺利安装 Ubuntu 20.04 LTS 系统，首先需要获得对应的系统镜像安装文件。建议直接访问 Ubuntu 操作系统的官方发布页面，进入后即可看到当前版本的详细下载列表。在该页面中，读者应定位到页面内的“Desktop image”一栏，然后点击“64-bit PC（AMD64）desktop image”进行下载，如图 8-1 所示。

推荐下载带有 LTS 标记的 Ubuntu 版本，原因在于此类版本提供长达五年的安全更新与软件维护支持，更适合长期稳定使用。以“Ubuntu 20.04.6 LTS”为例，其官方代号为“Focal Fossa”，这一命名体现了版本在稳定性与成熟度方面的特征。在完成该镜像文件的下载后，即可进入后续的系统安装环节。

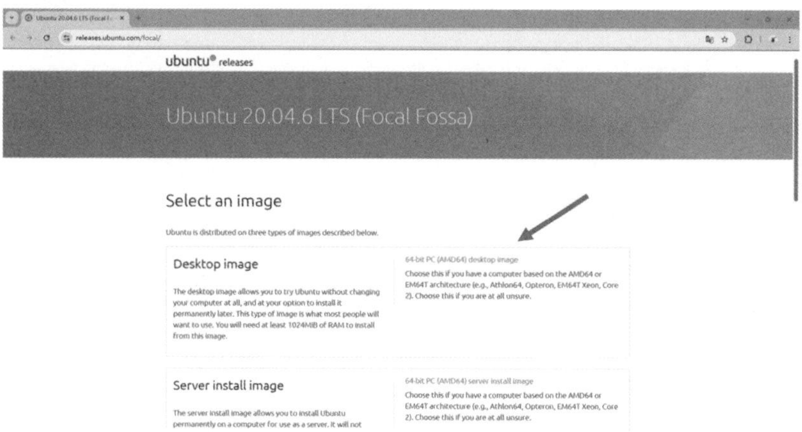

图 8-1　Ubuntu 操作系统安装包镜像的官方下载页面

8.1.2 Ubuntu 安装启动盘的制作

成功下载 Ubuntu 操作系统的镜像文件后，接下来需要制作一个可引导的启动盘，以便顺利完成后续的系统安装操作。本书推荐使用 Ventoy 这一开源工具来制作启动盘。与传统镜像烧录工具相比，Ventoy 的核心优势在于它支持在同一 U 盘内同时存放多个不同的操作系统镜像（ISO 文件），无需反复进行格式化或重复烧录操作，在计算机启动时通过菜单便可便捷地选择所需的系统进行加载，这极大地简化了启动盘的维护与使用。

首先，需访问 Ventoy 软件的官方下载页面，在该页面（图 8-2）中选择并下载适用于 Windows 操作系统的 Ventoy 安装压缩包。

下载完成后，将得到的 Ventoy 压缩文件解压至计算机本地磁盘中的任意位置，解压后的文件夹结构如图 8-3 所示。此时可在文件夹内找到用于启动盘制作的核心程序 Ventoy2Disk.exe 以及其他辅助文件。在此步骤之前，应提前准备一个容量不小于 8GB 的空白 U 盘，并将该 U 盘插入计算机，以备后续制作启动盘使用。

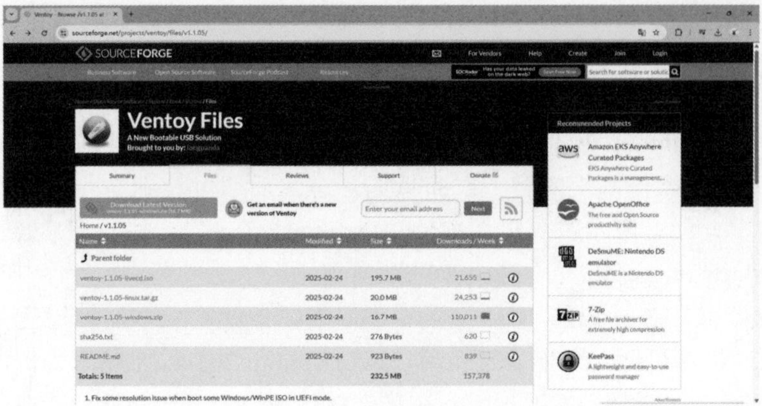

图 8-2　Ventoy 软件官方下载页面

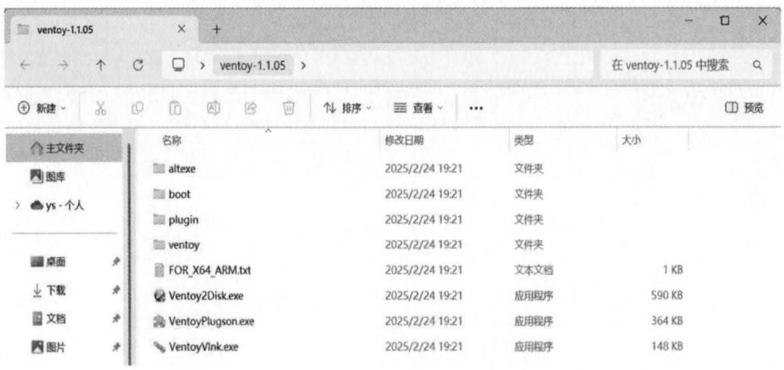

图 8-3　Ventoy 压缩包解压后的文件夹结构

随后，进入解压后的 Ventoy 文件夹内，以鼠标右键选择“以管理员权限运行”方式启动 Ventoy2Disk.exe 程序。程序启动后会自动识别并显示当前连接至计算机的 U 盘设备信息，如图 8-4 所示。务必认真核对此处显示的设备信息，确保所选设备与实际插入的目标 U 盘完全一致，避免出现误操作情况。接下来需进行两个关键配置的调整：第一，在配置选项中将默认的分区类型由 MBR（主引导记录）修改为 GPT（全局唯一标识分区表），以确保启动盘与现代计算机广泛采用的 UEFI（统一可扩展固件接口）启动模式兼容；第二，在配置选项中勾选“安全启动支持”（secure boot support），以确保启动盘可在启用了安全启动功能的计算机设备上顺利加载。这两项设置对启动盘的成功启动具有关键作用，务必仔细核实。

完成上述设置确认后，即可点击程序界面的“安装”按钮，程序开始制作启动盘基础环境并显示进度条，待进度条提示完成后，即表示 Ventoy 启动盘的基础架构已构建完毕。最后一步操作非常简单，仅需将之前下载的 Ubuntu ISO 镜像文件直接复制粘贴到已经制作好的 U 盘根目录即可。

至此，一个完整可用的 Ubuntu 安装启动盘便制作成功，可通过该启动盘继续后续的 Ubuntu 系统安装工作，从而为最终搭建多智能网联汽车协同轨迹规划软件系统运行环境提供坚实基础。

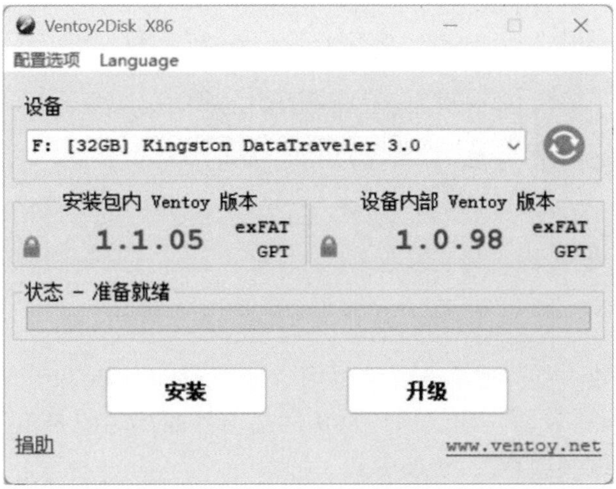

图 8-4　Ventoy2Disk. exe 程序启动后的软件界面

8.1.3　Ubuntu 操作系统的安装与配置

本小节将详细介绍如何在计算机上具体安装和配置 Ubuntu 20.04 LTS 操作系统，以便读者能够顺利完成软件部署与环境搭建。本书以 OMEN 暗影精灵 9 型号的便携式计算机为示例，该计算机配备了 Intel i9-13900HX 型号的 CPU（中央处理器）以及 NVIDIA GeForce RTX 4060 型号的 GPU（图形处理单元）。

首先，将制作完成的 Ventoy 启动 U 盘插入计算机后重启电脑，并在启动初期连续按下启动菜单快捷键以进入启动设备选择界面。启动菜单快捷键根据计算机品牌与型号的不同通常有所差异（常见快捷键为 F9、F12 或 Esc 键），本小节所用计算机的启动菜单快捷键为 F9。在随后出现的启动设备选择界面中，选择带有“USB”字样的设备条目并按下回车键，即可进入 Ventoy 的启动菜单界面。

在 Ventoy 界面中，使用键盘方向键选择之前复制到 U 盘中的 Ubuntu ISO 镜像文件（图 8-5），然后按下回车键确认选择。

图 8-5　在 Ventoy 界面中选择 Ubuntu ISO 镜像文件

随后 Ventoy 将弹出启动模式选择菜单，此时选择“Boot in normal mode”（图 8-6），按回车键确认后即进入 Ubuntu 安装引导界面。

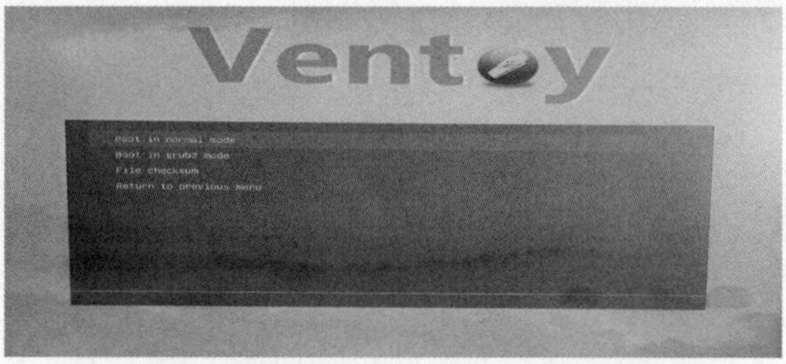

图 8-6　在 Ventoy 选择菜单中选择启动模式

进入 Ubuntu 安装引导界面后，需选择第一项“Install Ubuntu”以正式启动操作系统安装程序。在语言设置界面，建议保持默认的英语界面，如图 8-7 所示，系统安装完成后再通过额外安装语言包的方式添加中文支持。

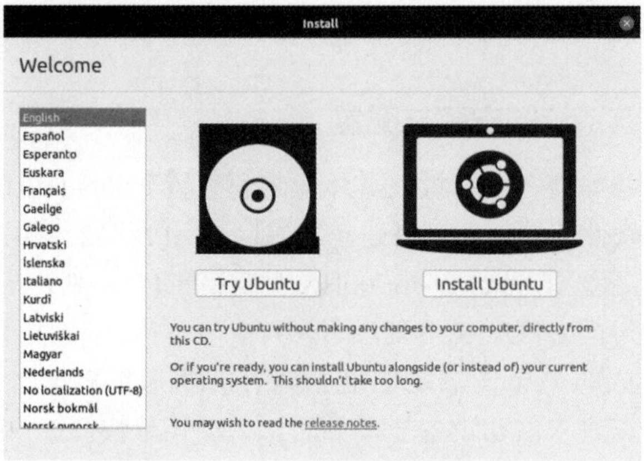

图 8-7　Ubuntu 安装界面语言选择

在键盘布局配置步骤（图 8-8），建议采用默认的“English（US）”键盘布局模式，以保证最大兼容性和便捷性。

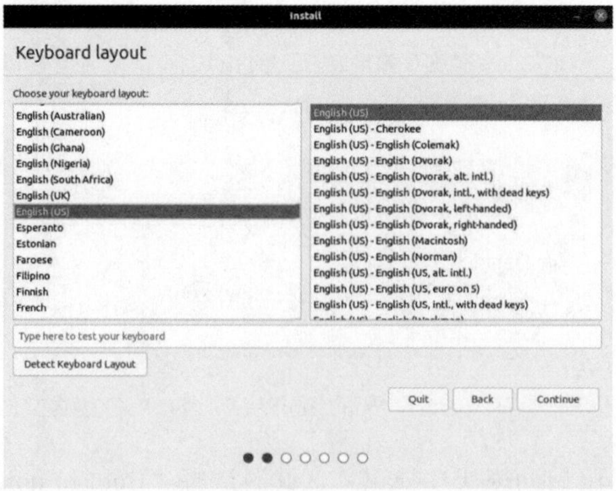

图 8-8　Ubuntu 安装界面键盘布局选择

无线网络连接设置步骤中（图 8-9），建议选择不连接网络，以避免安装过程中因下载额外更新或软件包而导致安装速度变慢甚至卡顿的问题。

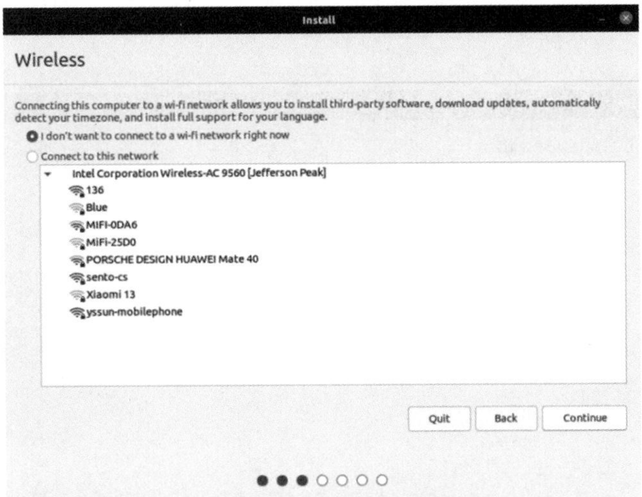

图 8-9　Ubuntu 安装界面无线网络连接设置

在安装类型选择步骤（图 8-10），请选择“Normal installation”，此模式会安装系统默认提供的完整开发环境和应用软件包。

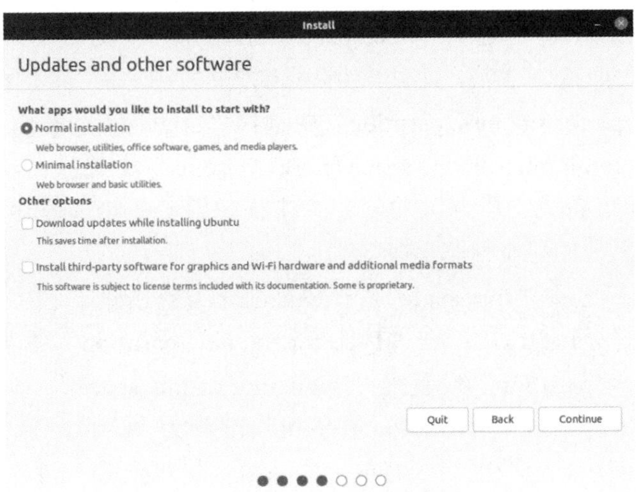

图 8-10　Ubuntu 安装界面选择安装类型

随后，选择“Something else”进入高级分区模式（图 8-11），以手动精细化设置磁盘分区，更好地实现双系统的协同工作。

进入高级分区模式后，需在 Windows 系统提前预留的未分配磁盘空间内创建以下三个重要分区（图 8-12）：

① efi 系统分区：首先选中“free space”，在界面左下方点击“+”；将“Size”设

置为 512MB，在“Type for the new partition”中选择“Primary”，将“Location for the new partition”设置为“Beginning of this space”；在“Use as”中选择“EFI System Partition”；最后点击“OK”确认，即可完成 efi 系统分区的创建。该分区用于存放系统引导所需的关键文件，是系统能够正常启动的必要条件。

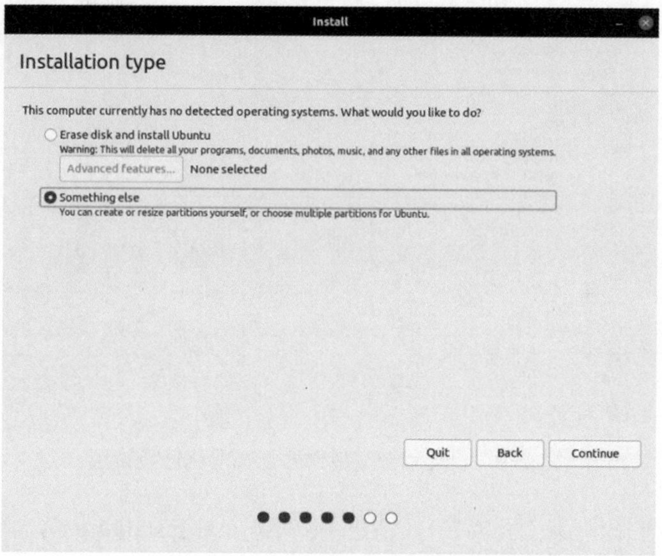

图 8-11　Ubuntu 安装界面高级分区模式选择

② swap 交换空间分区：选中“free space”，在界面左下方点击“+”；将“Size”设置为物理内存容量的 1.5 ～ 2 倍，本小节所用计算机的物理内存为 16 GB，因此设置为 32000 MB；在“Type for the new partition”中选择“Logical”，将“Location for the new partition”设置为“Beginning of this space”，在“Use as”中选择“swap area”；最后点击“OK”确认，即可完成交换分区的创建。该分区用于在物理内存不足时作为虚拟内存空间，从而提升系统的稳定性与运行效率。

③ ext4 根分区：选中“free space”，在界面左下方点击“+”；占用剩余全部可用空间，建议“Size”不少于 30 GB；在“Type for the new partition”中选择“Primary”，将“Location for the new partition”设置为“Beginning of this space”；在“Use as”中选择“Ext4 journaling file system”，将“Mount Point”设置为“/”；最后点击“OK”确认，即可完成根分区的创建。该分区用于存放操作系统内核以及各类核心应用程序文件，是系统正常运行的关键所在。

需要注意的是，安装程序会按照扇区对齐自动微调分区大小，因此在分区列表中实际显示的数值（如图 8-12 中的 510MB）可能与输入的 512MB 略有差异，属于正常现象。同样地，实际列表中的显示值（如图 8-12 中的 31999MB）可能与输入值略有 1MB 左右的偏差，是由对齐造成的，无需刻意追求完全一致。将剩余约 200GB 的空间全部划给根分区，因此图 8-12 中显示的大小为 217596MB。实际看到的数值会根据磁盘容量有所不同，只要不低于 30GB 即可。

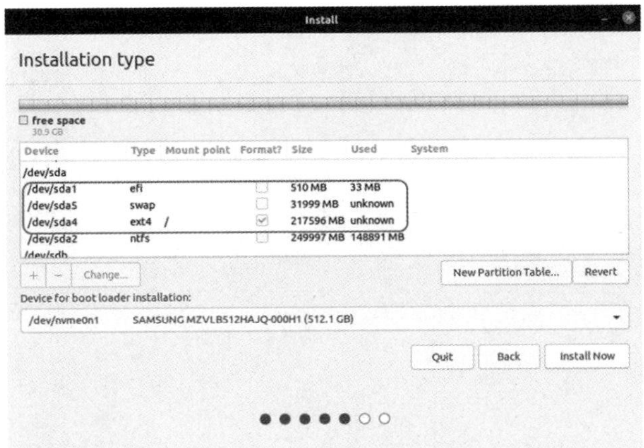

图 8-12　Ubuntu 安装界面磁盘分区设置

完成上述分区设置后，进入时区选择界面，通过鼠标点击地图中中国所在区域完成时区的正确设置，以确保系统显示正确的本地时间。

在用户账户设置界面（图 8-13）中，需要设置用于系统登录的用户名与密码。建议用户名统一使用小写英文字母，避免包含空格或特殊字符；密码则应尽可能使用包含数字、大小写字母及特殊字符的复杂组合，以最大程度提升账户的安全性。此外，Ubuntu 提供了“Log in automatically”（自动登录）选项，勾选后可在日常使用过程中免去每次手动输入密码的步骤，虽能有效提高系统启动效率，但与此同时，启用该选项可能会导致未经授权的人员轻易访问计算机内的重要文件或敏感信息，尤其在实际开发环境中可能存在机密数据泄露的风险。因此，需根据具体使用场景与安全需求，仔细权衡利弊后谨慎决定。

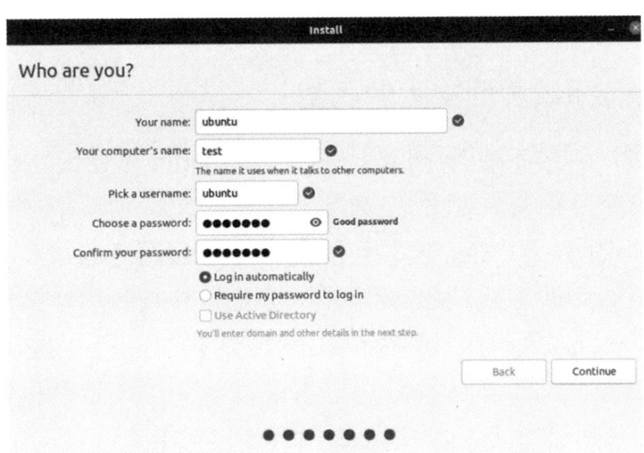

图 8-13　Ubuntu 安装界面用户账户设置

确认所有上述安装参数设置无误后，点击继续，启动正式安装进程（图 8-14）。整个安装过程通常需要 15 ～ 40min，具体时长取决于计算机的硬件性能与安装过程的具体条件。

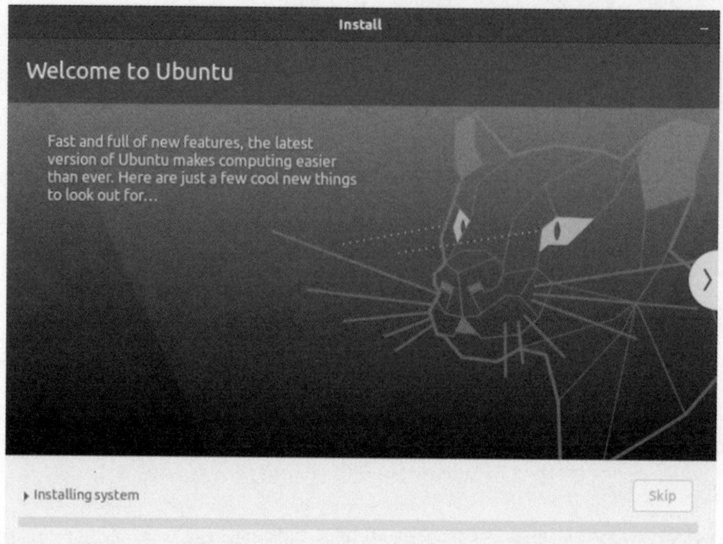

图 8-14 Ubuntu 安装界面

当系统提示安装完成后，移除启动 U 盘并重启计算机。此时屏幕上通常会自动出现 GRUB 引导菜单，通过键盘方向键即可自由选择进入 Ubuntu 或 Windows 操作系统。如果未能自动出现 GRUB 引导菜单，需手动进入计算机的 BIOS 界面，并在 UEFI 启动模式下调整操作系统启动顺序，将 Ubuntu 系统项调整到启动次序列表中的首位。完成此项设置并保存退出后，再次重启计算机即可看到期望的 GRUB 引导菜单，从而实现 Windows 与 Ubuntu 双系统的便捷切换使用。

通过上述步骤的详细说明，即使是零基础的读者也能够顺利完成 Ubuntu 20.04 LTS 系统的安装与基础配置，为后续智能网联汽车协同轨迹规划软件的成功运行做好必要的准备工作。

8.1.4 Ubuntu 操作系统界面主题的调整

按照前述的步骤，读者能够顺利安装并启动 Ubuntu 系统。由于本章面向零基础读者，为了帮助读者完整掌握每一步系统设置操作，在此特别新增了本小节，对终端界面的配色主题进行详细说明，以实现本章所有步骤之间的无缝衔接和完整性。然而需要说明的是，本小节介绍的界面主题调整操作，其初衷是节省后续章节图片印刷时的墨水消耗。从实际使用中护眼与阅读便利的角度出发，默认的深色主题更加适合长期屏幕阅读。因此，用户完全可以根据自己的偏好与需求，自主决定是否执行本小节所述的界面主题调整步骤，本小节所述并非必须完成的步骤，仅供参考。

若决定进行界面主题的调整操作，可按照以下步骤依次进行。首先，在 Ubuntu 系统桌面环境中按下键盘组合键 Ctrl+Alt+T，以快速打开一个新的终端窗口（请务必记住这种打开新终端窗口的快捷键组合）。此时默认的终端界面配色方案为紫色背景搭配白色文字，虽然这种深色主题对于屏幕上的文字阅读较为友好，但如果直接用于图书印刷，其较高的墨水用量则显得不太经济。

打开终端后，点击终端窗口右上角的菜单图标（通常为三条横线），然后从弹出的下拉菜单中选择“Preferences”选项，以进入终端的首选项设置界面（具体操作入口请参见图 8-15）。

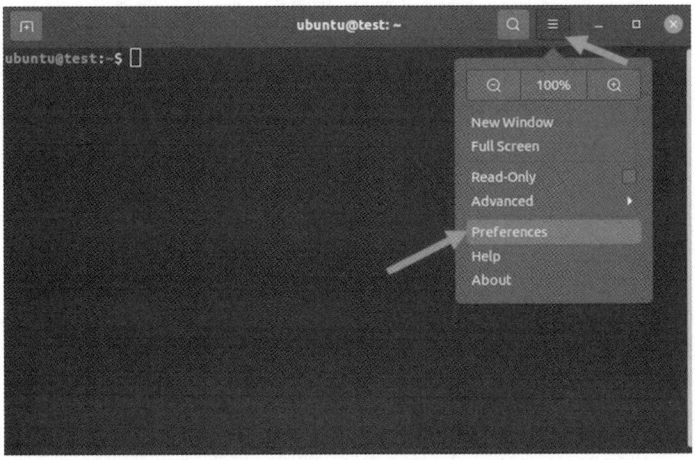

图 8-15　Ubuntu 终端首选项设置界面入口

进入首选项设置界面后，系统默认会显示当前的配置文件列表页面，应确保选中默认配置文件（通常名为“Unnamed”），随后点击该配置文件右侧标签栏中的“Colors”选项，进入颜色设置模块（图 8-16）。在“Text and Background Color”区域中，首先取消勾选“Use colors from system theme”这一复选框，以解除当前终端配色与全局系统主题之间的绑定关系。接下来，在“Built-in schemes”下拉菜单中，选择浅色主题方案“Tango light”；同时，在下方的“Palette”区域内，将调色板设定为“Linux console”，以确保整体配色协调统一（该设置界面参见图 8-17）。

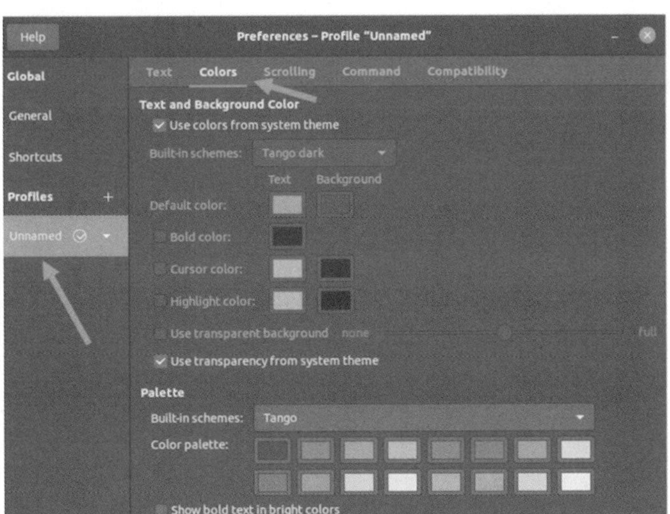

图 8-16　Ubuntu 终端颜色设置模块

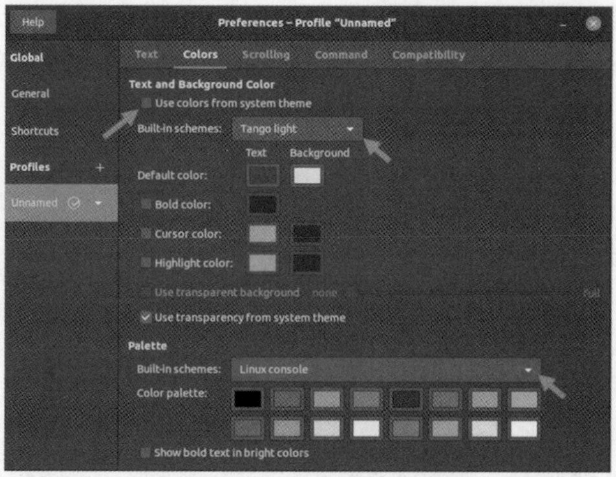

图 8-17　Tango light 主题选择与调色板设置界面

待完成上述配置后，关闭当前设置窗口。在 Ubuntu 系统桌面环境中按下键盘组合键 Ctrl+Alt+T，重新打开一个新的终端窗口，即可查看调整后的浅色主题效果，如设置正确，则效果应如图 8-18 所示。

图 8-18　调整后的终端浅色主题界面

再次强调，本小节的配色调整并非必需，读者可结合自身喜好自主地判断是否采纳。

8.1.5　Ubuntu 操作系统的中文支持与中文输入法配置

为了方便广大读者日常使用 Ubuntu 操作系统，本小节将逐步介绍如何为系统配置中文界面及安装中文输入法。以下所有涉及终端的命令操作，均需通过 Ubuntu 终端窗口执行。此外，当遇到命令行结尾出现的换行符号（↵）时，表示该命令输入完毕后需按回车键（Enter）执行。

首先，同时按下键盘组合键 Ctrl+Alt+T，快速打开终端窗口。输入以下命令以更新软件源列表，确保后续所安装的软件均为最新版本：

```
sudo apt update
```

待更新完成后，继续执行以下命令安装简体中文语言支持包：

```
sudo apt install language-pack-zh-hans
```

此语言支持包中包含了系统基础界面、菜单及应用程序的中文翻译文件。安装完成后，为生成与系统对应的中文语言环境，需继续输入以下命令，自动创建中文编码环境：

```
sudo locale-gen zh_CN.UTF-8
```

为确保 Ubuntu 系统终端及应用程序默认使用中文，还需要修改全局语言设置文件。此步骤需通过文本编辑器打开对应的配置文件，执行以下命令：

```
sudo gedit /etc/default/locale
```

打开文件后，将原有内容替换为以下参数（注意所有的引号与短划线均使用英文半角符号）：

```
LANG="zh_CN.UTF-8"
LANGUAGE="zh_CN:zh"
LC_NUMERIC="zh_CN.UTF-8"
LC_TIME="zh_CN.UTF-8"
LC_MONETARY="zh_CN.UTF-8"
LC_PAPER="zh_CN.UTF-8"
LC_IDENTIFICATION="zh_CN.UTF-8"
LC_NAME="zh_CN.UTF-8"
LC_ADDRESS="zh_CN.UTF-8"
LC_TELEPHONE="zh_CN.UTF-8"
LC_MEASUREMENT="zh_CN.UTF-8"
LC_ALL=zh_CN.UTF-8
```

保存文件并退出文本编辑器后，执行以下命令以使新的配置立即生效：

```
source /etc/default/locale
```

为验证上述语言环境设置是否成功，可在终端输入以下命令查看当前语言环境变量的值：

```
echo $LANG
```

若输出结果不是“zh_CN.UTF-8”，则表示配置未自动生效。此时需手动将环境变量明确写入用户的终端配置文件，执行以下命令：

```
echo 'export LANG=zh_CN.UTF-8' >> ~/.bashrc
```

再通过以下命令重新加载配置文件：

```
source ~/.bashrc
```

此外，若在配置完成后发现终端窗口中出现方块状乱码或个别字符显示缺失的情况，通常是由字体兼容性问题造成的。解决此类问题的有效方法为安装兼容性良好的 Noto 系列中文字体库，执行以下命令：

```
sudo apt install fonts-noto-cjk
```

此字体库全面涵盖了简体中文、繁体中文以及日文字符，能很好地满足终端以及其他应用程序的显示需求。安装字体完成后，建议关闭当前终端窗口并重新打开一个新的终端窗口，以检查字体显示效果是否恢复正常。

完成系统中文环境的基本配置后，建议进一步安装中文输入法，以便于日常使用中文进行文档编辑或命令行输入。首先通过终端输入以下命令以安装 Fcitx 输入法框架及拼音输入法模块：

```
sudo apt install fcitx fcitx-pinyin↵
```

随后，需通过 Ubuntu 图形界面完成输入法系统的设置。如图 8-19 所示，点击 Ubuntu 桌面左下角的“显示应用”（九宫格图标），然后选择“Language Support”，打开语言设置界面。

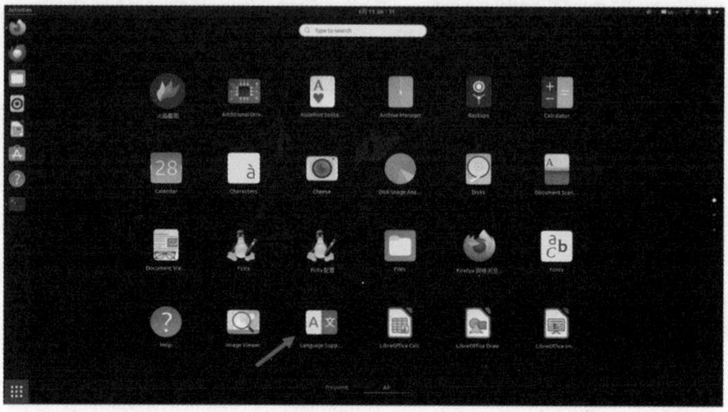

图 8-19　Language Support 入口界面

打开语言设置界面后，若系统提示安装额外语言支持，可临时选择“稍后提醒”，以避免当前配置过程的中断（具体界面如图 8-20 所示）。

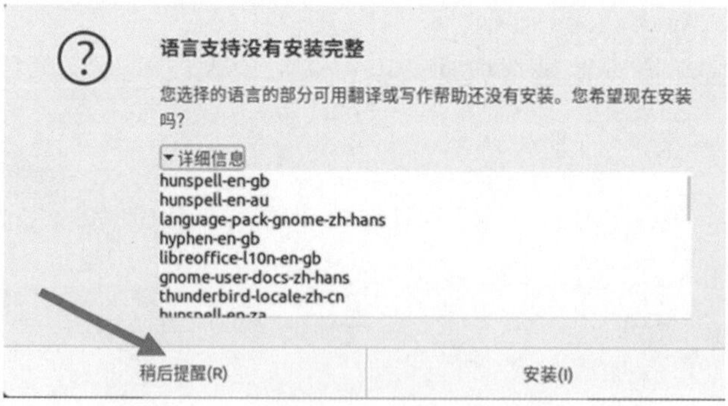

图 8-20　语言支持安装完整性提示界面

接下来，在“键盘输入法系统”选项中，将默认的输入法框架从原系统自带的“ibus”调整为“fcitx”，以激活刚才安装的拼音输入法支持模块（配置界面参见图 8-21）。完成上述设置后，重新启动计算机或注销并重新登录用户账户，即可通过按下键盘组合键 Ctrl+ 空格，在 Ubuntu 系统中便捷地调用拼音输入法进行中文输入操作。

图 8-21　将 Ubuntu 系统输入法调整为 fcitx 的配置界面

完成以上全部步骤后，Ubuntu 系统即具备完整的中文语言界面和便捷的拼音输入法支持环境。至此，计算机具备了充分的系统环境条件，为后续协同轨迹规划软件系统的部署和开发工作提供了高效且舒适的中文支持环境。

8.2　机器人操作系统的安装

在完成 Ubuntu 操作系统安装与基本配置的基础上，本节将继续介绍机器人操作系统（robot operating system，ROS）的安装与部署方法，以便为后续协同轨迹规划软件的顺利运行做好准备。

机器人研发通常涉及机械结构设计、硬件开发与复杂的软件系统实现，整体工作量庞大且技术门槛较高。为有效降低研发复杂度，机器人开发领域广泛采用模块化开发与技术复用的策略，即研发人员专注于自身擅长的领域或技术模块，其他部分则通过复用成熟软件框架或社区共享模块来完成，从而避免重复工作并提高开发效率。ROS 即在此背景下诞生的标准化机器人软件开发平台，由美国硅谷柳树车库（Willow Garage）机器人公司于 2007 年推出。经过十余年的发展，ROS 已经发展成为机器人领域应用最广泛、认可度最高的开发平台之一。

ROS 本质上是一个面向机器人应用的分布式进程框架，能够有效简化机器人软件开发过程中的模块管理与集成。ROS 最基本的运行单元称为节点（node），每个节点都是一个独立执行的程序进程，负责特定的功能任务，例如传感器数据采集、路径规划、运动控制或可视化监测等。这些节点通过 ROS 提供的异步通信机制（如发布 - 订阅消息

机制和服务 - 客户端请求模式）相互协作，共同构成完整的机器人系统。此外，ROS 还提供统一的硬件抽象层及设备驱动接口，开发者无需深入底层硬件细节，即可便捷调用不同传感器或执行器设备。为提升开发效率与易用性，ROS 框架还内置了丰富的函数库、数据可视化工具、调试工具和软件包管理系统，开发人员可根据需求灵活选择并快速组合已有的软件功能模块，从而避免重复开发和提升开发效率。值得一提的是，ROS 本身并不强制约束具体的软件架构或代码组织方式，开发者可自由地设计文件结构和用户界面，而 ROS 标准化的通信接口和工具链则确保了不同功能模块之间的高效整合和顺畅协作。

ROS 的运行主要依托于基于 Unix 内核的平台，其中 Ubuntu 被 ROS 官方推荐为首选平台，同时社区也持续对其他多种 Linux 发行版本提供支持。ROS 采用类似于 Linux 系统的发行版本管理模式，定期发布具备稳定性和长期支持的软件版本供开发者使用，减少开发过程中的版本不稳定性带来的风险。ROS 发行版本以英文字母顺序命名，目前 ROS1 的最新长期支持版本为 Noetic，它经过长期迭代，功能全面且相对稳定。尽管官方已推出 ROS2 并推荐开发者逐步迁移至该版本，但 ROS2 目前仍处于快速发展阶段，许多第三方功能包和社区生态尚未完全成熟，存在较大的更新和兼容性变动风险。因此，对于追求稳定性、生态成熟度和已有众多可复用功能包的机器人开发项目来说，ROS1 Noetic 版本在短期内仍是更加可靠且实用的选择。

基于以上考量，本节将在 Ubuntu 20.04 平台上详细介绍 ROS1 Noetic 版本的安装过程，帮助读者快速、稳定地搭建起机器人软件开发环境，为后续智能网联汽车协同轨迹规划软件的部署奠定坚实基础。

8.2.1 ROS 安装脚本的下载

ROS 环境的快速部署可通过自动化安装脚本完成，此自动化安装脚本由国内开发者 fishros 设计和维护，能够有效规避在安装 ROS 时可能遇到的网络不稳定或依赖项下载缓慢等问题，因而被广泛认可为一种适合初学者使用的安装方式。使用该脚本，无需手动逐一输入复杂的 ROS 安装命令，也能快速获得一个稳定、完善的 ROS 开发环境，大幅降低了初学者初次搭建 ROS 环境时的难度。

在具体安装过程中，首先利用前述的组合键 Ctrl+Alt+T 在 Ubuntu 系统中打开一个新的终端窗口，输入以下命令即可下载并自动执行 ROS 安装脚本（图 8-22）：

```
wget http://fishros.com/install -O fishros && . fishros
```

8.2.2 ROS 的安装步骤

在完成 8.2.1 小节所述的 ROS 安装脚本下载和执行后，终端将提示用户输入密码以获得系统管理权限。输入正确密码后，安装脚本将启动交互式安装界面，并根据网络情况选择适合当前环境的软件源，加快安装过程中的文件下载速度。

首先，在主选项界面（图 8-23）中输入数字“1”并按下回车键，对应着“一键安装 ROS”选项，随即进入 ROS 系统源更换选择界面。

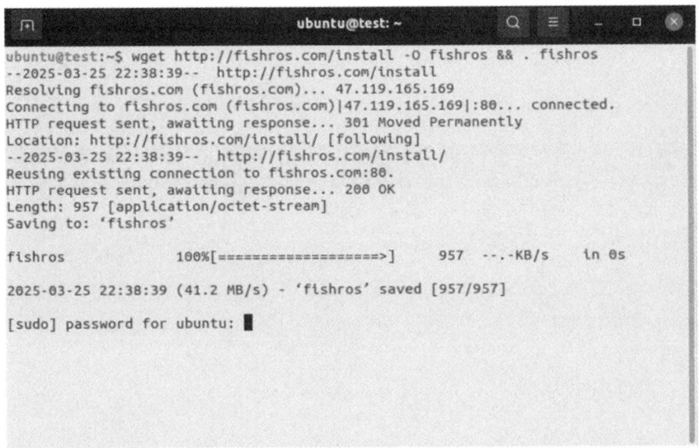

图 8-22 ROS 安装脚本的终端下载与执行界面

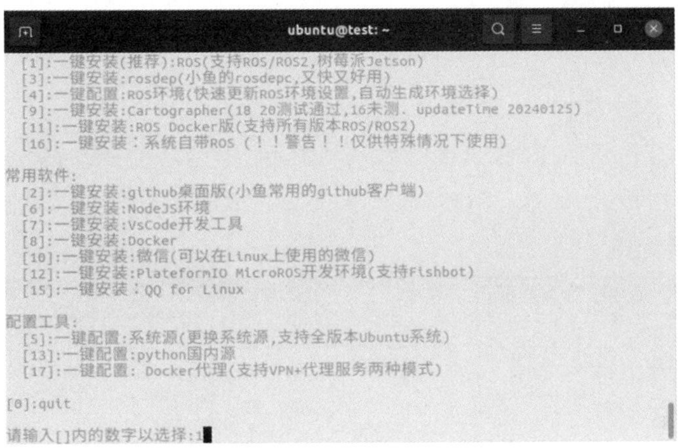

图 8-23 ROS 安装主选项界面

接下来，为进一步提高安装过程中软件包的下载速度，建议输入数字“1”并按下回车键，选择“更换系统源再继续安装”（图 8-24）。

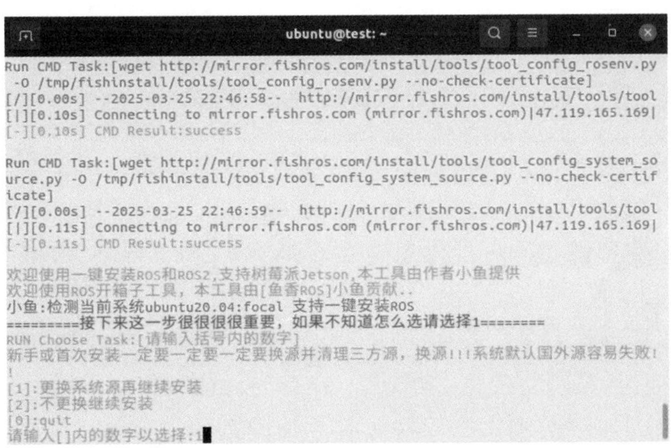

图 8-24 ROS 系统源更换选择界面

随后继续输入数字“2”，选择“更换系统源并清理第三方源”选项（图 8-25），并按下回车键。这一操作可以确保软件源列表纯净可靠，避免第三方源带来的潜在兼容性问题。

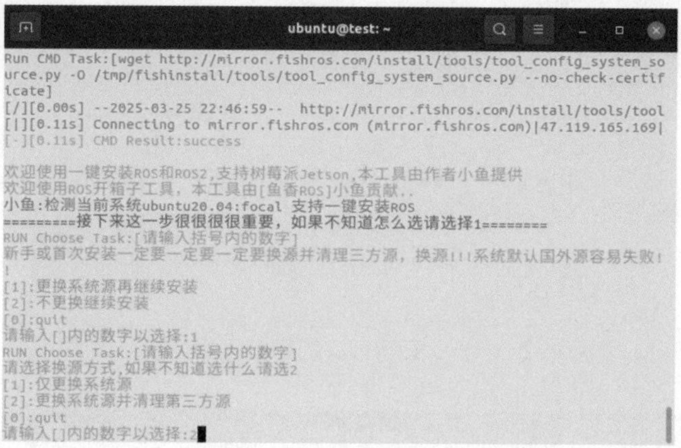

图 8-25　第三方源清理操作确认界面

完成上述操作后，进入 ROS 具体版本选择界面（图 8-26），此时输入数字“3”并按下回车键，选择 ROS1 Noetic 版本（ROS 官方为 Ubuntu 20.04 系统提供长期支持的推荐版本）。

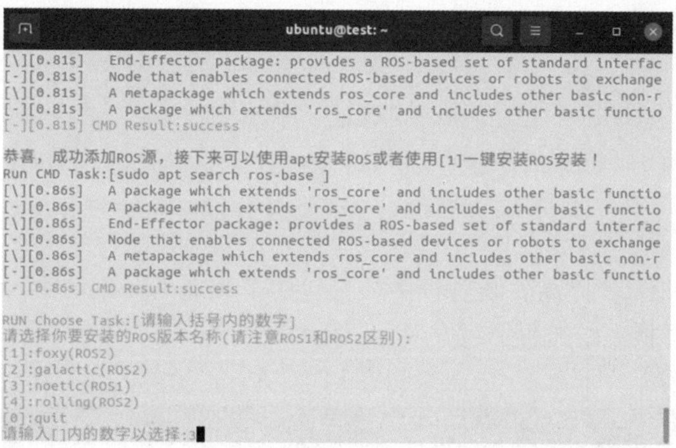

图 8-26　ROS 具体版本选择界面

ROS 提供了多种不同的安装模式以适应用户的实际需求。建议输入数字“1”并按下回车键，选择安装 ROS 桌面完整版（Desktop-Full），如图 8-27 所示。该版本包含 ROS 基础功能包、完整的图形可视化工具（如 RViz）、仿真环境（如 Gazebo）以及各类常用算法库。

完成上述所有选项设置后，安装脚本将自动执行以下全部操作（整个过程一般耗时 20 ～ 60min，具体时长受网络带宽影响较大）：首先，脚本将自动配置 APT 软件源列表，选择清华大学或中国科学技术大学等稳定且高速的国内镜像站；随后，安装 ROS 的核心组件及其全部依赖项，其中包括图形可视化工具 RViz、仿真平台 Gazebo 等重要组件；

紧接着，脚本将自动构建 catkin 工作空间的基础环境，用于后续 ROS 功能包的开发；最后，脚本会自动将必要的 ROS 环境变量追加到当前用户的 .bashrc 配置文件中，便于终端快速调用 ROS 环境。安装脚本完成全部任务后，ROS 环境即正式部署完成。

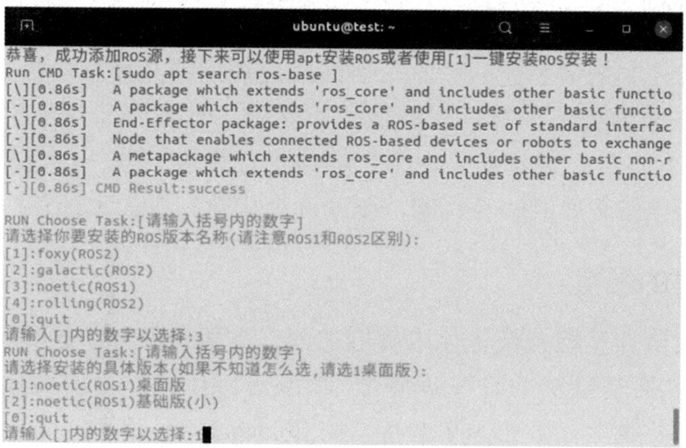

图 8-27　ROS 安装模式选择界面

8.2.3　ROS 安装效果的验证

ROS 安装脚本执行完成后，可通过以下步骤验证 ROS 环境是否配置成功。

首先在 Ubuntu 系统中开启一个新的终端窗口，输入以下命令启动 ROS 核心程序（即 roscore，ROS 系统中负责管理全部节点通信的核心进程）：

```
roscore↵
```

roscore 是所有 ROS 程序运行之前必须首先启动的基本命令，如图 8-28 所示，预期输出应包含以下关键信息：

① 主节点 URI（统一资源标识符）地址：ROS_MASTER_URI=http: //localhost: 11311；

② 核心服务启动成功消息：started core service ［/rosout］。

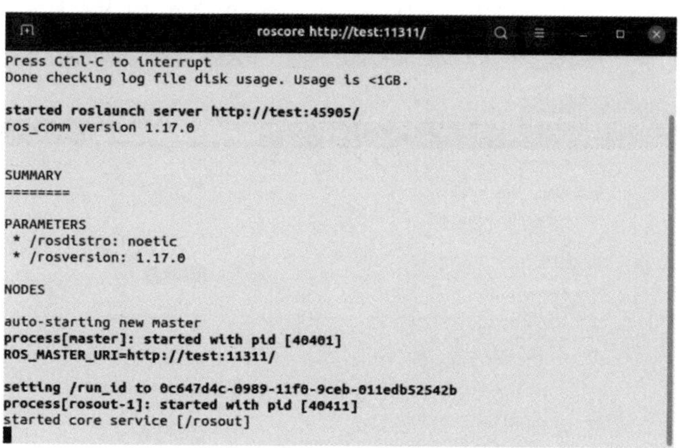

图 8-28　roscore 运行效果验证界面

只要终端输出中包含以上两个关键信息，即可确认ROS安装成功，后续可正常开展ROS相关的软件开发与协同轨迹规划软件的运行。

8.3 协同轨迹规划算法所依赖的软件库安装与配置

基于计算最优控制的多智能网联汽车协同轨迹规划涉及复杂的数学建模与优化问题求解，需要依托专业的数值计算框架和优化求解器。本节将系统地讲解如何在Ubuntu系统中配置CasADi符号计算框架、IPOPT非线性优化求解器，以及相关数学库，通过完整详细的安装指导和必要的解释说明，帮助读者构建完备的本地算法开发软件环境。

8.3.1 编译环境的配置

在开始安装数值计算框架及优化求解器之前，需要确保系统已具备基本的编译工具与开发环境。这包括基础的C/C++编译器（如gcc、g++）、项目构建工具（如cmake、build-essential）以及线性代数相关依赖库（如liblapack-dev和libblas-dev）。可在终端中执行以下命令，一次性完成上述所有依赖的安装：

```
sudo apt update
sudo apt install -y unzip gfortran coinor-libipopt-dev
sudo apt install -y gcc g++ cmake build-essential
sudo apt install -y liblapack-dev libblas-dev pkg-config
```

8.3.2 COIN-HSL 数学库的申请与下载

COIN-HSL数学库是由COIN-OR优化项目组维护的高性能数学计算库，提供了对稀疏矩阵运算进行优化的多种数值算法，是大规模非线性优化求解器（例如IPOPT）所依赖的重要组件之一[79]。由于该数学库需经过学术授权后方可获取，本小节将详细介绍COIN-HSL数学库的申请与下载过程。

首先访问COIN-HSL官方许可页面，点击页面中的“ORDER NOW”按钮进入申请流程（图8-29）。

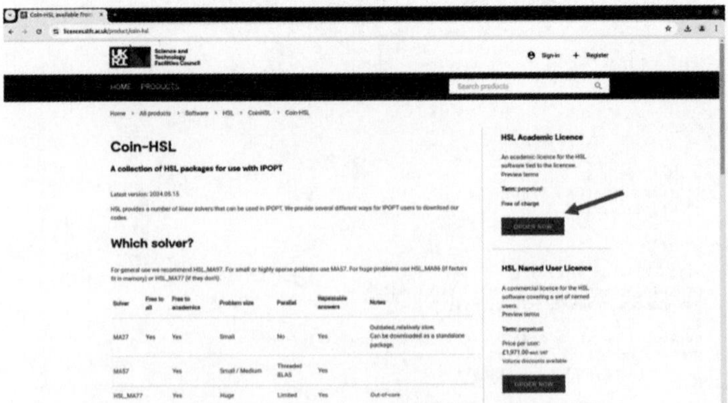

图8-29 COIN-HSL授权申请页面

随后在确认页面再次点击“CHECKOUT NOW”按钮提交申请（参见图 8-30）。

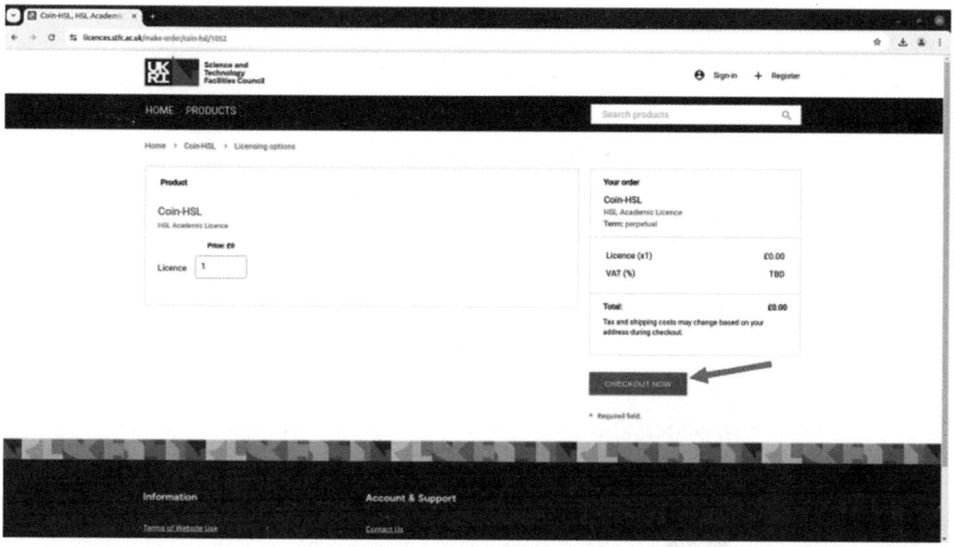

图 8-30　COIN-HSL 确认申请提交

若为首次申请的用户，需在新用户注册页面（图 8-31）填写相应信息，包括姓名、邮箱地址、密码等。需要特别强调的是，申请过程中必须使用教育 / 科研机构邮箱（如高校 .edu 或科研单位的专有域名邮箱），否则将无法通过学术用途的审核。

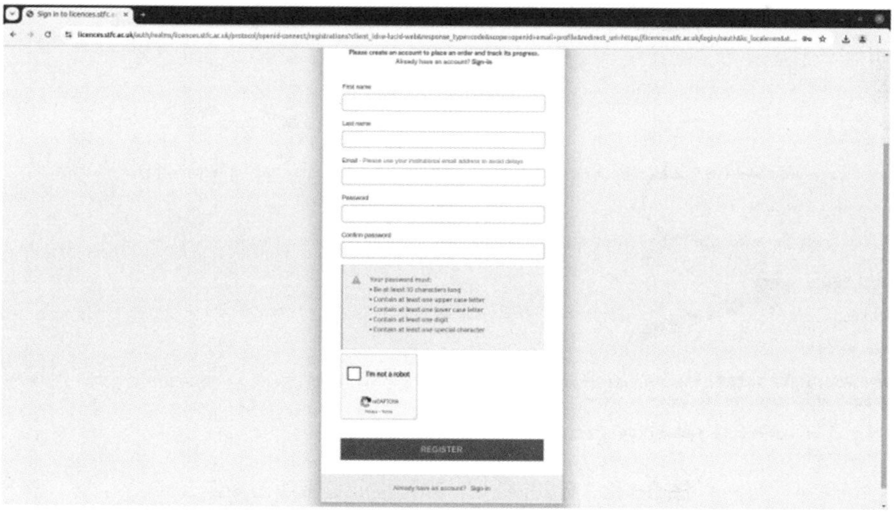

图 8-31　COIN-HSL 注册信息登记示意图

完成上述注册表单后，系统将自动向所填写的邮箱发送验证邮件，如图 8-32 所示。用户需要打开该邮件，并点击邮件内容中的“Verify email”链接，完成邮箱有效性的验证，如图 8-33 所示。

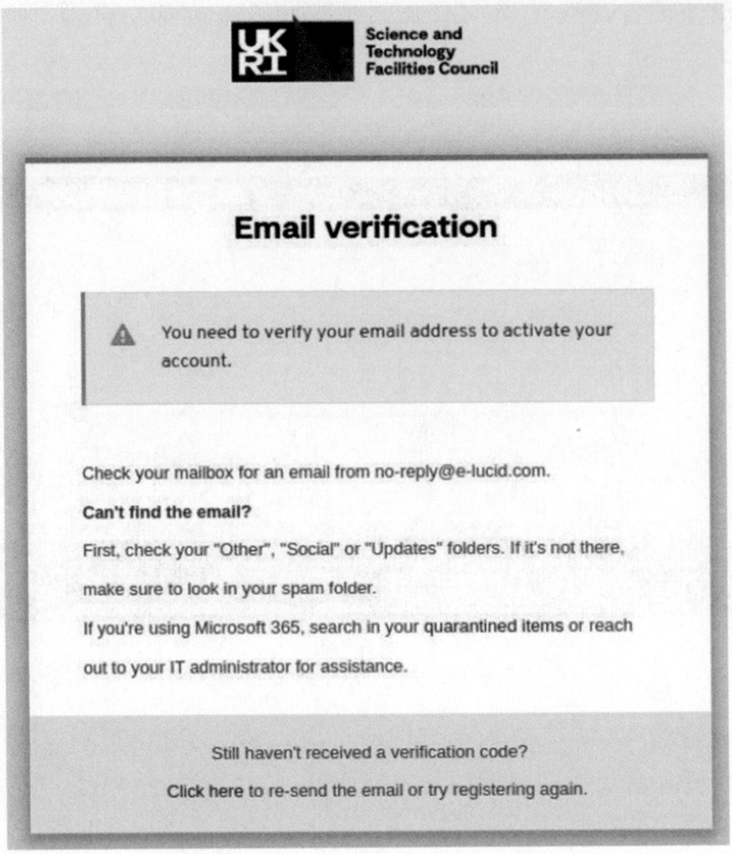

图 8-32　COIN-HSL 邮箱验证提示

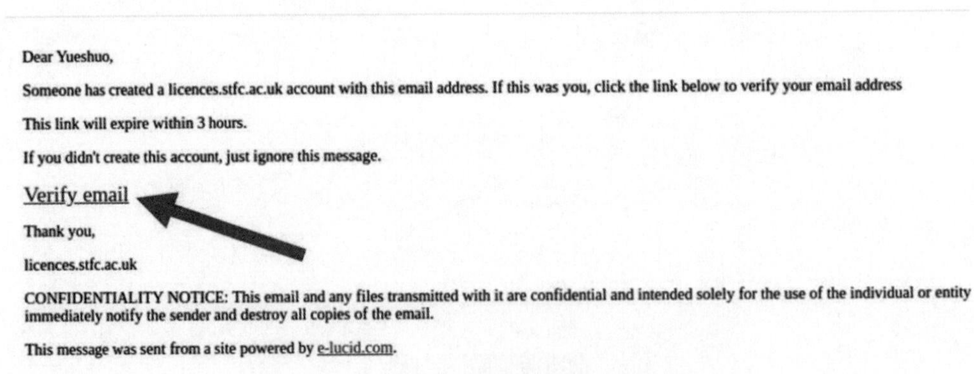

图 8-33　COIN-HSL 邮箱验证链接点击操作

邮箱验证完成后，返回申请页面，进一步补充所在机构详细信息（图 8-34），确认并勾选软件使用许可协议条款并提交申请（图 8-35）。

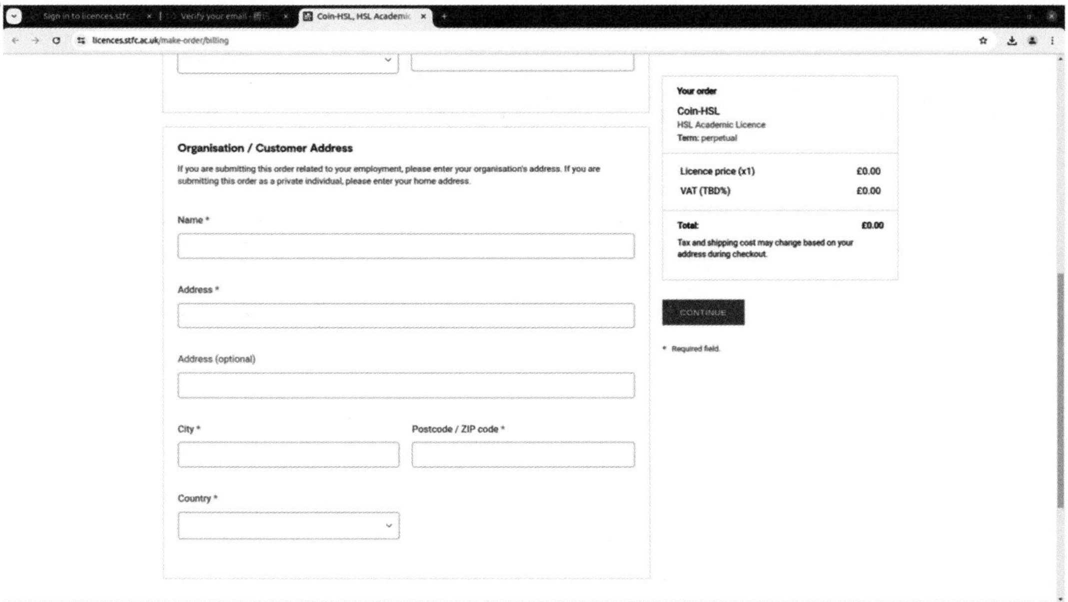

图 8-34　COIN-HSL 申请机构补充信息填写

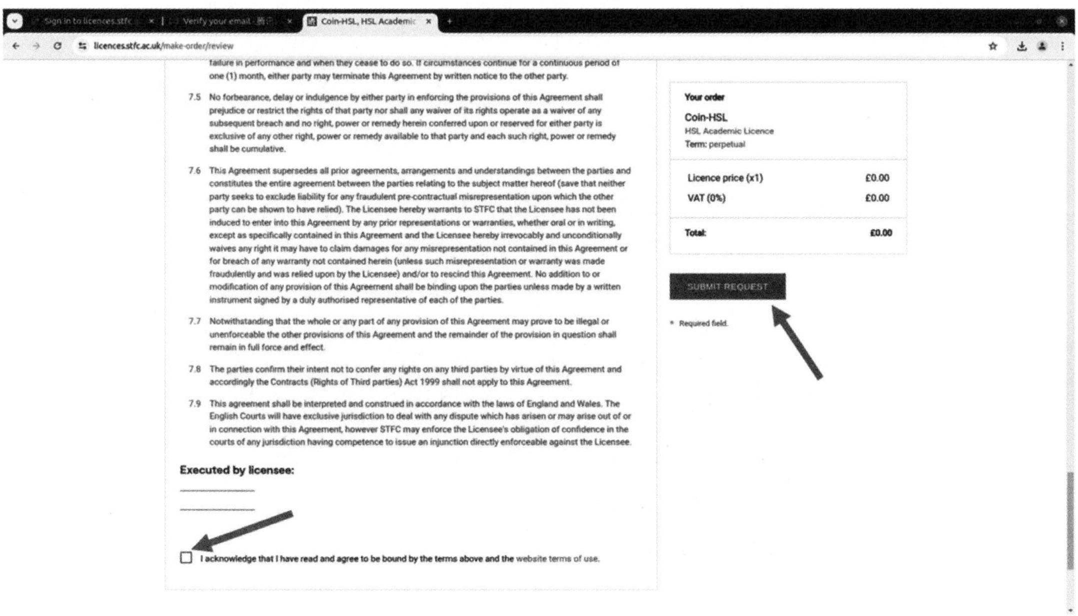

图 8-35　COIN-HSL 协议确认界面

完成上述步骤后，申请即进入审核阶段（图 8-36）。审核通过后，系统将发送一封包含软件包下载链接的授权通过邮件（图 8-37）。用户点击邮件中的“GO TO DOWNLOADS”按钮，即可进入下载界面（图 8-38），获取 COIN-HSL 压缩文件。

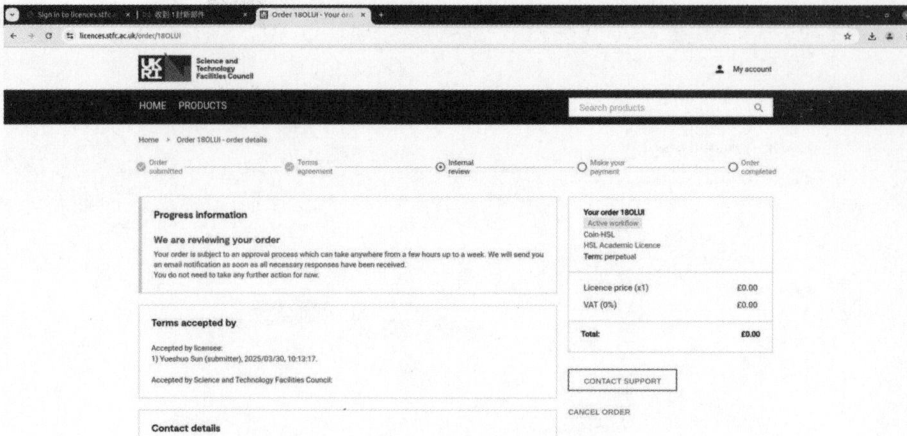

图 8-36　COIN-HSL 申请审核等待界面

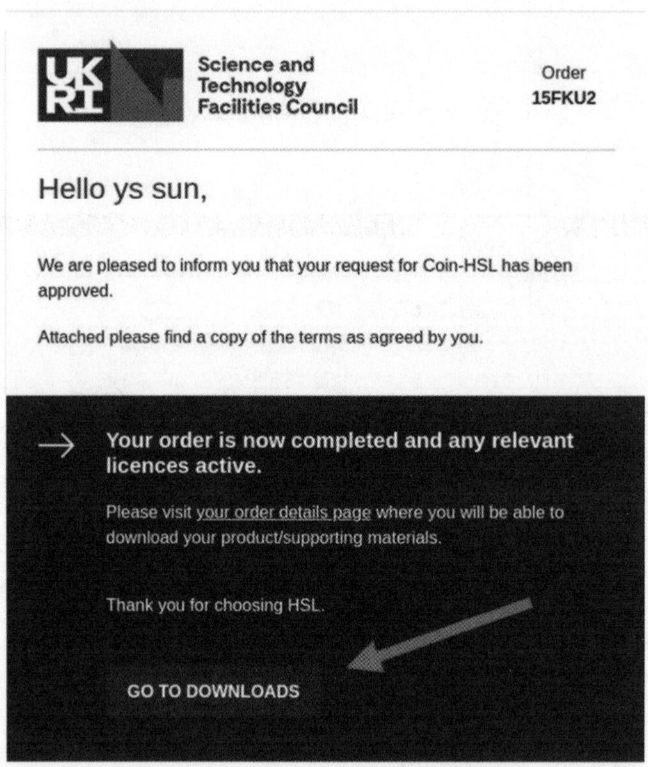

图 8-37　COIN-HSL 授权通过邮件

完成上述下载步骤后，需要注意的是，所获得的压缩文件通常命名为 coinhsl-*.zip。其中 * 指代软件版本日期，后续在命令行中使用时，请将“*”替换为具体的软件版本日期，如 coinhsl-2023.11.17.zip。此时只需将该 ZIP 文件放置于 Ubuntu 系统中便于管理的目录下（例如 HOME 目录下的 Downloads 目录），暂时不进行任何解压或安装操作，因为安装步骤需结合本书 8.3.3 小节介绍的 ThirdParty-HSL 软件包一同完成，联合安装方法将在 8.3.3 小节予以详细说明。

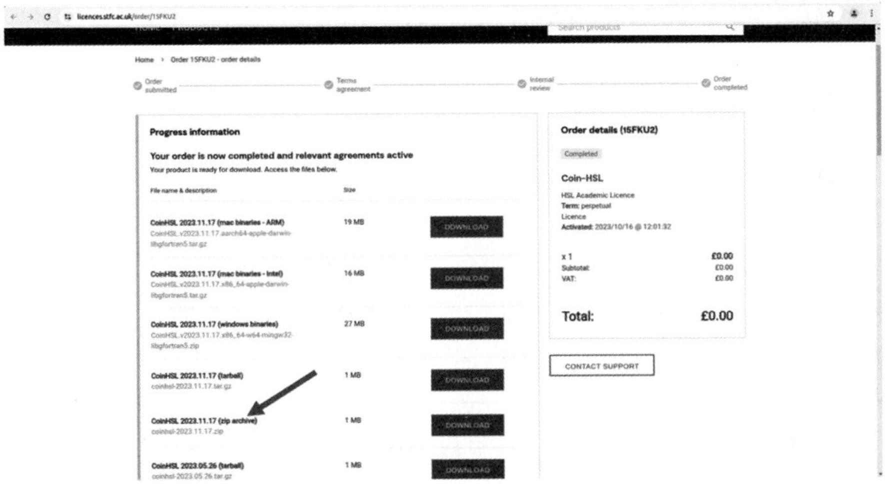

图 8-38　COIN-HSL 数学库下载界面

8.3.3　ThirdParty-HSL 软件包的下载与联合安装

完成 8.3.2 小节的 COIN-HSL 数学库下载之后，接下来还需下载 ThirdParty-HSL 软件包，并将这两个软件包进行联合安装配置。

ThirdParty-HSL 是 COIN-OR 项目组专门提供的 HSL 数学库接口封装，作用是将 COIN-HSL 数学库与 IPOPT 等优化求解器连接起来，供上层求解器高效调用。本小节将详细介绍 ThirdParty-HSL 软件包的下载和如何联合 COIN-HSL 数学库一并进行安装。

首先，需访问 ThirdParty-HSL 的官方 GitHub 仓库，下载版本号为 2.2.5 的 ZIP 格式压缩文件（图 8-39）。

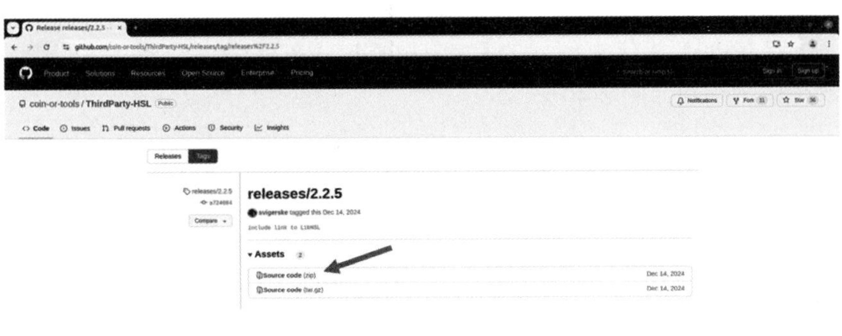

图 8-39　ThirdParty-HSL 下载界面

下载完成后，需确保此压缩包（通常命名为 ThirdParty-HSL-releases-2.2.5.zip）放置于上一小节中保存 COIN-HSL 数学库压缩包 coinhsl-*.zip 的同一目录下（如 Downloads 目录）。打开终端窗口并进入上述目录，依次执行以下命令解压这两个压缩包：

```
unzip ThirdParty-HSL-releases-2.2.5.zip↵
unzip coinhsl-*.zip↵
```

执行上述解压命令后，将生成两个文件夹：

- ThirdParty-HSL-releases-2.2.5；
- coinhsl-*。

接下来需要建立符号链接，将 COIN-HSL 数学库的源码目录关联到 ThirdParty-HSL 目录内，以便后续编译时能正确找到 COIN-HSL 的源码。具体命令如下：

```
cd ThirdParty-HSL-releases-2.2.5
ln -s ../coinhsl-* coinhsl
```

上述 ln -s 命令即为创建符号链接。此处操作含义为在当前目录内创建一个名为 coinhsl 的链接目录，指向上一级目录中名为 coinhsl-* 的文件夹，从而确保 ThirdParty-HSL 可访问 COIN-HSL 源码。

符号链接建立完成后，继续在当前目录下执行以下命令，完成自动配置脚本运行、编译及安装过程：

```
./configure
make -j4
sudo make install
```

完成上述操作后，COIN-HSL 数学库及 ThirdParty-HSL 接口封装的联合安装即完成，后续即可顺利用于 IPOPT 等优化求解器。

8.3.4 IPOPT 优化求解器的安装

在完成 COIN-HSL 数学库、ThirdParty-HSL 接口的安装与配置后，接下来需要安装 IPOPT 优化求解器。IPOPT 是一款高效且广泛使用的开源优化求解器[52]，专门用于求解带约束的大规模非线性优化问题。该求解器的底层基于内点法，并对稀疏矩阵运算进行了优化，同时也支持并行计算，在机器人轨迹规划等复杂优化问题中被广泛采用。以下将给出 IPOPT 的具体安装步骤。

首先，访问 IPOPT 优化求解器的官方 GitHub 发布页面，选择并下载对应版本号为 3.14.17 的源代码压缩包（图 8-40）。

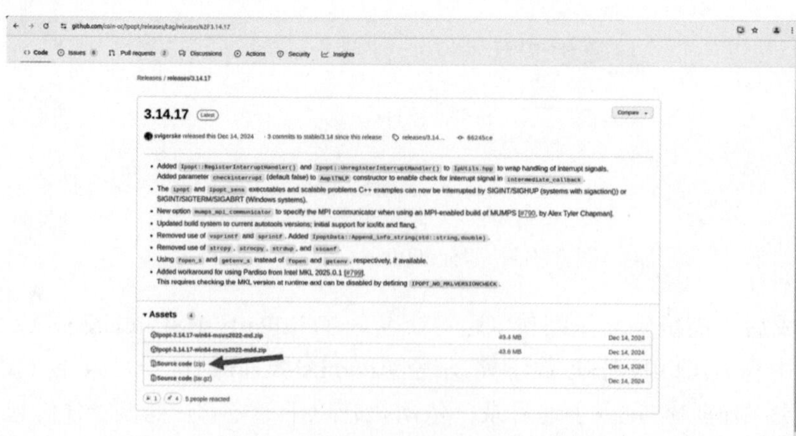

图 8-40 IPOPT 优化求解器下载页面

下载完成后，将此压缩文件（通常命名为Ipopt-releases-3.14.17.zip）放置在与COIN-HSL、ThirdParty-HSL压缩包相同的目录中，方便统一管理和操作。

随后，在该目录中打开终端，执行以下命令，依次完成源码解压、创建编译目录等操作：

```
unzip Ipopt-releases-3.14.17.zip
cd Ipopt-releases-3.14.17
mkdir build && cd build
```

上述命令执行完成后，终端当前工作路径应位于Ipopt-releases-3.14.17/build目录下，此时即可继续执行以下命令，配置编译环境并完成安装：

```
../configure
make -j4
sudo make install
```

其中，configure脚本用于自动检测系统环境和依赖项，生成编译所需的Makefile文件；随后make -j4命令启动并行编译，sudo make install则以管理员权限将编译好的可执行文件及库文件安装到系统指定位置。该步骤顺利完成后，IPOPT优化求解器即成功安装于Ubuntu系统中。

8.3.5 CasADi 符号计算框架的构建

CasADi是一种基于C++开发的开源符号计算框架，能够实现自动微分、代码生成以及与多种优化求解器的高效集成[80]。通过源码构建CasADi，可以自由选择所依赖的求解器并显著提升计算效率。本小节中特别指定-DWITH_IPOPT=ON选项，目的正是确保CasADi在编译时正确链接上一小节安装完成的IPOPT优化求解器，从而实现高性能的优化计算支持。CasADi的具体安装过程如下。

首先，访问CasADi的GitHub发布页面，下载版本号为3.7.0的源码压缩文件（图8-41）。

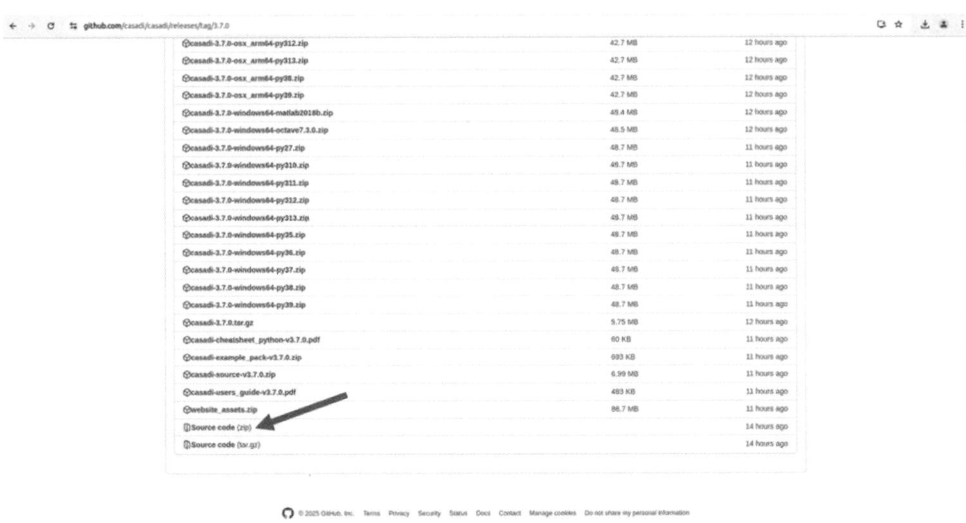

图8-41　CasADi 源码下载界面

下载完成后，将获得的压缩文件（通常命名为casadi-3.7.0.zip）放置到此前保存IPOPT、COIN-HSL等压缩文件的同一目录下，以便统一管理。

随后，在该目录中打开终端窗口，依次执行以下命令，完成源码解压、创建编译目录：

```
unzip casadi-3.7.0.zip↵
cd casadi-3.7.0↵
mkdir build && cd build↵
```

接下来，配置CasADi编译选项。在此步骤中，特别设置-DWITH_IPOPT=ON，以启用IPOPT优化求解器支持，其他选项则为标准化的编译优化和功能关闭设置，具体命令如下：

```
cmake -DCMAKE_BUILD_TYPE=Release -DWITH_IPOPT=ON \
-DWITH_EXAMPLES=OFF -DWITH_BUILD_REQUIRED=ON ..↵
```

该命令执行完成后，即可开始进行并行编译和安装。执行以下命令以完成编译与安装步骤：

```
make -j4↵
sudo make install↵
```

以上步骤完成后，CasADi符号计算框架即构建安装完成，后续即可调用IPOPT优化求解器，为协同轨迹规划算法的开发提供高效的符号计算与自动微分等能力。

8.3.6 CasADi与IPOPT联合求解数学规划问题范例

在协同轨迹规划任务中，核心挑战之一即在于如何有效求解名义上包含非凸运动学约束与超大规模非凸避障约束的复杂数学规划问题。前述两个小节已详细介绍了IPOPT优化求解器与CasADi符号计算框架的安装方法，本小节将进一步讲解如何通过CasADi与IPOPT的联合使用，来高效地求解一则非线性规划问题。本小节使用的代码已托管于GitHub仓库中，可通过链接https://github.com/YueshuoSun/casadi_example/blob/main/casadi_example.cc获取。下面将逐步解析代码的核心逻辑和实现方法。

首先，定义一个典型的带约束非线性优化问题：

$$\begin{aligned}&\min_{x,y,z}(x^2+100z^2)\\&\text{s.t. } z+(1-x)^2-y=0\end{aligned}\tag{8-1}$$

即求一组决策变量(x,y,z)使得目标函数(x^2+100z^2)达到最小，同时必须满足约束条件$z+(1-x)^2-y=0$。

在编写C++代码时，首先需要引入CasADi的头文件与命名空间，以简化后续代码表达：

```
#include <casadi/casadi.hpp>
#include <iostream>
using namespace casadi;
```

随后正式进入非线性优化问题的构建与求解流程：

第一步，定义符号决策变量。CasADi符号计算框架要求用户先定义符号变量，再基于这些符号变量构造数学表达式：

```
MX x = MX::sym("x");
MX y = MX::sym("y");
MX z = MX::sym("z");
```

第二步，构建目标函数与约束条件。这一步如同书写普通的数学公式：

```
MX f = pow(x, 2) + 100 * pow(z, 2);
MX g = z + pow(1 - x, 2) - y;
```

此处的pow函数为CasADi内置的幂运算函数。CasADi会自动将上述数学公式构建成内部的计算图，以高效地进行函数值与导数（梯度、雅可比、海塞矩阵）的计算，而无需用户手动指定导数信息。

第三步，构建CasADi所需的NLP（非线性规划）标准数据结构。CasADi要求用户提供优化问题的三个核心组成部分，即决策变量、目标函数与约束函数：

```
MXDict nlp_problem;
nlp_problem["x"] = vertcat(x, y, z); // 定义决策变量 x
nlp_problem["f"] = f; // 定义目标函数 f
nlp_problem["g"] = g; // 定义约束函数 g
```

其中，vertcat函数将多个变量垂直组合成向量，使得CasADi可以统一处理这些决策变量。

第四步，创建IPOPT优化求解器实例。CasADi本身并不具备直接求解能力，而是通过调用外部求解器实现。现选择IPOPT作为求解引擎：

```
Dict solver_options;
solver_options["ipopt.linear_solver"] = "ma27";
solver_options["ipopt.print_level"] = 5;
Function solver = nlpsol("solver", "ipopt", nlp_problem, solver_options);
```

这里指定的“ma27”即为IPOPT内部调用的线性方程组求解器，来源于前文中部署的HSL数学库。具体而言，MA27是前文提到的HSL库提供的一种高效的线性求解器，专门用于求解稀疏、对称但不一定正定的大型线性方程组。这种矩阵求解问题通常出现在非线性优化算法每一步迭代过程中形成的KKT（Karush-Kuhn-Tucker）条件所对应的线性系统求解中。通过使用MA27，IPOPT能够快速且稳定地获得线性子问题的解，从而提升求解非线性优化问题的效率与数值稳定性。

第五步，执行优化求解过程。为了求解优化问题，需提供初始猜测以及约束函数的上下界：

```
DMDict solver_arguments;
solver_arguments["x0"] = DM({2.5, 3.0, 0.75});// 初始解设置
// 设置约束函数边界
solver_arguments["lbg"] = 0;
solver_arguments["ubg"] = 0;
DMDict solution = solver(solver_arguments); // 实施优化计算
```

此过程通常为计算量最大的步骤，IPOPT优化求解器会自动执行迭代过程，以求取

问题的最优解。

第六步，提取与查看优化结果。优化结果存放在 solution 字典中，分别提取决策变量的最优解及对应的目标函数值：

```
// 提取并打印最优决策变量和目标函数值
DM optimal_x = solution.at("x");
DM optimal_f = solution.at("f");
std::cout << "--------------------------------" << std::endl;
std::cout << "求解完成 ." << std::endl;
std::cout << "最优解 (x, y, z): " << optimal_x << std::endl;
std::cout << "最优目标值 : " << optimal_f << std::endl;
std::cout << "--------------------------------" << std::endl;
```

8.3.7 Ubuntu 系统环境变量的持久化配置

本小节是本节的最后一部分，之所以特别安排此内容，是为了确保本节前述所有软件环境配置步骤能够持久有效。具体而言，CasADi 符号计算框架、IPOPT 优化求解器及相关数学库的默认安装路径为系统目录 /usr/local/lib，但 Ubuntu系统默认情况下并不会在终端每次启动时自动搜索该路径。因此，若不进行额外配置，每次新打开终端时，可能会出现找不到相关动态链接库（如 .so 文件）的问题。为彻底解决这一问题，确保系统每次启动终端后都能顺利调用所有已安装的软件库，本小节介绍如何将库文件路径永久加入环境变量中，以实现持久化配置，具体配置步骤如下。

首先打开终端，输入以下命令打开用户目录下的终端环境变量配置文件 .bashrc：

```
gedit ~/.bashrc↵
```

打开该文件后，将光标移动到文件末尾处，另起一行并追加以下内容：

```
export LD_LIBRARY_PATH=/usr/local/lib:$LD_LIBRARY_PATH
```

完成编辑后保存文件并关闭编辑器，然后在当前终端执行以下命令以立即生效环境变量配置：

```
source ~/.bashrc↵
```

最后，通过以下命令检查配置是否成功生效：

```
echo $LD_LIBRARY_PATH↵
```

若终端输出的内容中包含 /usr/local/lib，则表明环境变量配置成功完成，从此以后新打开的终端均可直接识别前述安装的所有库文件位置，无须再次配置。

至此，本节关于 Ubuntu 系统下协同轨迹规划软件运行环境的安装与配置操作全部完成，计算机已经具备了开展后续算法开发与验证的基本软件环境。

8.4 协同轨迹规划示例程序的运行

在完成前述全部软件环境的安装与配置后，本节将详细介绍如何运行协同轨迹规划示例程序。本节也是本章的总结性实验内容，通过示例程序，不仅可以检验之前所有软件安装与环境配置的正确性，也能够切实体验基于 ROS 平台的协同轨迹规划算法执行流程。示例程序通过三个终端窗口的协同操作实现智能网联汽车集群的初始化、轨迹规划与实时可视化展示。

首先，实验环境搭建的第一步是在用户主目录（即 HOME 目录，通常为 /home/ 用户名）下创建名为 collab_ws 的 ROS 工作空间（工作空间是 ROS 用于组织源代码、编译文件及运行配置的标准目录结构）。执行以下命令即可创建相应目录结构并进入其 src 子目录：

```
mkdir -p collab_ws/src
cd collab_ws/src
```

随后，从 GitHub 网站上获取实验示例程序代码。在同一终端中执行以下命令安装版本控制工具 git：

```
sudo apt update
sudo apt install git
```

在这里，git 是一种分布式版本控制工具，主要用于跟踪代码的修改历史、管理项目的多个版本和实现团队协作开发。通过使用 git 可便捷地从网络代码仓库下载、管理及更新开源代码。

下一步，继续执行如下命令以获取代码：

```
git clone https://github.com/YueshuoSun/CollabPlanner.git
```

完成代码下载后，继续安装示例程序运行所需的 ROS 可视化插件（JSK 插件）：

```
sudo apt install ros-noetic-jsk-rviz-plugins
```

上述准备工作完成后，进入代码编译环节。此阶段需切换到工作空间根目录 collab_ws 下，并执行以下命令启动 ROS 功能包的编译过程：

```
cd ~/collab_ws
catkin_make -DWITH_HSL=ON
```

其中，参数 -DWITH_HSL=ON 用于启用前面安装的 HSL 数学库支持。编译成功后，将在 collab_ws/devel 目录下生成环境配置文件，这一文件是程序运行的重要前提。

程序运行阶段需要同时开启三个终端窗口进行协同操作（图 8-42）。

在第一个终端中启动 ROS 核心服务（通信基础）：

```
roscore
```

在第二个终端中加载工作空间环境变量后，启动键盘输入模块，用于车辆集群的初始化操作：

```
source ~/collab_ws/devel/setup.bash
rosrun collab_planner keyboard_input
```

此时，该终端将显示“输入一个字符：”提示，等待用户输入初始化指令。

在第三个终端窗口同样加载环境配置，启动核心算法模块及 RViz 可视化工具：

```
source ~/collab_ws/devel/setup.bash
roslaunch collab_planner test.launch
```

此命令将自动启动协同轨迹规划算法，并开启 ROS 官方提供的 3D 可视化平台 RViz，以实时显示机器人状态和轨迹信息。RViz 此时界面为空白，等待初始化数据输入。

为方便多个终端窗口协同工作，推荐安装支持窗口分割的终端模拟器——Terminator。Terminator 可以在单一窗口内分割多个终端窗格，高效管理多终端操作：

```
sudo apt install terminator↵
```

安装完成后，可直接从应用菜单启动 Terminator，或通过终端输入“terminator↵”启动。常用快捷键如下：“Ctrl+Shift+O”水平分割终端、“Ctrl+Shift+E”垂直分割终端、“Ctrl+Shift+W”关闭当前终端窗格、“Ctrl+Shift+T”新建终端标签页。

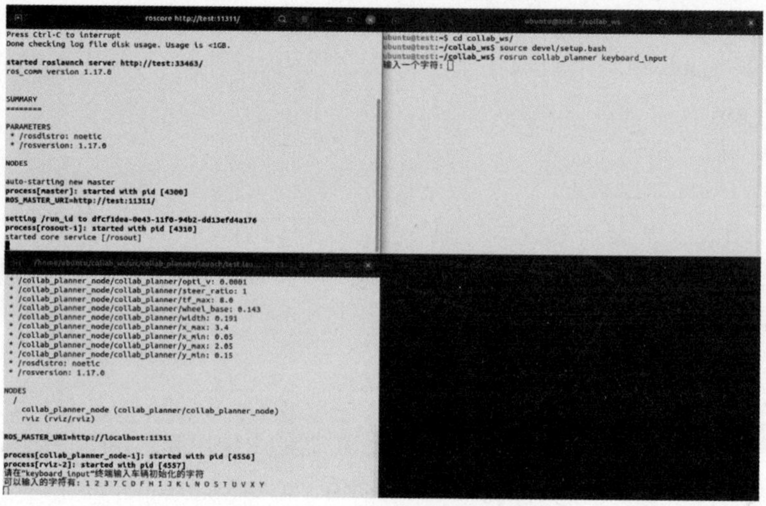

图 8-42　多终端协同运行状态

进入机器人集群初始化阶段后，在第二个终端窗口显示的“输入一个字符：”提示处，输入预定义的初始化配置字符，例如 1、2、3、7、C、D、F、H、I、J、K、L、N、O、S、T、U、V、X、Y 中的任意一个，以完成智能网联汽车集群的初始布局设定。成功输入后，第三个终端将显示确认信息：“获得车辆初始化位置成功！”同时 RViz 界面中会显示智能网联汽车集群的初始位置状态（图 8-43）。

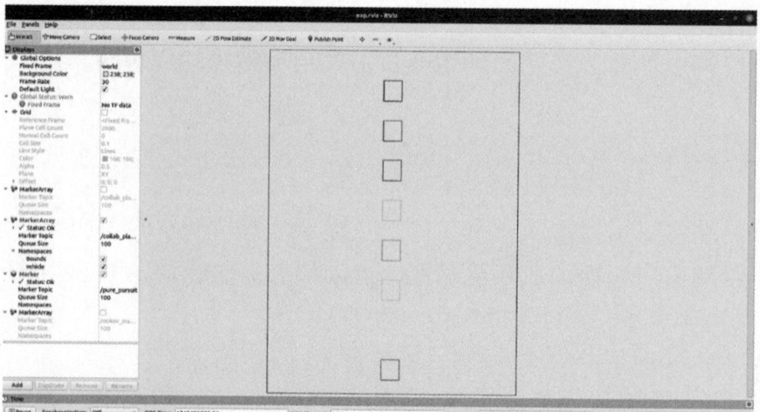

图 8-43　智能网联汽车集群初始位置状态可视化界面

随后，进入轨迹规划触发阶段。在第二个终端中再次输入一个与初始化阶段不同的配置字符，系统即自动启动协同轨迹规划算法。规划过程中，RViz 界面将实时展示各轮式机器人集群的运动轨迹，同时终端窗口实时输出算法计算过程的相关日志。规划计算完成后，RViz 界面以不同颜色标注各轮式机器人规划所得的最优轨迹方案，直观展示最终的协同轨迹规划效果（图 8-44）。

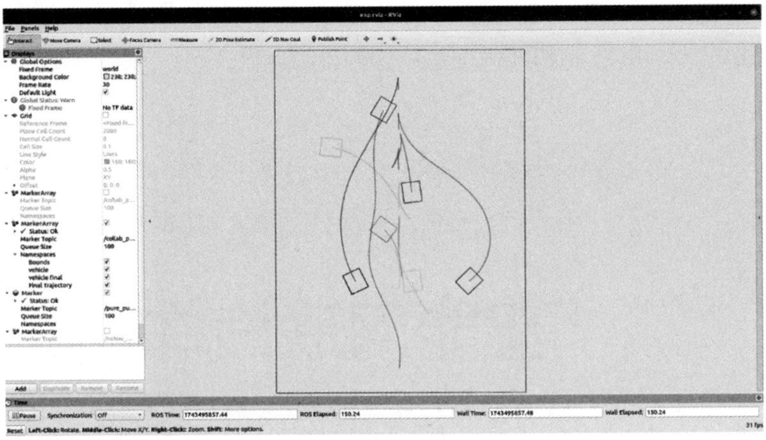

图 8-44　智能网联汽车集群协同轨迹规划结果

至此，成功验证了软件环境的完整性以及协同轨迹规划算法示例程序的执行有效性。

第9章 智能网联汽车协同轨迹规划硬件平台部署方法

9.1 硬件平台总体架构
9.2 轮式智能小车平台
9.3 高精度室内定位系统
9.4 室内无线通信系统的配置

在第 8 章完成智能网联汽车协同轨迹规划的软件环境部署及验证后，本章将进一步讲解如何在实验室的有限空间环境下搭建相应的硬件平台，以支持规划算法的实际运行与测试。考虑到真实道路环境条件复杂、实验成本高昂，许多实验团队并不具备户外实车测试条件，本章结合第 7 章所提到的低速封闭自由空间场景，设计了一套适用于室内有限空间的模块化硬件平台，利用低速行驶的轮式智能小车来模拟实际道路中的智能网联汽车，从而更经济、高效地开展算法的快速验证与迭代研究。

9.1 硬件平台总体架构

本章所搭建的硬件平台总体架构与数据通信链路如图 9-1 所示。平台设计目标为实现高精度实时感知、高性能协同规划，以及可靠的分布式指令执行。

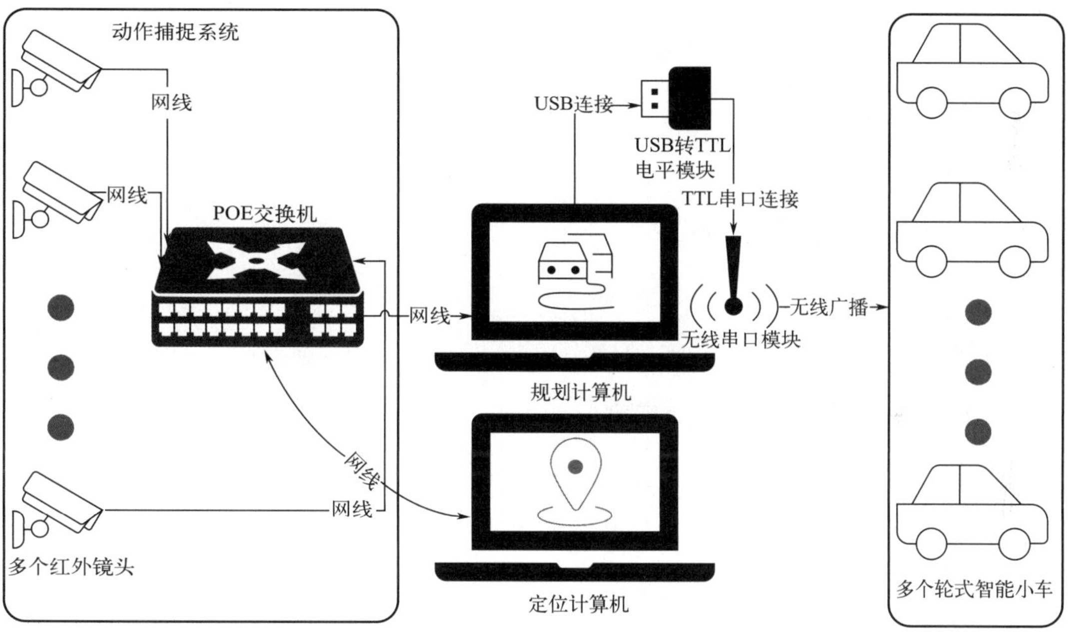

图 9-1 协同轨迹规划的硬件平台总体架构与数据通信链路

POE—以太网供电；USB—通用串行总线；TTL—晶体管-晶体管逻辑

平台中的感知环节完全由动作捕捉系统实现，其职能包括室内场地中所有动、静态障碍物的位置感知，以及各个轮式智能小车的位置与运动状态感知。具体而言，动作捕捉系统通过精准的光学定位手段实时获取实验场地内各目标物体的三维空间坐标。需要特别指出的是，本书硬件平台并未采用激光雷达或其他基于波束反射原理的光学传感器，而是假设室内实验环境内所有障碍物与小车均可被动作捕捉系统精确感知，从而有效规避了雷达类设备部署复杂、成本较高的问题。

实际应用中，本书硬件平台选用的是 NOKOV（度量科技）高精度动作捕捉系统。该系统由多个阵列式部署的红外相机和一个 POE（power over ethernet，以太网供电）交换机组成。所有红外相机通过网线与 POE 交换机相连，该交换机不仅为各个相机提供稳定的电力供应，同时作为数据汇聚设备，将所有相机实时捕获的原始三维坐标数据统一整合后，经由局域网实时传输给定位计算机进行后续计算。

定位计算机专门负责接收动作捕捉系统传来的原始坐标数据，并运行定位算法进行实时解算，以获得实验场地内所有轮式智能小车的精准位姿信息（位置、姿态及运动状态）。在定位计算机完成解算后，再通过高速局域网将这些经过处理的位姿数据传输至规划计算机，供协同轨迹规划算法进一步使用。

在规划计算机完成协同轨迹规划计算后，会生成明确的控制指令。为实现可靠的指令传输，本书硬件平台采用了 USB 转 TTL（transistor-transistor logic，晶体管 - 晶体管逻辑）电平模块与无线串口模块构成的无线通信链路，将控制指令以广播方式发送至室内场地中的所有轮式智能小车。具体而言，规划计算机首先将指令通过 USB 接口传输给 USB 转 TTL 电平模块，该模块将信号转换成适合无线串口模块传输的 TTL 电平信号，随后无线串口模块将信号进行广播。场地内所有轮式智能小车均配备相同型号的无线串口接收模块，每辆小车实时接收到广播指令后，内部控制器进行解析，并驱动底盘精确执行规划所要求的运动任务。这种集中计算、无线广播的硬件通信架构，为室内环境中轮式智能小车集群的协同作业提供了稳定、可靠的硬件保障。

9.2 轮式智能小车平台

本节将详细介绍实验所使用的轮式智能小车平台，帮助读者全面了解小车的硬件构成、软件框架以及控制程序烧录流程，这些内容是后续实验和算法测试工作的基础。

9.2.1 轮式智能小车基本硬件配置

本书选用的轮式智能小车（图 9-2）是一款基于 Arduino 控制器、采用舵机实现前轮转向的实验平台。该平台因结构简单、性能稳定且易于开发，被广泛应用于机器人领域的教学与科研实验。

图 9-2 轮式智能小车实拍图

轮式智能小车的转向机构采用经典的阿克曼转向结构，通过前轴上的舵机控制前轮的转向角度。该结构的核心特点是车辆转弯时能够自动调节内、外侧前轮至不同的转向角度，从而有效避免转向过程中轮胎与地面的滑动摩擦，显著提升车辆转弯运动的平稳性与精确性，这一结构也已广泛应用于汽车工业中。

轮式智能小车的核心控制单元为 Arduino Uno 开发板。这款开发板具有结构清晰、接口丰富、易于编程且社区生态完善等诸多优点，使嵌入式程序开发与算法实现的门槛大大降低，尤其适合作为移动机器人实验的入门控制平台。轮式智能小车的运动控制底层算法部署并运行于该开发板上。

轮式智能小车配备了一块带外壳保护的高品质锂电池，在满电状态下能够支持小车持续运行 4 ～ 7h。

除 Arduino Uno 开发板、转向舵机和电池等部件外，各轮式智能小车平台还配备了一块 OLED（有机发光二极管）显示屏，用于实时显示小车运行过程中的关键状态信息，例如电池电压、车轮实时速度或者 PID（比例 - 积分 - 微分）控制器参数等。

9.2.2 轮式智能小车固件的烧录

本小节介绍如何将定制的固件程序（main.ino）烧录至轮式智能小车的核心控制单元 Arduino Uno 微控制器（开发板）中，以确保其能够按照预设逻辑正确运行。固件的烧录操作主要通过 Arduino IDE（集成开发环境）完成，具体流程如下所述。

首先，访问 Arduino 官方网站，根据计算机所使用的操作系统（如 Windows、macOS 或 Linux），下载最新稳定版的 Arduino IDE 安装程序。图 9-3 以 Windows 系统为例，选择对应的安装程序（通常为 .exe 格式的文件）。

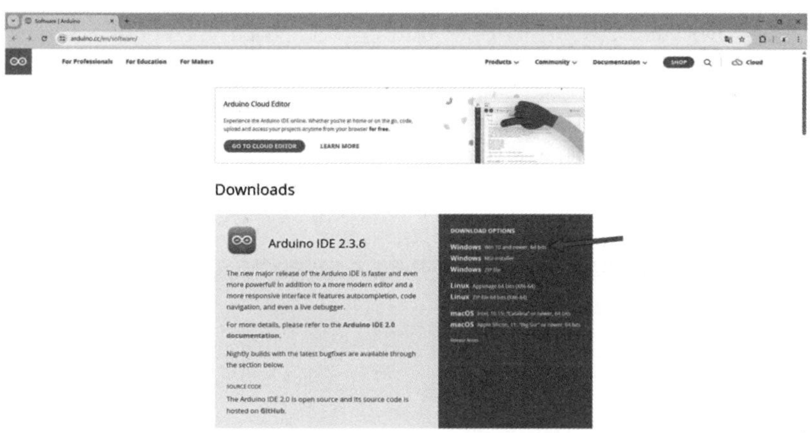

图 9-3　Arduino IDE 版本选择与下载页面

在进入下载页面后，可能会出现自愿捐赠支持该软件的提示。如用户无意愿捐赠，则点击页面中的“JUST DOWNLOAD”按钮即可开始下载。随后，如再次出现下载确认界面，可继续点击“JUST DOWNLOAD”按钮进行确认。

安装文件下载完成后，以管理员身份启动该安装程序，并根据弹出的安装向导依次进行安装，过程包括同意用户协议、选择安装路径等常规步骤。安装期间，IDE 会自动尝试安装 Arduino Uno 开发板所需的 USB 驱动程序。

安装完成后，点击“完成”按钮即可退出安装向导。首次运行 Arduino IDE 时，计算机可能会提示安装USB串口驱动程序（图9-4），点击“安装”按钮，以确保必要的驱动程序正确安装。

图9-4　首次运行Arduino IDE时弹出驱动程序安装提示

接下来，打开Arduino IDE，并使用USB数据线将轮式智能小车上的Arduino Uno开发板与计算机连接。然后，在Arduino IDE的菜单栏中，依次点击“工具（Tools）—开发板（Board）—Arduino AVR Boards”，在弹出的列表中选择“Arduino Uno”作为目标开发板型号。随后，依次点击“工具（Tools）—端口（Port）”，选择正确的COM（通信）端口［旁边通常会标注“（Arduino Uno）”］。若不确定具体端口号，可通过插拔USB连接线，观察端口列表变化来确定。

在成功烧录固件前，须确保所有依赖的程序库已经正确安装。本书实验固件main.ino的编译依赖SSD1306.h（OLED显示屏驱动）、Servo.h（舵机控制）、PinChangeInt.h（引脚中断处理）、MsTimer2.h（定时器中断处理）以及TinyProtocol.h（一种轻量级通信协议）等库文件。

其中，MsTimer2（需1.1.0版本）与TinyProtocol（需0.9.3版本）可通过Arduino IDE内置的库管理器安装，如图9-5～图9-7所示。

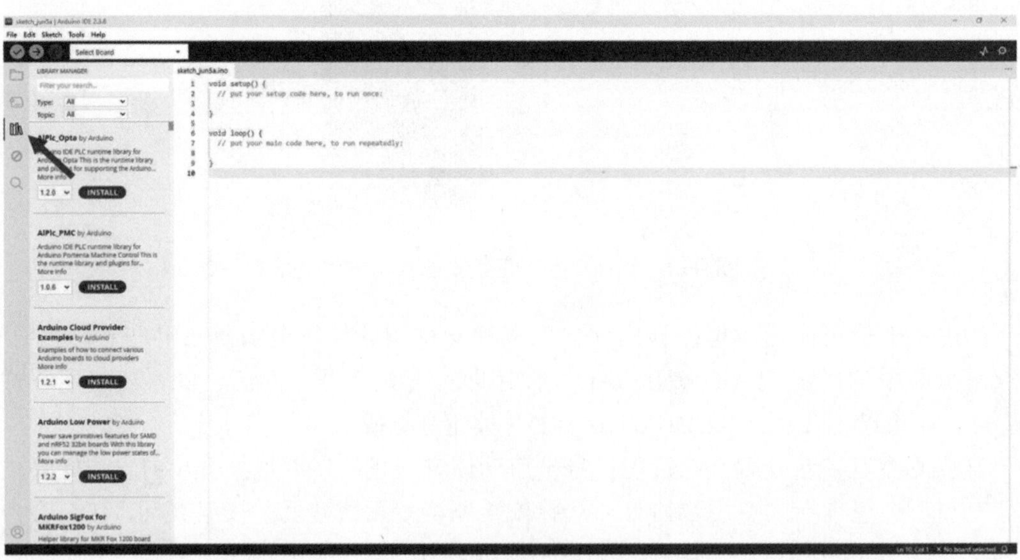

图9-5　在Arduino IDE中打开“工具—管理库”进入库管理器

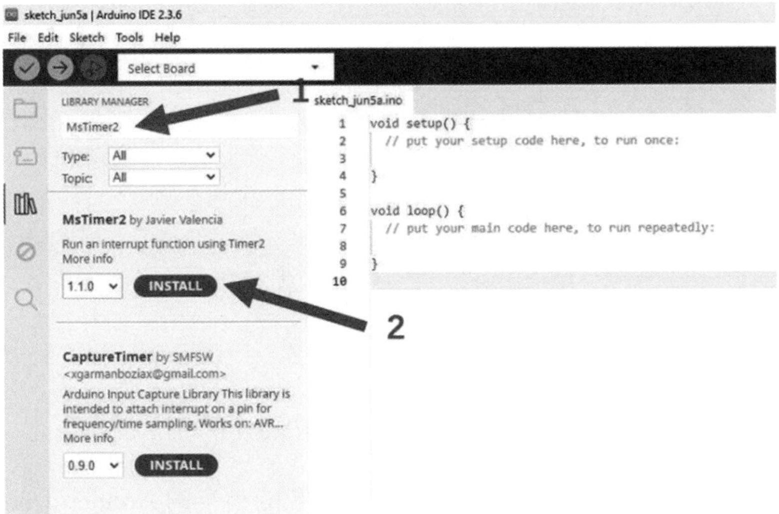

图 9-6　在库管理器搜索框输入“MsTimer2”，选择对应版本安装

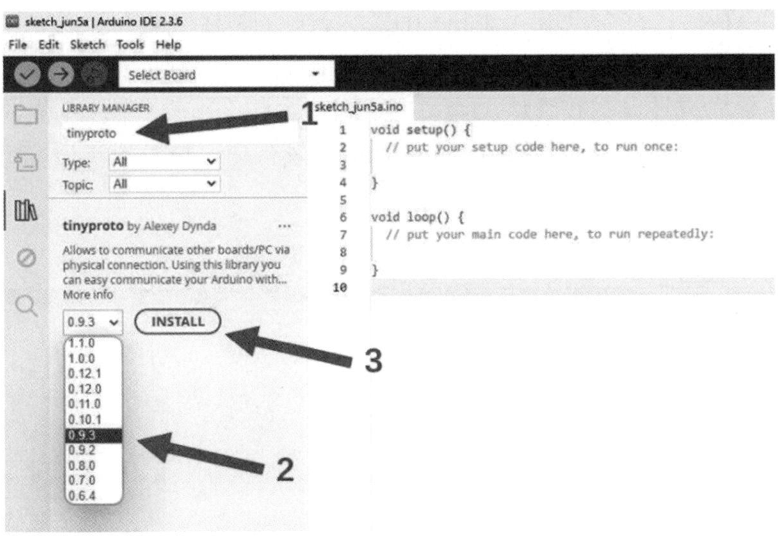

图 9-7　在库管理器搜索框输入“tinyproto”，选择对应版本安装

PinChangeInt 库需从其 GitHub 页面下载压缩包；SSD1306 库可以从本书项目专有的 GitHub 页面（https：//github.com/YueshuoSun/Firmware/tree/main/libraries/SSD1306）获取。

下载后的第三方库压缩文件，需解压至 Arduino IDE 的默认第三方库目录（Windows 系统下通常为 C：\Users< 用户名 >\Documents\Arduino\libraries）。若该目录不存在，可手动创建。将解压后的完整库文件夹（如 PinChangeInt 与 SSD1306）直接复制或移动至该 libraries 目录中。完成后建议重启 Arduino IDE，以确保其识别新添加的库。

接下来，打开 Arduino IDE，依次选择“文件（File）—打开（Open）”，打开待烧录的固件程序 main.ino（图 9-8）。

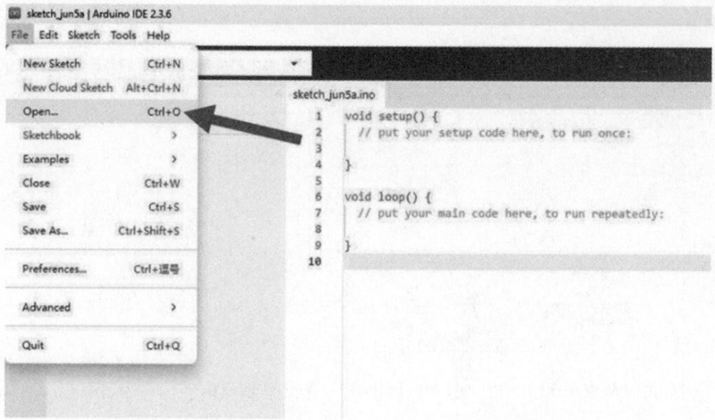

图 9-8　在 Arduino IDE 中打开待烧录的 main.ino 文件

在进行正式烧录操作前，应再次确认：轮式智能小车的 Arduino Uno 开发板已稳定连接至计算机；Arduino IDE 已正确选择开发板型号和对应的 COM 端口。此外，由于蓝牙模块与 Arduino Uno 的下载接口冲突，烧录固件前需拔下蓝牙模块，以避免烧录失败。

准备工作完成后，首先点击 Arduino IDE 左上角工具栏上的“验证”按钮（图 9-9），启动代码编译过程，检查程序是否存在语法错误或库缺失问题。若编译成功，则 IDE 底部会显示“编译完成”提示。确认无误后，点击“上传”按钮（图 9-9），将编译生成的二进制文件烧录至轮式智能小车的 Arduino Uno 开发板中，烧录成功后 IDE 底部会显示“上传完成”提示。

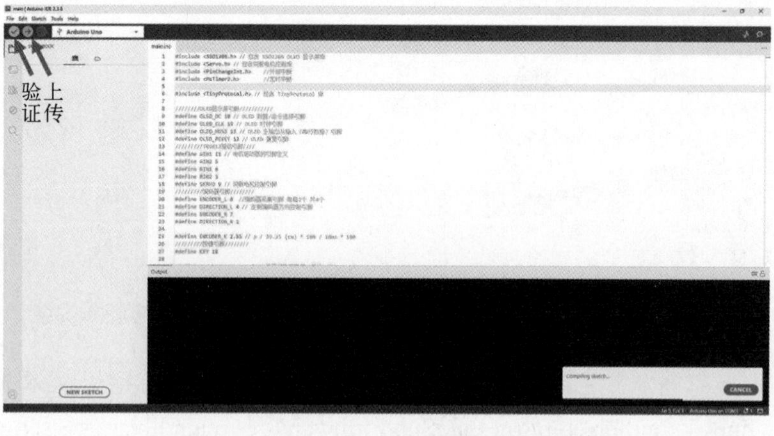

图 9-9　在 Arduino IDE 中依次点击验证和上传按钮进行固件烧录

至此，轮式智能小车的固件烧录完成，平台即可正常运行预定的控制程序，开展后续的协同轨迹规划实验。

9.2.3　轮式智能小车车载控制软件设计

轮式智能小车的软件控制系统采用事件驱动的软件架构，以确保车辆能够实时、高效地响应上位机发送的控制指令，并严格按照预定频率精确地执行运动控制任务。这种设计是轮式智能小车实现高精度轨迹跟踪与协同规划任务的重要基础。整个控制固件的软件体系主要围绕以下几个关键模块展开。

固件在系统上电或复位时首先执行一次初始化序列。该初始化过程主要包括硬件接口的初始化与配置，例如电机驱动、编码器信号捕获接口以及舵机控制接口引脚的设定。此外，系统还将初始化并启动 OLED 显示屏等外部设备，以便实时显示运行状态信息。在初始化过程中，中断系统的设置尤为重要：系统将设置一个周期为 10ms（频率为 100Hz）的定时中断，以确保核心的 PID 控制程序以固定的周期精确调用。同时，编码器信号捕获接口的引脚将绑定至外部中断，以便精确捕获轮速反馈所需的编码器脉冲信号。此外，串口通信接口也会在初始化阶段开启，为与上位机进行指令通信建立数据通道。

轮式智能小车的运动控制逻辑主要集中在由定时器中断周期性调用的核心控制例程内。该控制例程以 10ms（即频率为 100Hz）的恒定周期进行调用，每次调用均执行以 PID 反馈控制为核心的运动控制过程。这种精确且稳定的周期性执行方式对于 PID 控制算法性能的充分发挥起到了关键作用。

PID 闭环控制的具体实施过程首先从状态反馈开始。系统每进入一次 PID 控制周期，便会首先读取由外部中断服务程序累计获得的编码器脉冲数据信息，然后结合已知的采样时间间隔，精确计算出轮式智能小车左右两侧车轮当前的实时转速。这一实时转速数据即为 PID 控制算法所需的重要反馈输入，直接决定了控制器后续误差计算与修正的有效性。完成状态反馈数据更新后，控制例程会进一步更新系统的目标控制参数。这些目标控制参数由通信模块实时接收并解码自上位机所发送的指令数据流，从而动态调整系统的期望状态。这些目标控制参数将作为 PID 控制算法的设定值，为后续控制器提供清晰的运行目标与调节基准。在目标控制参数确定之后，控制例程将依据轮式智能小车所采用的阿克曼转向运动学模型，对系统设定的目标线速度与角速度进行运动学解算。具体而言，程序将全局的目标运动状态分解为左右车轮各自对应的目标转速，以便于独立进行精确控制。随后，增量式 PID 控制器将实时目标速度与前述反馈得到的实际车轮转速进行比较，计算出二者之间的误差，并根据此误差值动态调整电机驱动输出的力矩，以实现速度误差的实时补偿与校正。最后，在上述一系列计算完成后，PID 控制器输出的控制信号将以脉宽调制（PWM）的形式作用于电机驱动器，以精确控制电机转速。同时，转向舵机也将根据目标转向角度实时调整车轮的转向位置，至此完成一次完整的 PID 速度闭环控制迭代过程。

为了实现轮式智能小车与上位机之间的指令通信，固件程序设置了专门的通信模块，通过串口持续接收来自规划计算机发送的数据流。通信模块运行轻量级协议解析程序，从接收到的串行数据流中提取出有效的数据包，一旦解析成功，即刻更新全局目标运动参数。这些实时更新的数据将在下一次 PID 控制周期中作为目标输入，保证了智能小车对上位机指令的快速响应能力。此外，为便于开发人员实时监测车辆运行状态，固件还设置了专门的状态显示管理模块，通过车载 OLED 屏幕实时显示车辆关键运行数据，包括电池电压、左右车轮的目标速度与实时速度、电机 PWM 输出值等状态信息。

9.3 高精度室内定位系统

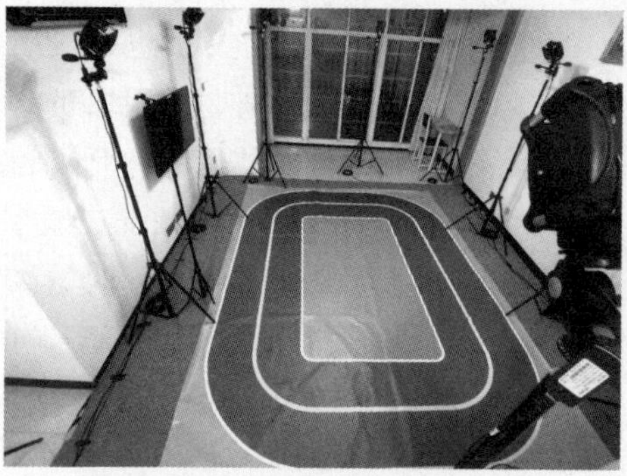

图 9-10 动捕系统实物图

为确保轮式智能小车在室内有限空间内获得实时、准确的位置与姿态信息，本书实验平台采用了由度量科技有限公司研发的光学三维动作捕捉系统（以下简称“动捕系统”），如图 9-10 所示。该系统通过在实验场地空间内部署多个高精度的红外动作捕捉镜头（红外相机），实时捕捉安装在目标物体（包括轮式智能小车和环境中的障碍物）表面的光学标记点，通过数据解算处理即可获得各目标物体实时的三维空间坐标及姿态信息。

9.3.1 动捕系统硬件连接与通信设置

动捕系统的硬件连接依赖于 POE 交换机。所有动捕镜头通过 RJ45 网线接入 POE 交换机，再通过以太网连接到定位计算机（Windows 主机），构成高速稳定的局域网通信链路。定位计算机需设置静态 IPv4 地址（例如动捕系统默认地址为 10.1.1.198，子网掩码 255.255.255.0）。为确保动捕数据的稳定可靠传输，本书采用的平台严格要求采用有线连接方式，避免无线通信可能带来的潜在数据丢包问题。

9.3.2 动捕镜头标定与坐标系对齐

为了确保动捕系统达到毫米级的精度，需对所有动捕镜头进行严格的基础标定。标定过程首先使用 L 形标定杆（图 9-11）确定坐标原点位置，在 Nokov XINGYING 软件中选择基础标定模式，并准确输入标定杆物理参数（如 450mm 臂长）。随后，通过软件切换至 2D 视图，手动框选或自动调整以屏蔽环境杂光干扰。

完成静态标定后，使用 T 形标定杆（图 9-12）进行动态标定。操作人员需持标定杆在捕捉空间内三维方向匀速挥动，覆盖整个实验区域，建议时长为 60 ～ 120s，以充分拟合镜头视场角和光学畸变参数，标定完成后自动生成 .cal 标定文件。

图 9-11 L 形标定杆实物图

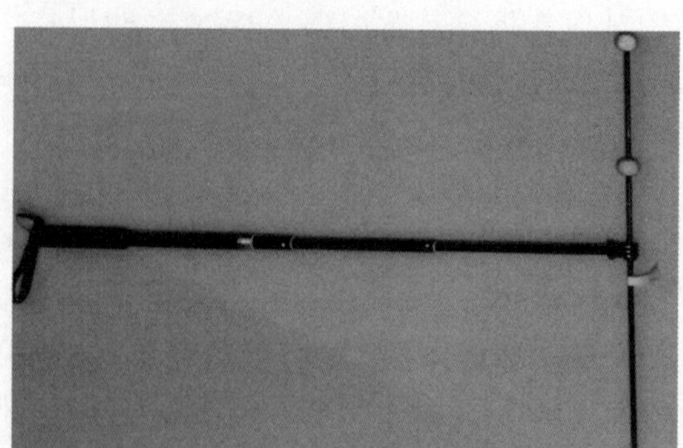

图 9-12 T 形标定杆实物图

9.3.3 光学标记点的安装

光学标记点的安装质量直接决定目标物姿态解算的精度和稳定性，因此需严格按照规范进行操作。标记点选用直径为 15mm 的球形高反射率逆反射材料标记点，以非对称方式布置于轮式智能小车顶部，其中至少一个点需位于车辆后轮轴中心位置，如图 9-13 所示。

为提高姿态解算鲁棒性，本书实验统一采用 5 个标记点。标记点使用低残留 3M 双面胶固定，确保稳固且不易移位，如图 9-14 所示。此外，若在环境背景光较强的场景中开展实验，建议在光学标记点上安装遮光罩，或为镜头配备专用的红外滤光片，以有效降低强烈环境光对动作捕捉系统的干扰。同时，需定期清洁光学标记点表面，防止因灰尘附着或表面划痕导致反射性能降低，从而确保数据采集的稳定性与精确性。

图 9-13 粘贴光学标记点后的小车拍摄图

图 9-14 使用 3M 双面胶安装的光学标记点

9.3.4 小车刚体模型的建立

为实现对轮式智能小车的精准定位与姿态估计，需在动捕软件中为每辆轮式智能小车建立刚体模型。车辆处于静止且所有标记点清晰可见的状态下，在 Nokov XINGYING 软件实时视图界面点击“冻结帧”按钮；随后使用鼠标框选所有车身上的标记点，点击右键后选择“Create Rig”创建刚体；命名格式推荐为“VehicleX”（例如 Vehicle0），以避免重复，确保车辆朝向与系统建立的 X 轴坐标方向保持平行。

9.3.5 动捕系统数据与规划计算机的通信

为确保动捕系统采集的高精度定位数据能够实时传输至运行协同轨迹规划算法的 Ubuntu 主机，本书实验平台采用基于 VRPN（virtual-reality peripheral network，虚拟现实外设网络）协议的通信方案，通过 ROS 实现数据中继与话题发布。具体操作为：首先在定位计算机上的 Nokov XINGYING 软件中开启“使用 VRPN”选项，确认单位设置为毫米（mm）。

随后在规划计算机上安装并配置 vrpn_client_ros 功能包，执行以下命令即可完成安装：

```
sudo apt-get install ros-noetic-vrpn-client-ros↵
```

为确保算法主机与动捕主机间通信顺畅，需将算法主机的静态 IP 地址设置为与动捕主机同一网段（例如 10.1.1.200），并通过 ping 命令确认网络联通状态。同时，建议关闭 Ubuntu 操作系统自带的防火墙以避免通信障碍：

```
sudo ufw disable↵
```

完成网络配置后，即可通过以下 ROS 启动命令开启 VRPN 客户端节点：

```
roslaunch vrpn_client_ros sample.launch server:=10.1.1.198↵
```

启动后，如终端界面出现“Connection established”及相关成功连接的提示信息，说明 VRPN 协议的数据链路已经成功建立。此时，通过 ROS 命令即可查看相关话题：

```
rostopic list↵
```

上述命令将列出当前 ROS 中发布的话题，其中包括动捕系统发布的位姿话题（如 /vrpn_client_node/Tracker0/pose）。如果进一步输入以下指令：

```
rostopic echo /vrpn_client_node/Tracker0/pose↵
```

那么终端即可实时显示来自动捕系统的位姿数据流（包括位置和姿态的四元数表示）。至此，高精度室内定位系统的数据链路已成功建立并准备就绪。

9.4 室内无线通信系统的配置

为实现轮式智能小车协同轨迹规划平台上位机与各车载嵌入式控制器之间高效、可靠的实时通信，本节将详细介绍无线通信系统的搭建过程。协同控制架构下，上位机负责算法计算和决策，产生运动指令数据流，下位机则根据接收到的指令实时控制各轮式智能小车的运动。通信系统的设计核心在于确保指令的实时传输和数据的可靠性，特别是在多车协同广播通信的场景下尤为重要。

9.4.1 无线通信模块选型与特性

实验所使用的轮式智能小车的底盘执行机构主要由直流有刷电机与转向舵机构成。上述两类执行器均依赖于脉冲宽度（脉宽）调制（PWM）信号实现精准控制。其中，电机转速通过 PWM 占空比的变化来线性调节电枢电压，舵机则依据 PWM 将前轮偏转角度精确地映射至目标位置。值得注意的是，规划计算机一般采用高性能 x86 架构工控机或笔记本电脑（如本书实验中使用的惠普暗影精灵 9 笔记本电脑），尽管具备较强的数值计算能力，但通常缺乏专门生成 PWM 信号的硬件外设接口，这与 Arduino、树莓派等嵌入式开发板形成鲜明对比。

为了克服这一硬件差异，本书实验平台搭建了一套上下位机协同控制的系统架构。上位机（规划计算机）主要负责协同算法的决策与运动指令的生成，通过 USB-TTL 串口转换（USB 转 TTL 电平）模块［图 9-15（a）］将指令数据流转换为标准串口信号发送；下位机则采用 Arduino Uno 嵌入式微控制器，通过无线串口模块接收指令，并将收到的串口数据实时解析为执行机构所需的 PWM 控制信号。为满足多台轮式智能小车同时接收同一控制指令的需求，本书实验平台选用了 CC2530 无线串口模块［图 9-15（b）］作为通信核心器件。

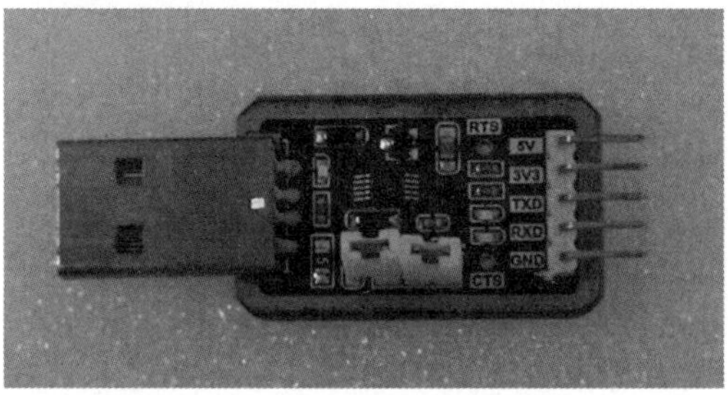

(a)

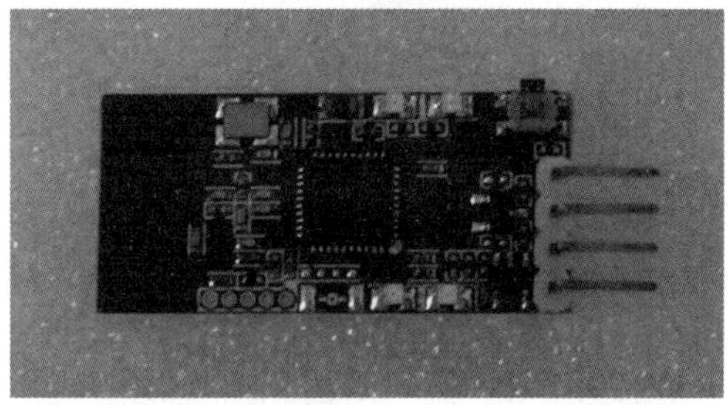
(b)

图 9-15　串口转换模块与无线串口模块实物图

CC2530 无线串口模块支持 2400 ～ 115200bit/s 的八个等级波特率。经过实验室的传输可靠性与实时性测试，室内无线通信系统将无线通信波特率统一设定为 57600bit/s，以获得数据传输速度与可靠性的最佳平衡。该模块支持广播通信模式，可确保规划计算机发送的数据包能被所有配置在同一信道的轮式智能小车无线模块同时接收。通信系统实施过程中，需确保所有车载 CC2530 无线串口模块的信道配置参数完全一致，以实现同步指令广播功能。

9.4.2　通信链路的配置与协议实现

当 USB-TTL 串口转换模块接入规划计算机时，Linux 系统内核会自动识别并在 /dev 目录下生成对应的串口设备文件（通常为 /dev/ttyUSB*）。使用以下命令可验证设备的接入状态：

```
ls -l /dev/ttyUSB*
```

输出信息示例如下所示：

```
crw-rw---- 1 root dialout 188, 0 6月 17 09:49 /dev/ttyUSB0
```

为使当前用户拥有串口设备的读写权限，需执行以下命令将用户加入系统的 dialout 用户组：

```
sudo usermod -aG dialout $USER
```

修改生效需重启计算机或注销重新登录。

底层数据通信采用通用异步接收发送设备（UART）协议，该协议仅负责串行数据字节流的传输，未规定具体的数据帧结构。因此，在实际应用中需额外构建一套应用层通信协议，确保数据通信的准确性、完整性和可靠性。本书实验平台采用了轻量级通信框架 TinyProtocol 作为应用层通信协议。TinyProtocol 协议具有以下优势：其数据帧结构自带 CRC（循环冗余校验）和超时重传机制，可有效保障工业场景下的数据通信可靠性；此外，该协议设计轻量简洁，非常适合资源受限的嵌入式设备；该协议提供了标准的数据封装和解封装 API（应用程序接口），显著降低了系统集成复杂度。

在规划计算机上，需要安装 TinyProtocol 通信协议支持库。本书实验项目已在 GitHub 仓库中提供了对应的软件包，可访问以下链接下载：https：//github.com/YueshuoSun/CollabPlanner/tree/experiment/third_party/tinyproto.zip。下载完成后，依次执行以下命令进行安装：

```
unzip tinyproto.zip
cd tinyproto-stable
make -j4
sudo make install DESTDIR=/usr/local
```

完成上述步骤后，规划计算机即可通过串口设备文件（如 /dev/ttyUSB0）发送基于 TinyProtocol 协议的数据包，经由 CC2530 无线串口模块广播至场地内的所有轮式智能小车，实现稳定高效的无线通信与指令传输链路。

第10章 智能网联汽车协同轨迹规划的闭环跟踪控制算法调试

10.1 基于纯跟踪的横向控制方法
10.2 基于 PID 的纵向控制方法

前述章节围绕智能网联汽车集群的协同轨迹规划及其软硬件部署进行了系统阐述。然而，规划器输出的名义轨迹并不能直接保证车辆在真实环境中按预期到达目标位姿。原因在于实际运行不可避免地受到建模误差、执行机构非线性与饱和、地面附着条件变化、传感与定位误差、时钟漂移与通信时延等扰动影响，使得实际轨迹与名义轨迹产生偏离。为抑制偏差累积并保持系统稳定，有必要在“感知 - 估计 - 控制”闭环中利用反馈纠偏。闭环跟踪控制的要点在于：以传感器与状态估计器给出的车辆当前位姿为输入，持续比较实际运动状态与参考轨迹之间的偏差信号，实时生成控制增量，从而使车辆状态渐近逼近并维持在参考轨迹附近。在缺乏有效反馈的情况下，偏差会因扰动和模型不完备而积累，进而诱发路径发散与稳定性风险。因此，闭环跟踪控制是协同轨迹规划在真实系统中落地的关键枢纽，其目标是在全工况下保障跟踪精度与系统鲁棒性。

轨迹跟踪本质上涉及转向与纵向速度的协同调节。若一体化处理，控制器需要应对耦合增益、参数整定与工况迁移的多重复杂性，不利于工程落地。工程实践中通常将问题分解为横向与纵向两个子任务：横向控制以几何偏差为核心，抑制轨迹侧向偏移与航向误差，使参考点（通常选取后轴中心或质心在模型中对应的代表点）沿路径几何形状行进；纵向控制以时间或弧长参照为核心，通过将当前位置投影到参考轨迹并比较该投影点的进度误差，调节目标速度与加减速度，使沿轨迹的推进符合既定的时间节拍。前者锚定几何一致性，后者锚定进度一致性，二者在闭环中协同工作，既降低整定难度，也提升跨工况的稳健性与可移植性。

本章依次给出横向与纵向控制的典型实现方案，说明其设计原理、参数整定思路与调试流程，并结合实车部署的传感、执行与通信约束给出可操作的调参指导思路。通过本章内容，读者可初步建立从轨迹规划到跟踪控制的知识体系，以支撑协同轨迹规划在真实平台上平稳运行。

10.1 基于纯跟踪的横向控制方法

横向控制的目标是在车辆行驶过程中尽可能抑制其相对于规划轨迹的几何偏差，使参考点所经过的路径与规划轨迹保持一致，同时在转向控制上保持平稳。本节选择纯跟踪控制器（pure pursuit controller）作为横向控制的实现方案。该方法基于自行车模型的几何原理，具有结构简洁、参数少、可解释性强等特点，因而在各类自主无人系统平台中得到广泛应用。

10.1.1 横向控制任务解析

横向控制的核心问题是在给定参考轨迹与车辆当前位姿的条件下，实时计算可执行的转向指令，使车辆平稳跟随参考轨迹在二维平面上呈现出的那条几何路径。其目标在于逐步减小并抑制横向位置偏差与航向角偏差，避免轨迹追踪发散，同时限制车轮进行不必要的高频转向，保证控制的平顺性与可实现性。

该任务的输入包括规划得到的参考轨迹（规划轨迹）以及车身控制点（通常选取车辆后轴中心）的当前位姿。如图 10-1 所示，误差的度量方式通常采用最近点投影：将车身控制点正交投影到参考轨迹上，得到该投影点及其切线方向，据此，横向位置误差（偏差）可定义为车身控制点到轨迹的有符号法向距离；航向角误差则定义为车辆实际航向与轨迹切线方向之间的夹角。输出为能够下发到执行机构的转向命令，一般表现为前轮转角。

由此可见，横向控制任务的本质是构建从误差度量到转向命令的映射关系。已有方法可分为三类：基于几何关系的控制、基于状态反馈的控制以及基于优化的控制。考虑到本书实验平台的速度范围、实时性要求及实现复杂度，本章选用几何型的纯跟踪方法（即基于几何关系的控制）作为横向控制器。需要说明的是，横向位置误差与航向角误差的定义独立于具体算法，而纯跟踪控制器则利用低速、小转角条件下“车辆后轴中心近似沿圆弧运动”的几何假设，将“逐步消除横向位置误差与航向角误差”的任务转化为“使得局部圆弧轨迹通过参考轨迹上的预瞄目标点”的任务，其关键参数为预瞄距离。10.1.2 小节与 10.1.3 小节将基于这一假设推导转向角的计算公式，并讨论参数标定方法与适用条件。

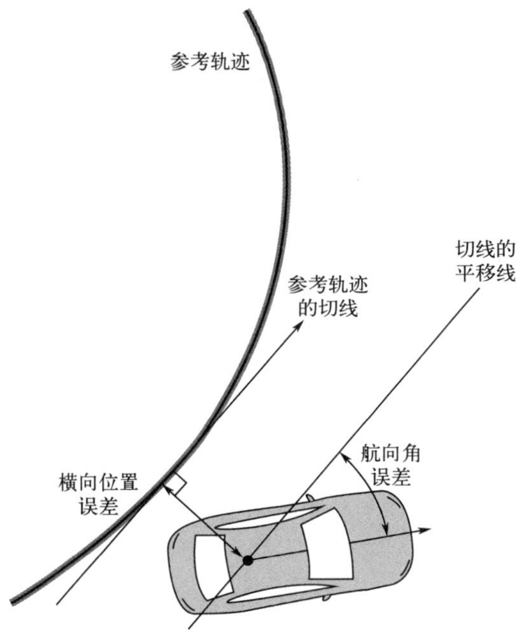

图 10-1　横向控制任务与横向位置误差及航向角误差示意图

10.1.2　纯跟踪控制器基本原理

在车辆运动学建模中，若前轮转角保持恒定一段时间，则车辆后轴中心点的移动轨迹是平面上的一段完美圆弧。纯跟踪控制器正是利用这一几何特性实现横向轨迹跟随的方法。该方法假定车辆的行驶路径可以通过一系列局部圆弧进行逼近，因此在低速和中等转角范围内能够较好地反映车辆的实际运动规律。

在二维单轨自行车模型下，车辆前轮转角 δ 与转弯半径 R 之间满足如下关系：

$$\tan\delta = L_W / R \tag{10-1}$$

其中，L_W 表示车辆的轴距。

纯跟踪控制器的基本思路是：在参考轨迹上，从车辆后轴中心点沿前进方向选取一个距离为 L_{fc} 的点作为预瞄目标点，并构造车辆当前位置与该目标点之间的几何关系。具体而言，将车辆位置至目标点的连线视作局部圆弧的弦，根据几何约束即可推导得到前轮理想转角：

$$\delta = \arctan\frac{2L_W\sin\alpha}{L_{fc}} \tag{10-2}$$

其中，α 表示车辆当前航向与车辆后轴中心 - 目标点连线之间的夹角（见图 10-2）。式（10-2）清晰揭示了转角计算依赖于车辆几何参数、预瞄距离以及几何偏差角度的关系。

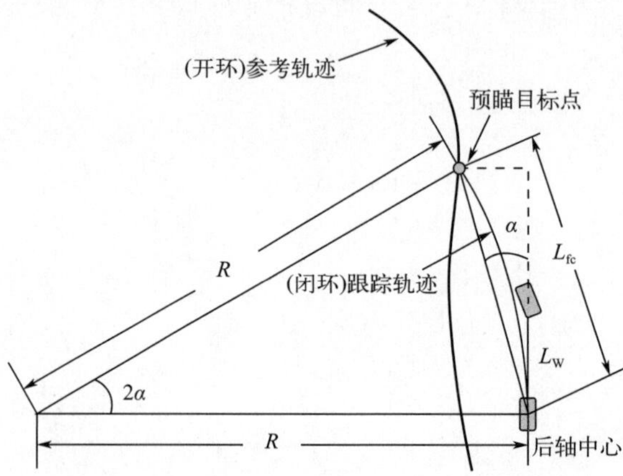

图 10-2　纯跟踪控制算法中的几何关系原理图

预瞄距离 L_{fc} 是影响控制性能的关键超参数。当 L_{fc} 取值过小，车辆能够快速修正轨迹偏差，但易出现频繁和过度转向，导致控制不稳定；当 L_{fc} 取值过大，车辆运行更为平稳，但跟踪精度下降。为在稳定性与精度之间取得平衡，通常将 L_{fc} 设置为随车速变化的函数：

$$L_{fc} = kv \tag{10-3}$$

其中，v 为车辆纵向速度；k 为经验比例系数。比例系数需通过实车实验或仿真标定，以在不同速度工况下兼顾轨迹跟踪精度与运行稳定性，该参数的标定方法将在下一小节进一步介绍。

10.1.3　纯跟踪控制器参数标定方法

纯跟踪控制器的性能主要依赖于预瞄距离 L_{fc} 的设定方式，其中关键参数是式（10-3）提到的经验比例系数 k。为了获得适用于实际车辆平台的定制化最优取值，需要通过系统化的实验测试与参数优化方法加以标定。

在标定实验设计上，应构建能够覆盖多种典型工况的测试场景。由于实际路径曲率往往不恒定，单一圆弧不足以全面反映控制性能，因此建议测试场景至少包含三类路段：

① S 形道路，用于检验在连续变曲率条件下的过渡响应；

② 恒曲率圆弧，用于评估稳态跟踪精度以及是否存在系统性内切或外切偏差；

③ 直线 - 圆弧拼接道路，用于考察入弯响应的动态特性。

在实验过程中，可选择具有代表性的室内小车行驶速度，例如 0.05m/s、0.10m/s 和 0.15m/s，并在各速度下进行多组匀速测试。测试时需同步采集车辆的横向位置误差、航向角误差以及前轮转角随时间的变化曲线。采样频率应至少为控制频率的 3 倍，以避免欠采样对误差度量产生影响。

在参数优化过程中，需要在轨迹跟踪精度与转向平顺性之间进行折中。前者可通过横向误差的均方根值（即均方根误差，root mean square error，RMSE）衡量，RMSE 越小则表明车辆实际路径与参考轨迹越吻合；后者可通过前轮转角变化率进行评价，变化越平缓则说明控制越顺畅，车辆运动越稳定。

考虑到车辆动力学的非线性特征，预瞄距离参数 L_{fc} 应随速度动态调整。在低速条件下，适当减小预瞄距离可提高车辆在急弯或复杂路径下的响应灵敏性与跟踪精度；在相对较高的速度下，则应适当增大预瞄距离，以避免因预瞄目标点过近而导致的频繁转向，从而产生振荡风险。此外，当路面附着条件发生变化时，还应结合车辆实时测量的纵向加速度信息，对预瞄距离进行前馈补偿，以提高控制的鲁棒性与环境适应性。

通过上述测试与优化过程获得的最优预瞄参数，可整理为表格形式，表格变量包括车辆速度、路径曲率以及路面附着条件。在实际运行中，通过插值方法对参数表进行平滑过渡，可保证在多种工况下均能获得兼顾跟踪精度与稳定性的预瞄距离设置。

10.2 基于 PID 的纵向控制方法

纵向控制的核心在于调节车辆沿参考轨迹切向的运动，使其在给定时刻能够到达轨迹上的相应位置并保持匹配的速度。这一任务与横向控制侧重的几何对齐相互补充，共同保证车辆在空间和时间两个维度上对参考轨迹的有效跟随。在纵向控制的实际应用中，比例 - 积分 - 微分（proportional-integral-derivative，PID）控制器是最为普遍的策略。该方法起源于 20 世纪早期，因其结构简洁、机理直观以及整定经验丰富而被广泛应用于工业控制系统。本节介绍基于 PID 控制器的车辆纵向控制方法。

10.2.1 纵向控制任务解析

纵向控制任务是在给定参考轨迹的条件下，实时计算可执行的驱动与制动指令，使车辆沿轨迹切向的推进与参考轨迹保持一致。与横向控制侧重几何对齐相对应，纵向控制强调时间进度与速度匹配，目标是在每个采样时刻将纵向位置误差与纵向速度误差的幅值压缩至零，同时满足执行器的幅值与变化率约束，避免不必要的加减速振荡。

参考轨迹上的各个路径点携带着时间戳信息，即在每一时刻给出参考轨迹上的期望位置、相应的切线方向以及参考速度。为了在几何上与轨迹对齐并消除横向误差对纵向误差估计的干扰，需要在每个采样时刻将车身控制点正交投影到参考轨迹上，得到投影点及其切线方向。该投影点用于度量纵向位置误差，切线方向用于度量纵向速度误差，以下进行详细阐述。

纵向位置误差定义为沿轨迹的弧长差。具体做法是比较当前时刻的两个量：其一是当前时刻车辆本应处于参考轨迹上的点位，现称其为参考点位；其二是车身控制点在参考轨迹上的投影点。沿参考轨迹从投影点到参考点位的有符号弧长即为纵向位置误差（图 10-3）。该误差如果为正表示车辆相对落后，为负表示车辆相对超前。采用弧长而非直线距离可以保证量纲与物理含义的一致性，并避免因参考轨迹曲率变化带来的度量偏差。

纵向速度误差以轨迹切线方向为基准进行度量。现将参考速度定义为参考点处的速度标量，将车辆实际速度（实际车速）在投影点处沿轨迹切线方向的分量定义为实际切向速度（车速），如图 10-4 所示，只有实际切向速度的这一分量才代表车辆沿着参考轨迹推进的快慢程度。纵向速度误差定义为参考速度减去实际切向速度后，再加上修正纵向位置误差时生成的补偿量（下一小节详细介绍）。

纵向控制的输入因此包含两类信息：其一是参考轨迹，需在时间与空间上保持连续可导，以避免仅在离散点定义造成的突变，工程上通常通过对相邻参考点进行插值与平滑来实现；其二是车辆的实时状态，至少包括控制点的空间位置、车身航向与当前速度，用于计算投影点、切线方向。

纵向控制的输出是可下发到执行器的驱动与制动命令，工程中常以期望纵向加速度或期望速度对应的电机 PWM 占空比形式表达。输出必须满足幅值与变化率限制，并与下层执行机构的动态特性相匹配，必要时采取防饱和与防积分漂移措施，避免在频繁制动或低附着场景下出现振荡与打滑。

下一小节将依据纵向位置误差与纵向速度误差给出从误差到控制量的映射。

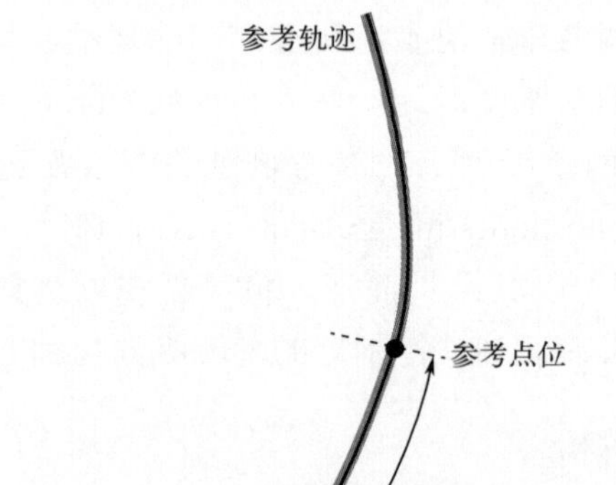

图 10-3　纵向位置误差示意图

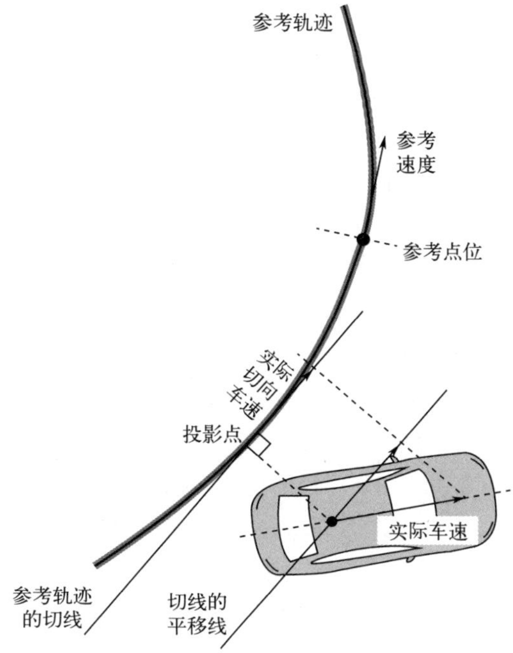

图 10-4　纵向速度误差示意图

10.2.2　PID 控制器基本原理

PID 控制器由比例、积分、微分三项组成，比例项对误差产生线性响应，决定上升速度与灵敏度；积分项对误差随时间累积，消除稳态偏差，但过强易导致超调与振荡；微分项对误差变化率做出响应，抑制超调、提升相位裕度，但对噪声敏感。PID 控制器分为连续域 PID 及离散域 PID，连续域 PID 控制律可定义为

$$u[e(t)] = K_{\mathrm{p}}e(t) + K_{\mathrm{i}}\int e(t) + K_{\mathrm{d}}\frac{\mathrm{d}e(t)}{\mathrm{d}t} \tag{10-4}$$

其中，$e(t)$ 为输入控制器的误差量；$u[e(t)]$ 为控制器输出的控制量；K_{p}、K_{i} 及 K_{d} 为相应各项的系数。

在数字控制系统中通常采用离散域 PID（以下简称离散 PID）模式。离散 PID 常见的两种实现形态为位置式与增量式。位置式直接输出绝对控制量：

$$u_k = K_{\mathrm{p}}e_k + K_{\mathrm{i}}\sum_{i=0}^{k}e_iT_{\mathrm{s}} + K_{\mathrm{d}}\frac{e_k - e_{k-1}}{T_{\mathrm{s}}} \tag{10-5}$$

其中，T_{s} 为采样周期。

增量式则计算相邻采样时刻之间的控制信号相对增量，即

$$u_k = u_{k-1} + K_{\mathrm{p}}(e_k - e_{k-1}) + K_{\mathrm{i}}e_kT_{\mathrm{s}} + K_{\mathrm{d}}\frac{e_k - 2e_{k-1} + e_{k-2}}{T_{\mathrm{s}}} \tag{10-6}$$

位置式离散 PID 的实现直观，但在执行器饱和时容易出现积分累加不止的问题；增量式离散 PID 在存在限幅与饱和时更稳健，便于在线整定与抗饱和处理。结合纵向控制输出需要经过速度 / 电机链路限幅的特点，建议采用增量式离散 PID，并通过积分分离

或回算抗饱和避免积分累积过度。

纵向控制采用如图 10-5 所示的串级控制结构：外环为位置环，对齐沿轨迹的推进进度，生成速度补偿（修正）量；内环为速度环，将纵向速度误差定义为参考点速度减去实际切向速度后再加上外环输出的速度补偿量，随后使用纵向速度误差实施速度 PID 控制，输出期望加速度，最后将其经过非线性映射转化为车辆底盘可接收的电机占空比 PWM 信号。

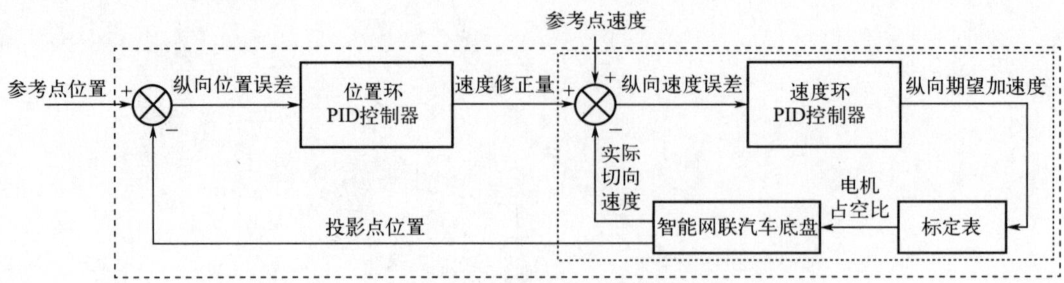

图 10-5　纵向控制信号流动框图

外层位置环依据参考轨迹与车身控制点在其上的正交投影点定义纵向位置误差。具体做法是在当前采样时刻，取车辆此刻本应处于参考轨迹上的点位作为参考点位，与车身控制点对应的投影点进行比较，沿参考轨迹测量二者之间的有符号弧长差，并将其记为纵向位置误差 e_s。约定沿参考轨迹的前进方向为正，$e_s > 0$ 表示车辆相对于参考点位处于相对落后状态，反之 $e_s < 0$ 代表相对超前。位置环输出为速度修正量 v_{cmp}，推荐使用增量式 PI 更新并结合限幅与抗饱和：

$$\begin{aligned}\Delta v_{cmp}[k] &= K_p^{(s)}\left(e_s[k]-e_s[k-1]\right)+K_i^{(s)}T_s e_s[k]\\ v_{cmp}[k] &= \mathrm{sat}\left(v_{cmp}[k-1]+\Delta v_{cmp}[k]\right)\end{aligned} \tag{10-7}$$

其中，$[k]$ 表示第 k 个采样时刻的离散量；$\Delta v_{cmp}[k]$ 为相邻两个采样周期之间的速度修正增量；T_s 为采样周期；$K_p^{(s)}$、$K_i^{(s)}$ 分别为纵向位置环的比例和积分增益，上标 (s) 用于表明该参数沿轨迹弧长方向，以区别于其他控制环的参数；算子 $\mathrm{sat}(\cdot)$ 表示按照车辆允许的速度范围对 v_{cmp} 进行限幅。为抑制积分饱和，可采用积分分离或回算式抗饱和策略，使积分项只在控制量未饱和或按回算误差信号时累积。

内环实施速度闭环反馈，其输入的纵向控制误差 e_v 可定义为参考点速度（定义为 v_{ref}）与实际切向速度（定义为 v_{log}）之差再加上经外环生成的修正量 v_{cmp}：

$$e_v[k]=\left(v_{ref}[k]-v_{log}[k]\right)+v_{cmp}[k] \tag{10-8}$$

需说明的是，这里的加减均为代数值的加减，而不是矢量合成。

结合工程实践的经验，速度环建议采用离散 PI 控制，比例项主导响应速度，积分项用于消除滚阻、坡度等导致的稳态偏差；微分项在速度环中一般不使用，以避免放大速度测量噪声。速度环输出为期望加速度，具体计算过程类似于式（10-7），在此不予赘述。得到期望加速度后，需要利用离线准备好的标定表进行非线性映射，从而将期望加速度转化为车辆底盘执行器可直接响应的驱动指令（如电机 PWM 占空比或力矩指令），下发这些底层信号之前同样需要幅值与变化率限幅。

10.2.3 PID 控制器参数标定方法

标定遵循先内后外的顺序。首先只闭合速度环、断开位置环，使速度环在执行器限幅与采样周期约束下能够对目标切向速度实现快速、平稳、无稳态偏差的跟踪；随后在已整定好的速度环之上闭合位置环，使其依据纵向位置误差生成合理的速度修正量，并在全工况下保持稳定的动态响应。

速度环标定以目标切向速度的阶跃或缓变指令为输入，反馈采用编码器测得的实际切向速度。所有速度量均按轨迹切线方向取分量。整定时先仅用比例作用，从较小增益起步逐步提高，观察上升过程、超调与噪声放大情况，力求在可接受的超调下获得尽可能短的调节时间；若存在由滚阻、坡度或驱动死区引起的残余偏差，再引入较弱积分以消除稳态误差。执行器接近限幅时启用抗积分饱和，在饱和区暂停积分或采用回算方式约束积分状态，避免解除饱和后出现反向冲击。速度测量可做轻量低通滤波以抑制高频噪声，但滤波时滞不得削弱闭环的相位裕度。离散实现宜采用增量式 PI，便于配合幅值与变化率限幅，并利于在线微调。室内小车可在 0.05m/s、0.10m/s、0.15m/s 等代表性速度下进行多组测试，确认速度环在这些水平上均能稳定、快速收敛。

在速度环固定后，闭合位置环。位置环以纵向位置误差生成速度修正量，并对其幅值与变化率实施限幅，必要时对加速度变化率设置约束，避免对速度环提出不可实现的请求。整定时先仅用比例作用，在包含直线、恒曲率圆弧与 S 形过渡的轨迹上，以及多种参考速度标定下反复试验，观察纵向位置误差能否在合理时间内进入并保持在允许带内，同时检查速度修正量是否频繁触及限幅；若仍有微小稳态偏差，可加入较弱积分，并在低速跟停或到站前清空积分，防止拖拽与停不稳。

速度环输出通常先形成期望加速度，再通过离线标定表或函数映射为执行器指令，如电机占空比或力矩指令。标定应覆盖常用速度与负载区间，保证映射单调、含死区补偿且与限幅策略一致。位置环输出与参考速度相叠加后构成速度环的目标切向速度，叠加与限幅顺序在实现中需保持一致，以免引入不必要的动态畸变。

完成整定后，应在不同速度、不同曲率和不同附着条件下进行复核，记录纵向位置误差的均方根值、峰值超调与收敛时间等指标，并将增益与限幅参数整理为随速度或工况变化的表格形式，运行中采用插值以实现平滑过渡。经此流程，位置环决定推进节奏，速度环保证指令可实现且实现得稳定，二者配合即可在室内小车平台上实现对时间标定的准确跟随与对执行约束的可靠满足。

第11章

智能网联汽车协同轨迹规划实车实验与关键代码解析

11.1 协同轨迹规划实车实验任务与操作流程
11.2 实车实验代码环境部署与运行
11.3 实车实验软件系统及关键代码解析

本章将介绍第 7 章所提出的协同轨迹规划理论算法的实车实验具体实施步骤，并对相关关键程序代码进行解析。通过实车实验与代码讲解相结合的方式，本章旨在进一步强化读者对前述算法及技术细节的理解，并有效指导读者实现多车协同轨迹规划系统的实际部署。

11.1 协同轨迹规划实车实验任务与操作流程

多车协同轨迹规划实验的目标是验证与演示多辆轮式智能小车在室内有限空间内的协同轨迹规划与跟踪控制能力。具体而言，通过掷骰子的方式随机获得一个字符，轮式智能小车编队将从当前所在位置自动调整其布局，重新组织成骰子所示的字符形状。初始状态下，车辆已在场地内预先摆放为某个字符形状。当实验操作者掷出骰子后，在终端中输入骰子所示的字符并按下回车键，系统即会自动触发协同轨迹规划算法。算法运行后，将为各辆智能小车规划出无碰撞的协同运动轨迹，并通过无线通信系统下发执行指令。小车收到指令后，将按照规划轨迹自主移动，最终抵达预定位置并准确形成指定的字符。

在该实验过程中，可随时对当前的小车编队进行干扰或位置调整，例如人工移动某辆小车至其他位置，以进一步验证系统实时规划与动态重新布局的可靠性。当一次字符布局任务完成后，程序将保持激活状态，持续等待下一个字符输入。操作者可再次掷骰子并输入新的字符，系统将自动以当前布局为初始状态，实时规划并执行新的协同轨迹任务。通过这种连续不断的随机布局任务实验，能够全面考验并验证本书提出的算法在实际运行条件下的稳定性、鲁棒性与可靠性。

由于实验场地空间有限且智能小车数量相对较少，本章实验采用单一字符布局，而非更复杂的字符串或图案。尽管如此，该实验设计已充分涵盖了多车协同运动规划与实时路径优化所涉及的核心挑战和技术要点，足以全面展示系统的协同控制能力和技术优势。

11.2 实车实验代码环境部署与运行

在完成第 8 章中多车协同轨迹规划仿真程序的编译与执行基础上，本节将进一步详细介绍实车实验程序代码的获取、编译及运行流程。本书所涉及的实车实验程序均已托管于 GitHub，代码库的实验分支可访问以下链接：https：//github.com/YueshuoSun/CollabPlanner/tree/experiment。

首先需要创建 ROS 标准的工作空间，用于存放实验代码及其相关依赖。打开终端后，依次输入以下命令，创建工作空间并进入其源代码目录：

```
mkdir -p exp_ws/src
cd exp_ws/src
```

接下来，从 GitHub 代码仓库克隆整个 CollabPlanner 项目，并切换到专用于实车实验的 experiment 分支，以确保获取最新且稳定的实验代码版本：

```
git clone https://github.com/YueshuoSun/CollabPlanner.git
cd CollabPlanner
```

```
git checkout experiment
```

完成上述操作后，所有必需的源代码文件均位于 exp_ws/src/CollabPlanner 目录下。

为确保程序运行时所需 Python 库的完整性，需要安装 Python 环境的包管理工具 pip 及相应的依赖包（如 scipy）。执行以下命令完成安装：

```
sudo apt install python3-pip
pip3 install -i https://pypi.mirrors.ustc.edu.cn/simple scipy
```

安装完成后，务必确认终端当前工作目录已切换回工作空间根目录 exp_ws，然后通过以下指令完成 ROS 工作空间的代码编译过程：

```
cd ~/exp_ws
catkin_make -DWITH_HSL=ON
```

特别需要注意的是，与此前仿真环境不同，本次实车实验使用的启动文件为 exp.launch。为此，在终端执行以下指令即可启动协同轨迹规划节点及其相关功能节点：

```
roslaunch collab_planner exp.launch
```

与此同时，另起一个终端并启动键盘输入节点，该节点负责接收用户输入的字符信息以触发相应的轨迹规划过程。启动命令为：

```
rosrun collab_planner keyboard_input
```

至此，若所有轮式智能小车均已开机并建立起无线通信连接，即可正式开始实验流程。实验人员随机掷骰子获得一个字符后，在键盘输入节点所运行的终端内输入该字符并按下回车键。此时，协同轨迹规划算法将自动启动，生成各车所需遵循的轨迹信息，并将控制指令经无线通信模块发送至各轮式智能小车。随后，小车便会依照规划轨迹有序运动至各自目标位置，组成对应于输入字符的形状。

如图 11-1 所示，在实验初始阶段，8 辆轮式智能小车排列构成字符 S，经过掷骰子并在终端输入字符 U 后，小车群便自主调整位置并重新排列成字符 U，验证了算法的有效性与鲁棒性。

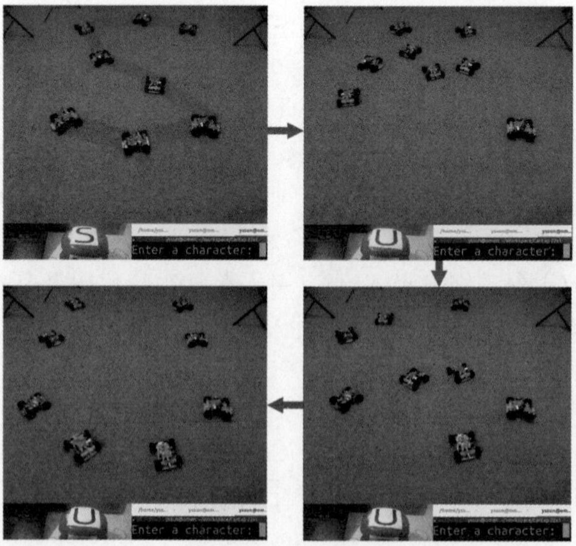

图 11-1　轮式智能小车队形切换演示效果

11.3 实车实验软件系统及关键代码解析

在前两节中，已经明确了骰子随机字符重排实验的整体任务和操作流程，并完成了所有代码与依赖的部署工作。接下来，本节将以写实而不失理论深度的笔触，对支撑整场实车实验运行的软件系统展开由外及内、由浅入深的系统化阐释。考虑到不少读者在阅读开源项目源码时常常遇到“看得见代码，却摸不着门道”的窘境，以下内容将尤其注重解释的连贯性与可操作性：不仅说明“这段代码做了什么”，更进一步阐释“为什么必须这样写”“如果改写会出现怎样的连锁反应”“在移植到其他硬件或网络环境时该注意哪些隐性依赖”。希望读者在阅读完毕后，既能以“拿来即用”的姿态复现实验，更能“触类旁通”地将这些经验迁移到其他协同机器人系统中。

11.3.1 系统整体软件架构

本节系统基于 ROS 发布 - 订阅通信机制，采用感知、决策、执行三层解耦思想。感知层负责将光学动捕系统输出的原始数据转换为世界坐标系下的车辆位姿与障碍物信息；决策层根据键盘输入的字符，结合实时位姿规划无碰撞协同轨迹；执行层根据规划轨迹计算底盘指令，并通过自定义串口协议驱动车辆。三层之间通过标准话题连接，接口语义保持稳定是保证模块可独立演化的关键。

图 11-2 给出了基于 ROS 的多车协同轨迹规划与控制系统的节点通信架构。VRPN 节点从外部动捕系统接收原始位姿数据，并以动捕信息形式发送给定位节点。定位节点在此基础上进行坐标变换等处理，对外发布两类话题：一类是面向执行层控制节点的 /object，广播各车辆当前位姿和障碍物信息，消息字段保持紧凑以降低带宽占用；另一

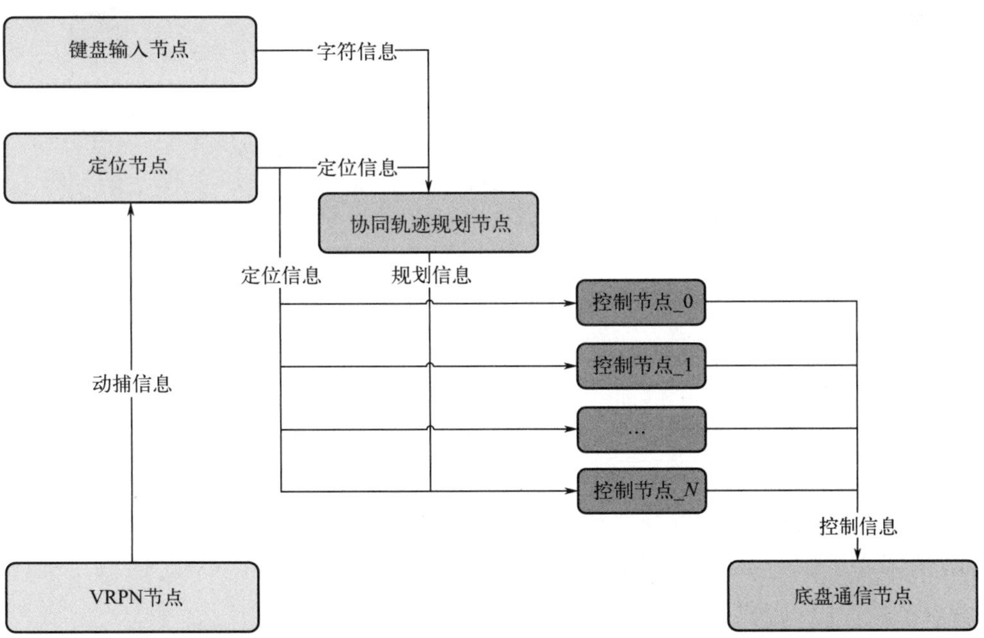

图 11-2　基于 ROS 的多车协同轨迹规划与控制系统节点通信架构

类是面向协同轨迹规划节点的 /nokov_info，包含场景全局状态，为决策层提供完整环境信息。键盘输入节点通过调用协同轨迹规划节点提供的字符设置服务，将当前需要摆出的字符信息发送给协同轨迹规划节点。协同轨迹规划节点负责求解多车协同轨迹，并将规划结果通过 /traj 话题下发给各控制节点；各控制节点同时订阅 /traj 与 /object，执行轨迹跟踪控制算法，并向底盘通信节点发布 /chassis 指令。底盘通信节点将 /chassis 指令经串口总线转发到底层车载控制板。该通信拓扑在本章的八车规模下经验证能够满足实时性要求。

11.3.2 定位节点程序解析

定位节点源码位于 https://github.com/YueshuoSun/CollabPlanner/blob/experiment/nokov_localization/script/nokov_localization.py。

（1）程序入口与定时调度

入口函数如原始代码 250 ～ 256 行所示：

```
250.if __name__ == '__main__':
251.    rospy.init_node( 'nokov_localization')
252.    ns = '/vrpn_client_node'
253.    time.sleep(2)
254.    loc = Localization(ns)
255.    timer = rospy.Timer(rospy.Duration.from_sec(1.0/60.0), lambda msg: loc.spin_once())
256.    rospy.spin()
```

在解释第 250 ～ 256 行之前，先给出必要的基础背景，便于没有 Python 与 ROS 经验的读者顺利理解后续内容。Python 是一种解释型的脚本语言，源代码在运行时由解释器逐行执行，无需单独的编译步骤。Python 使用缩进而不是花括号表示代码块层级，缩进宽度必须一致；同一层级的语句保持相同缩进即可。一个 Python 程序通常由若干模块组成，每个 .py 文件即为一个模块。模块既可以被“直接运行”，也可以被其他模块 import 后复用。这一区分由特殊变量 __name__ 标识：主程序运行时该变量为 '__main__'，作为被导入模块使用时则为模块名。函数通过以下形式定义，并且函数体是缩进的语句块：

```
def 函数名(参数列表):
函数体
```

ROS 可以看作一个面向机器人系统的消息中间件，核心抽象包括“节点”“话题”“消息”“服务”等。节点是运行中的进程，节点之间通过“话题”发布与订阅“消息”实现解耦通信；消息是有固定字段与类型的结构化数据。系统中还存在一个管理者 ROS Master，用于登记节点与话题信息并“撮合”发布者与订阅者建立直连通道。命名是 ROS 的基本机制之一：同名话题才可能建立连接；命名空间用于对话题与节点进行分组管理，路径以 / 分隔。

程序的执行入口由第250行的条件语句控制。Python 在加载模块时会为其绑定名称，只有当文件作为主程序直接运行时，特殊变量 __name__ 的值才为 '__main__'。因此，

if __name__ == '__main__'：之后的代码仅在“直接运行”场景下被执行，在被其他模块导入时不会触发。这一惯例避免了导入阶段产生副作用，同时方便将类与函数用于单元测试或复用到其他脚本。如果省略这一入口保护，那么单元测试或其他脚本 import 本模块时会不受控制地创建节点与线程，常见后果包括多次注册相同话题，甚至互相把对方“踢下线”，导致问题间歇出现、极难复现和定位。

第 251 行通过 rospy.init_node（'nokov_localization'）初始化 ROS Python 节点。节点初始化必须早于任何 Publisher（发布者）、Subscriber（订阅者）或 Timer（定时器）的创建，因为此时进程需要向 ROS Master 注册并建立通信，同时配置日志系统、参数服务器访问以及默认的信号处理（例如 Ctrl+C 触发的 SIGINT）。这里的 'nokov_localization ' 是默认节点名，在部署时可以通过重映射 __name：=…指定新名称。其中，…用自定义的具体名称替代，或设置 anonymous=True 在名称后追加随机后缀，以避免多实例并行时的重名冲突。

第 252 行将 ns 设为 '/vrpn_client_node '，用于固定 VRPN 客户端相关话题的命名空间。ROS 的名称解析区分全局名、相对名与私有名：以斜杠开头的名称（如 /vrpn_client_node/…）是全局路径，不受当前节点命名空间影响；不以斜杠开头的相对名相对于节点命名空间解析；以～开头的私有名解析到该节点的私有空间。将 VRPN 话题统一置于全局命名空间，可以在不同的 launch 配置与多节点协同场景中保持解析一致，减少歧义与降低维护成本。如果把这里的全局名误写成相对名，同一段代码在不同的 launch 文件或不同的 ns 配置下会解析到不同的话题，会出现订阅不到数据的情况。

第 253 行调用 time.sleep(2) 使用墙钟阻塞主线程两秒，意在等待 VRPN 客户端完成初始化。基于多轮测试，这一延迟可以有效避免首次扫描相关话题时得到空列表。

第 254 行实例化核心业务对象 Localization(ns)，并将命名空间注入，使其内部能够以统一规则构造订阅与发布的话题路径。

第 255 行通过 rospy.Timer（rospy.Duration.from_sec(1.0/60.0)，lambda msg：loc.spin_once（））建立周期调度，指定以 ROS 时间为基准，每 1/60s（约 16.67ms）执行一次回调。在 rospy 中，定时器由独立线程触发，其时间语义受 /use_sim_time 与 /clock 影响；若启用仿真时间而 /clock 未发布，定时器不会触发。定时器回调的标准签名要求接收一个 TimerEvent 对象，而在类中自定义编写的 spin_once( ) 回调函数并不需要任何参数，因此此处以匿名函数作为适配器，将 TimerEvent 入参接住但不使用，直接调用 loc.spin_once（），从而避免签名不匹配导致的调用错误。到此为止，已经介绍了两类函数的写法：一种是常规函数；另一种是匿名函数。匿名函数的优势在于就地定义与简洁。

第 256 行的 rospy.spin( ) 使主线程进入阻塞态直至节点关闭。该调用本身不处理回调，而是防止主线程提前退出，保证订阅回调与定时器回调所在的后台线程持续运行。对完全依赖回调驱动的节点而言，这一写法是惯用模式。

上述入口与调度逻辑的正确运作依赖 ROS 话题通信的连接建立过程。ROS 的话题通信模型由管理者、发布者与订阅者三类角色构成。发布者与订阅者启动后首先通过 XML（可扩展标记语言）-RPC（远程过程调用）接口 Master 注册自身信息，发布者登记“我在某话题上发布、消息类型为何、我的 RPC 地址为何”，订阅者登记“我订阅某话题、消息类型为何、我的 RPC 地址为何”。Master 维护注册表并完成“撮合”：当发现有订阅某话题的请求时，会通过 RPC 将当前在该话题上所有发布者的地址推送给订阅者；随后订阅者依据这些地址逐一与发布者发起“传输协商”，典型的协商使用 TCPROS（默认）或 UDPROS，并在连接头中交换话题名、消息类型及其 MD5 校验、调用方标识、是否持久连接、是否使用 latch 等元信息；只有当话题名与消息类型完全一致且 MD5 校验匹配时，发布者才会接受连接。

至此，真正承载数据的网络通道建立完成，随后消息帧直接在节点之间通过所选传输协议发送，不再经过 Master。也因此，连接一旦建立，即使 Master 被关闭，既有的 TCPROS 连接也可继续通信；但新增连接、参数解析或连接恢复仍需要 Master 重新参与。发布者与订阅者的启动不存在先后强制要求，订阅者先启动也可以在 Master 推送发布者列表后主动完成连接。

总体来讲，通过上述程序入口控制了执行时机，完成了节点初始化并固定了命名空间，采用基于 ROS 时间的定时器在独立线程周期性调度业务逻辑，最后以 rospy.spin（）保持节点生命周期，直至关闭信号到达。

（2）动态话题发现

源代码如下所示：

```
class Localization:
    def __init__(self, ns):
...
        self.info_pub = rospy.Publisher( '/nokov_info', String, queue_size=10, latch=True)
        self.object_pub = rospy.Publisher( '/object', AprilObject, queue_size=10, latch=True)
...
            elif marker_set.startswith('Vehicle'):
                vehicle_idx = int(marker_set.replace('Vehicle', ''))
                self.vehicles.setdefault(vehicle_idx, Vehicle()).markers[marker_idx] = None

                if sub_topic == 'pose':
                    topic_callback = partial(self.vehicle_callback, vehicle_idx, marker_idx)
...
    def vehicle_callback(self, vehicle_idx, marker_idx, msg):
        self.vehicles[vehicle_idx].markers[marker_idx] = msg
        self.vehicles[vehicle_idx].check_ready()
```

在理解具体程序之前，需要对 Python具备更多的认识和了解。Python 使用 class 定义“类”，用于将相关的数据与对这些数据的操作组织在同一抽象中；由类创建的具体对象称为“实例”。构造函数写作 init（self，…），在实例创建时自动调用，用于完成初始状态设置。实例的成员变量通过 self.xxx = …持久化到对象上，以便类内其他方法访问与修改；定义在类中的函数称为“方法”，调用时会将当前实例作为第一个参数（惯例命名为 self）隐式传入。

在阅读上述代码时，会用到几项基础类型与操作：列表（list）是有序且可变的序列，适合暂存“已发现的话题名”或“待处理的标记点编号”；元组（tuple）是有序且不可变的序列，常用于表达一组固定含义的字段，或在需要不可变键时作为字典键；字典（dict）是“键→值”的映射结构，支持常数时间的按键访问，非常适合用编号或名称索引到对象；None 表示“当前无值”，可作为尚未初始化时的占位。字符串（str）是不可变序列，将在本节用于两类操作：其一是前缀判定［s.startswith（prefix）］，用于确认名称是否以指定前缀开头；其二是前缀去除与替换［s.replace（old，new，1）或在 Python 3.9 及以上使用 s.removeprefix（prefix）］，用于从名称中剥离固定前缀后获得编号。将数字字符串转为整数使用 int（s），若 s 不是合法数字会报错。

第 105 行 class Localization：定义了名为 Localization 的类，用于封装定位节点在运行时所需的状态与行为。设计目标是将“数据”与“操作”统一管理，形成清晰的作用域边界。

第 106 行 __init__ 为构造函数。传入参数 ns 表示命名空间字符串，将在后续用于统一拼接话题路径。构造函数负责建立实例的初始状态，例如记录命名空间、创建发布者、初始化数据容器等。所有需要在实例生命周期内持久存在的对象应以 self.xxx = …的形式保存为成员变量。

第 112 行在话题 /nokov_info 上创建发布者，消息类型为 std_msgs/String。queue_size=10 指定发送端缓冲区深度，用于在订阅者短时处理不及时时避免无限积压；latch=True 指示发布者保留最近一条消息，新订阅者连接后将立即收到该消息。该话题用于发布定位信息的周期性汇总，采用 latch 策略可使新订阅者获得最新状态。

第 113 行在话题 /object 上创建发布者，消息类型为 AprilObject。该话题用于发布对象的状态信息。

自第 138 行起，代码根据命名规则识别与车辆相关的话题并建立订阅关系。第 138 行 marker_set.startswith（'Vehicle'）用于判定某名称是否以 'Vehicle' 作为前缀；只有当前缀匹配，才将其视为“车辆标记集”的一员，进入后续编号解析与订阅建立流程。第 139 行先用 replace 去除名称中的固定前缀 'Vehicle'，再将剩余的数字部分经由 int 转换为整数，得到车辆编号 vehicle_idx。若运行环境为 Python 3.9 及以上版本，也可使用 removeprefix（'Vehicle'）获得同等效果；在较低版本中，应当使用 replace（'Vehicle'，'　'，1）或切片 name［len（'Vehicle'）：］明确只移除首段前缀，避免误删中间出现的同名片段。

第 140 行 self.vehicles 为“车辆编号→车辆对象”的字典。通过 setdefault 保证编号为 vehicle_idx 的车辆对象存在。若不存在则以 Vehicle（）新建并插入，若已存在则直接取出原对象。随后在该车辆对象的 markers 字典中，以 marker_idx 为键写入占位值 None，表示“该标记点尚未接收到消息”。至此形成“外层按车辆编号、内层按标记点编号”的两级索引结构，便于快速定位并更新最新数据。

第 142、143 行在识别到子话题为 'pose' 时，构造订阅回调。此处使用 functools.partial 生成“预绑定参数”的可调用对象，即将通用处理函数 vehicle_callback 与当前的 vehicle_idx、marker_idx 这两个上下文参数提前绑定，得到一个新的回调。该回调在实际触发时仅需再接收一个 msg 参数即可调用最终处理逻辑。该策略使每条订阅回调都携带明确上下文，避免在高频回调中重复解析话题名或查找编号，从而降低开销并提升可读性。等价写法为 lambda msg： self.vehicle_callback（vehicle_idx，marker_idx，msg），但在本场景下使用 partial 表意更直接。

第 168 ～ 170 行给出消息回调的实现。第 169 行将新到达的消息写入缓存 self.vehicles［vehicle_idx］.markers［marker_idx］= msg，确保系统持有“车辆 i 的标记点 j”的最近一次数据；第 170 行调用 self.vehicles［vehicle_idx］.check_ready（），依据关键标记点到达情况更新该车辆数据的可用状态，以支撑后续定位与发布流程的判定。

总的来说，在 Localization.init 中，通过 ROS Master 的接口查询命名空间 /vrpn_client_node 下的全部话题；依据命名规则，使用 startswith（'Vehicle'）进行前缀判定；对匹配项，借助 replace 与 int 解析车辆编号与标记点编号；使用 setdefault 确保对应车辆对象存在，并在其 markers 字典内以标记点编号初始化占位；为每个匹配话题创建订阅，并以 partial（self.vehicle_callback，vehicle_idx，marker_idx）作为回调函数。该流程使系统能够在车辆数量与标记点配置可变的条件下自动建立正确的订阅关系，每条订阅回调均携带明确的上下文信息，消息到达后统一写入缓存结构，为后续定位计算与消息发布提供稳定的数据来源。

（3）车辆后轮中心点的确定

具体的源代码如下所示：

```
    def find_rear_center(self):
        if 0 not in self.markers or not self.markers[0]:
            return

        marker_set = self.markers[0]
        quad = [marker_set.pose.orientation.x, marker_set.pose.orientation.y, marker_set.pose.orientation.z,
                marker_set.pose.orientation.w]
        _, _, yaw = Rotation.from_quat(quad).as_euler( 'xyz')
        yaw += rad_offset

        vectors = [(k, np.array([v.pose.position.x, v.pose.position.y])) for k, v in self.markers.items() if k > 0]
        unit = np.array([np.cos(yaw), np.sin(yaw)])
        projections = [(k, np.dot(v, unit) / np.linalg.norm(unit)) for k, v in vectors]
        self.rear_center, _ = min(projections, key=lambda v: v[1])
        print( 'Vehicle found rear center marker %d' % self.rear_
```

center)

在进入具体代码介绍之前，先交代会用到的相关知识。Python 中的条件判断由 if 语句完成，形式为“if 条件： 代码块”。条件可以由布尔运算符（and、or、not）与比较、成员关系等表达式组合而成，例如“0 not in self.markers or not self.markers [0]”依次表示“键 0 不在字典中”或“键 0 虽在字典中但其对应的值为假（如 None）”。满足条件时执行 if 的缩进代码块，否则跳过。NumPy 提供高效的向量与矩阵计算：np.array 用于构造数组；np.cos、np.sin 接受弧度制角度并返回对应的余弦、正弦；np.dot 计算向量点积；np.linalg.norm 计算欧氏范数（长度）。本节还会用到 SciPy 的姿态表示与转换：四元数是单位长度的四维向量（x，y，z，w），适合稳定表示三维旋转；欧拉角是一组三个按约定顺序排列的转角（如“xyz”），常以弧度表示。二者之间的转换可通过 scipy.spatial.transform.Rotation 完成：Rotation.from_quat（ [x，y，z，w]）.as_euler（'xyz'）返回按“$x \to y \to z$”顺序分解得到的三个角，其中第三个即绕 z 轴的转角（常称 yaw）。最后，min（iterable，key=…）的 key 形参接收一个“取比较键”的函数；key=lambda v：v [1] 表示“按元素的第二项比较大小”。print 用于向标准输出打印字符串：'…%d'%n 是旧式格式化，%d 代表十进制整数。面向 ROS 的程序也可以使用 rospy.loginfo 等日志接口，以便统一日志级别与输出位置。

第 72 ～ 86 行的 find_rear_center 用于从一组标记点中确定车辆的后轮中心标记。其工作假设是：编号为 0 的标记（Marker 0）固定在车体参考位置并提供姿态（含四元数），车辆的其他标记（编号大于 0）分布在车体周边，其中位于车辆后轮中心点的标记沿车辆航向的投影值最小。函数按如下步骤执行：

首先在第 73、74 行做必要性检查。条件“0 not in self.markers or not self.markers [0]”用于确保存在 Marker 0 且其消息有效；若不满足则直接 return，采用“早返回”避免后续运算建立在无效数据之上。

随后在第 76 ～ 81 行计算车辆航向角。第 77、78 行从 Marker 0 的姿态消息中按 [x，y，z，w] 的顺序取出四元数分量，组装为长度为 4 的数组 quad。第 79 行以 quad 调用 Rotation.from_quat（…）并转换为欧拉角 as_euler（'xyz'），将返回的三个角依次解包到 roll、pitch、yaw；此处只关心 yaw（绕 z 轴的转角，单位为弧度）。第 80 行将偏置 rad_offset 加到 yaw 上。需要注意两点：其一，as_euler 返回的是弧度制；其二，from_quat 的分量顺序为 [x，y，z，w]，与许多 ROS 消息中的存储顺序一致，本节已按此顺序取数。

第 82 ～ 85 行在平面内进行投影并选取位于车辆后轮中心点的标记。第 82 行遍历所有编号大于 0 且消息有效的标记，提取其二维位置向量 [x，y] 并形成列表 vectors，其中每个元素是二元组（k，$\boldsymbol{v}$），k 为标记编号，$\boldsymbol{v}$ 为 NumPy 向量。第 83 行根据航向角构造单位方向向量 unit= [cos（yaw），sin（yaw）]。第 84 行将每个位置向量 $\boldsymbol{v}$ 投影到航向：投影标量为 np.dot（v，unit）/np.linalg.norm（unit）。在本节中 unit 本身就是单位向量，范数为 1，除以范数是冗余但无害的写法，保留这一写法的好处是当 unit 来自其他计算路径时仍然数值稳健。第 85 行以 min（projections，key=lambda v：v [1]）选出投影值最小的元素，其中 projections 的元素形如（标记编号，投影标量）。按“车辆朝向为正方向”的约定，投影最小即位于最靠后位置的点，故将其标记编号赋给 self.rear_center。该行的 key=lambda v：v［1］是比较键函数：对每个二元组，只以第二项（投影值）作为比较依据。若使用 NumPy 全向量化，也可将投影标量堆叠为一维数组并用 argmin 求索引，二者复杂度均为 O（n）。

第 86 行以 print 输出识别结果。其中，% self.rear_center 将整数 self.rear_center 代入 %d 占位符。

该函数实现了清晰的“航向投影极值”策略：以 Marker 0 的四元数确定车辆航向，将所有候选标记的二维位置向航向投影，将最小投影值指认为车辆后轮中心。

（4）车辆位姿发布机制

具体程序如下所示：

```
56.    def get_pose(self):
57.        set_ori = self.markers[0].pose.orientation
58.        roll, pitch, yaw = Rotation.from_quat([set_ori.x, set_ori.y, set_ori.z, set_ori.w]).as_euler( 'xyz')
59.        marker_pose = self.markers[self.rear_center].pose
60.        return marker_pose.position.x, marker_pose.position.y, yaw + rad_offset
```

get_pose 在已确定后轮中心标记（rear_center）的基础上，取该标记的平面位置作为车辆位置（x，y），并通过基准标记（编号 0）提供的姿态四元数计算偏航角 yaw，再加上偏置 rad_offset，形成车辆当前位姿（x，y，yaw）。其中位置与姿态的来源分别是同一刚体的两个传感要素：标记点 0 的朝向与后部标记点的平面位置。以下逐行说明第 56 ～ 60 行。

第 56 行定义了类方法 get_pose。按 Python 约定，方法的第一个形参为 self，代表当前实例，该方法返回三项数据（x、y、yaw）。在 Python 中，return a，b，c 的形式会打包为一个三元组返回，调用方可以按 x，y，yaw = obj.get_pose（）进行解包。需要注意“返回多值即返回元组”这一语义。

第 57 行 set_ori = self.markers［0］.pose.orientation 读取基准标记（编号 0）的姿态四元数。self.markers 是“标记编号→最新消息”的字典，用方括号索引 self.markers［0］取得编号 0 的消息，再经由点号访问链式取出 pose.orientation。这行依赖两个前提：其一，self.markers 中确实存在键 0，否则会触发 KeyError；其二，该键对应的消息对象已到达且包含有效的 pose 与 orientation 字段。

第 58 行将四元数转换为欧拉角，并按 $x \to y \to z$ 的分解顺序解包为横滚（roll）、俯仰（pitch）、偏航（yaw）。此处采用 scipy.spatial.transform.Rotation 完成转换，from_quat 的输入顺序为［x，y，z，w］，与常见 ROS 消息中的四元数字段顺序一致。as_euler（'xyz'）返回弧度制角度，其中偏航角 yaw 是绕 z 轴的转角。若下游算法对角度范围有约束，可在得到 yaw 后执行归一化，例如将角度映射到［-π，π），常见做法是用 atan2（sin（yaw），cos（yaw））形式实现数值稳定的归一化。

第 59 行读取后轮中心标记的位姿。self.rear_center 由先前的 find_rear_center 计算

得到，表示被选作“车辆后轮中心”的标记编号。这里再次通过字典索引获取对应消息，并取其 pose。与第 57 行相同，本行依赖两个前提：self.rear_center 已确定为有效整数编号，且该编号的消息已到达。若 self.rear_center 仍为 None 或该键尚未出现在 self.markers 中，应提前返回或等待数据就绪，以避免在后续访问 position 字段时引发异常。

第 60 行返回车辆的平面位置与航向角。marker_pose.position.x 与 marker_pose.position.y 组成二维位置坐标；yaw + rad_offset 在偏航角上叠加一个偏置 rad_offset，用于补偿误差。需要确保 rad_offset 与 yaw 使用一致的单位（弧度），并保持同一坐标系定义。

（5）定位信息的发布

相关程序如下所示：

```
    def spin_once(self):
        loc_info = {
            'boundary': [],
            'obstacles': [],
            'vehicles': {},
        }
...
        points = np.zeros((0, 3))
        rear_points = np.empty((0, 3))
        for i, (k, veh) in enumerate(self.vehicles.items()):
            if veh.ready and veh.rear_center:
                vertices = veh.get_footprint()
                self.visual.plot(vertices[:, 0], vertices[:, 1], width=0.01, ns='vehicle', color=(0.5, 0.2, 1), id=k, close=True)

                pose = veh.get_pose()
                loc_info[ 'vehicles'][k] = pose
                april_msg  =  AprilObject(type=AprilObject.VEHICLE, id=k, x=pose[0], y=pose[1], yaw=pose[2])
                april_msg.header.stamp = rospy.Time.now()
                april_msg.header.frame_id = "world"
                self.object_pub.publish(april_msg)

                self.visual.arrow(pose[0], pose[1], pose[2], color=(0.5, 0.9, 0.2), length=0.05)

            for km, v in veh.markers.items():
                if km > 0 and v:
                    pos = v.pose.position
                    if km == veh.rear_center:
```

```
240.                    rear_points = np.vstack((rear_points, [pos.x, pos.y, pos.z]))
241.                else:
242.                    points = np.vstack((points, [pos.x, pos.y, pos.z]))
243.
244.        self.visual.scatter(points[:, 0], points[:, 1], size=0.02, type=ScatterType.Sphere, ns='vehicle points')
245.        self.visual.scatter(rear_points[:, 0], rear_points[:, 1], size=0.02, ns='vehicle rear points', type=ScatterType.Sphere)
246.
247.        self.info_pub.publish(String(data=json.dumps(loc_info)))
```

本函数 spin_once 在定时器触发下按固定频率执行，用于汇集场景要素（边界、障碍物、车辆）、进行可视化绘制，并将实时位姿和汇总信息分别发布到指定话题。以下按代码顺序说明其工作流程与涉及的 Python/NumPy/ROS 要点。

首先在第 176 ～ 180 行构造运行期汇总容器 loc_info。该对象是一个字典，包含三类条目：'boundary' 存储场地边界（后续写入为［xmin，xmax，ymin，ymax］或空）；'obstacles' 为障碍物顶点集合的列表（每个障碍物用顶点坐标数组转换成的嵌套列表表示）；'vehicles' 为车辆位姿表，键为车辆编号，值为三元组（x，y，yaw）。选择字典的原因在于其可按类别与编号进行常数时间索引，便于在遍历过程中逐步填充。

第 220、221 行为后续可视化准备两个坐标数组：points = np.zeros（(0，3)）与 rear_points = np.empty（(0，3)）。二者的形状均为“0 行 3 列”，表示当前尚无点。np.zeros 会用 0 填充分配得到的内存，np.empty 则不初始化其内容；但由于行数为 0，二者此时在数值上没有差异。选择形状为（0，3）是为了与后续要堆叠的点坐标［x，y，z］一致，从而可以使用 np.vstack 逐行追加。需要注意，np.vstack（(A，row)）会返回新数组并产生一次拷贝，如果预期追加次数很多，改为先在 Python 列表中收集，再一次性转换为数组更高效。

第 222 行开始遍历已登记车辆：for i，(k，veh) in enumerate（self.vehicles.items（））：。self.vehicles 是“车辆编号→车辆对象”的字典；.items（）返回键值对迭代器；enumerate 在迭代的同时提供从 0 开始的计数器 i。

第 223 ～ 235 行处理已就绪车辆的几何绘制与位姿发布。条件 veh.ready and veh.rear_center 保证该车辆已完成标记点就绪检查并成功确定后轮中心编号，否则跳过本车辆的绘制与发布。其中：

第 224、225 行调用 veh.get_footprint（）获取车辆外形顶点数组，随后调用 self.visual.plot（vertices［：，0］，vertices［：，1］，…）绘制轮廓线。这里的切片 vertices［：，0］表示“取所有行的第 0 列”，即所有顶点的 x 坐标；vertices［：，1］同理取 y 坐标。切片是 NumPy 的基础操作，前面的冒号表示“整列 / 整行”，后面的整数表示选择哪个轴的索引。可视化接口参数中，ns='vehicle' 为绘制命名空间，id=k 用车辆编号区分不同对象，color 与 width 控制渲染风格，close=True 指示收尾相连以形成闭合多边形。

第 227 ～ 233 行计算并发布该车辆的实时位姿。pose = veh.get_pose（）返回三元组（*x*，*y*，yaw）；随后写入 loc_info ['vehicles'] [k] = pose。在随后的 JSON 序列化中，Python 元组会被编码为 JSON 数组（展示为列表），字典的整数键会被编码为字符串键，这是 JSON 规范与 Python 映射的常见差异，订阅端需要据此解析。接着构造并发布 AprilObject 消息：设置 type=AprilObject.VEHICLE、id=k、x/y/yaw=pose。april_msg.header.stamp = rospy.Time.now（）为消息加上时间戳，这里的“现在”是 ROS 时间（受 /use_sim_time 与 /clock 影响），与系统墙钟不同；header.frame_id = "world" 指明该位姿所在的坐标系，订阅方据此进行坐标变换。最后通过 self.object_pub.publish（april_msg）将消息发布到 /object 话题。publish 会将消息分别加入每个订阅连接的发送队列，每个队列长度由发布者的 queue_size 限制，并通过各自连接异步传输；由于发布者设置了 latch=True，此消息还会作为最近一条保留，供新订阅者连接时立即下发。

第 234 行 self.visual.arrow（pose [0]，pose [1]，pose [2]，…）绘制航向箭头。三个位置参数分别为 *x*、*y*、yaw。

第 236 ～ 242 行遍历该车辆的全部标记点并收集可视化散点。for km，v in veh.markers.items（）：迭代“标记点编号→最新消息”。条件 if km > 0 and v：排除了编号 0（基准标记）与尚未收到消息（值为 None）的条目。随后 pos = v.pose.position 取出位置字段。如果该编号正是车辆的后轮中心（km == veh.rear_center），则通过 rear_points = np.vstack（（rear_points，[pos.x，pos.y，pos.z]））将一行坐标追加到 rear_points；否则将其追加到一般点集 points。np.vstack 会沿纵向拼接数组，返回新的数组；追加的单行用列表字面量 [*x*，*y*，*z*] 表示，NumPy 会按需进行类型提升。这里将后轮中心与其他标记分开收集，是为了在可视化时采用不同的标注与命名空间。

第 244、245 行对两类散点进行渲染：self.visual.scatter（points [：，0]，points [：，1]，…）与 self.visual.scatter（rear_points [：，0]，rear_points [：，1]，…）。两次调用分别指定不同的命名空间 ns=' vehicle points' 与 ns=' vehicle rear points'，以便在可视化工具中分层管理。

第 247 行通过 self.info_pub.publish（String（data=json.dumps（loc_info）））发布场景汇总信息。json.dumps 将 Python 对象编码为 JSON 字符串，需要保证其中的元素均为可序列化类型（Python 的数字、字符串、布尔、None、列表、字典、嵌套组合）。本函数构造 loc_info 时已将 NumPy 数组在写入前转换为列表，例如障碍物顶点先前通过 .tolist（）处理，因此可以直接编码。需要注意两点：其一，JSON 不区分元组与列表，pose 会以数组形式出现；其二，JSON 对象的键为字符串，车辆编号键会被编码为字符串，订阅端需要按需转换回整数。外层再用 std_msgs/String 的 data字段包裹该 JSON 文本后发布到 /nokov_info 话题，供需要全局视图的模块订阅。

从整体上看，spin_once 的处理顺序可概括为：初始化汇总容器与可视化点集；遍历车辆并在“就绪”条件下完成三项操作——绘制轮廓、计算位姿并发布、绘制航向；随后收集并分类该车辆的标记散点；遍历结束后一次性绘制两类散点；最后将本周期的全局汇总信息序列化并发布。

11.3.3 控制节点程序解析

本节将详细解析轨迹跟踪的纯跟踪算法在 ROS 平台上的具体实现方式。该控制节点的源程序文件位于：https：//github.com/YueshuoSun/CollabPlanner/blob/experiment/pure_pursuit/src/pure_pursuit.cpp。轨迹跟踪是移动机器人导航系统中的核心功能之一，旨在使机器人沿着规划出的参考轨迹精确行驶。纯跟踪算法作为经典的几何控制算法，通过实时计算转向角和目标速度，确保机器人精准地跟随预定轨迹行驶。本控制节点的作用是订阅定位节点发布的车辆实时位姿数据和轨迹规划节点发布的期望轨迹，并根据纯跟踪算法计算出实时的转向和纵向控制指令，随后通过 ROS 话题发布至底盘通信节点，以驱动车辆的底盘系统。

（1）程序入口

具体程序如下：

```
int main(int argc, char **argv) {
    ros::init(argc, argv, "pure_pursuit");
    ros::NodeHandle nh("~");

    PurePursuit pp(nh);
    ros::spin();

    return 0;
}
```

程序入口由 C/C++ 规范规定为 int main（int argc，char **argv）。其中，argc 是命令行参数个数（argument count），argv 是参数数组（argument vector），每个元素都是一个以空字符结尾的 C 风格字符串。argv［0］约定为可执行程序名，后续元素依次为用户在命令行输入的各个参数。ROS 会在命令行中使用重映射语法与初始化选项，因此必须把 argc、argv 原样传给 ROS 初始化函数，让其解析并移除这些与 ROS 相关的参数，避免和用户自定义参数相互干扰。

ros：：init（argc，argv，"pure_pursuit"）表示完成 ROS 节点的初始化与命名。初始化包含：连接 ROS Master、设置日志系统、解析并应用前述重映射参数、准备全局回调队列等。第三个参数 "pure_pursuit" 是默认节点名，用于在 ROS 图中标识该进程；实际运行时可以通过命令行或 launch 文件重映射为其他名字，以便在同一台机器上同时运行多个相同节点而不发生重名冲突。节点名还会影响私有命名空间，因此为节点起一个与功能一致的默认名是一种良好实践。

ros：：NodeHandle nh（"～"）表示创建一个节点句柄。NodeHandle 是 roscpp 中的资源入口，通过它可以创建发布者、订阅者、服务端 / 客户端、定时器，并进行参数服务器访问等。“"～"”具有特殊含义：表示私有命名空间。在私有命名空间下读取与声明参数时，无需在名字前加～，直接写键名即可。需要注意 NodeHandle 的作用域与生命周期，其析构会关闭通过该句柄创建的通信对象，因此应保证在节点存活期间，它始终保持在作用域内。

PurePursuit pp（nh）表示实例化纯跟踪控制器对象，并把节点句柄传入。约定俗成，类的构造函数会以 const ros：：NodeHandle& 或 ros：：NodeHandle& 接收句柄，用于读取私有参数、注册发布者、订阅者、服务以及定时器，并在内部保存必要的资源引用。通过把 nh（"～"）传入，类内部就可以一致地在私有命名空间完成上述工作，使配置与外部隔离。

ros：：spin（）表示进入 ROS 事件循环。在 roscpp 中，spin（）是一个阻塞调用，它在当前线程上不断提取并执行回调队列中的回调，直到节点被关闭才返回。其角色与 rospy 的 rospy.spin（）在表面上相似，都用于让节点一直运行下去，持续处理回调，但实现与可选用法上存在差异：

① roscpp 还提供 ros：：spinOnce（），它只处理一次队列中的所有可用回调，然后立即返回，通常与用户自定义的主循环配合使用，例如：

```
ros::Rate rate(50);
while (ros::ok()) {
    // 自定义的用户计算或控制逻辑
    ros::spinOnce();    // 处理一次回调
    rate.sleep();
}
```

在这种模式下，主循环的节拍由用户控制；只要 spinOnce（）被调用得足够频繁，订阅与定时器回调就能及时被处理。

② roscpp 还提供 ros：：AsyncSpinner 与 ros：：MultiThreadedSpinner，用于多线程处理回调，提高高频或计算密集型节点的吞吐量。

③ rospy 没有 spinOnce（）的直接等价物（rospy 的回调默认在后台线程处理），因此在 Python 里通常用 rospy.spin（）让主线程阻塞即可。简言之，roscpp 同时支持“手动驱动”和“后台线程”两种回调模式；而 rospy 仅支持后台线程自动处理回调，rospy.spin（）只是阻塞主线程以防止退出，并不存在 spinOnce（）这类手动驱动。

return 0 表示主函数以成功状态退出。C/C++ 规定 main返回整数作为进程的退出码：0 代表成功，非 0 代表错误类型。

关于何时使用 spin（）、何时使用 spinOnce（）：当节点完全由回调驱动，不需要在主线程中执行自定义循环（典型如“只订阅并处理消息或只依赖定时器”）时，使用 ros：：spin（）最简单、线程安全且不易出错；当节点需要一个确定频率的主控制循环（例如 50Hz 轨迹跟踪、周期性优化、与外部实时系统同步）时，使用 while（ros：：ok（））{ …； ros：：spinOnce（）； rate.sleep（）； } 更合适——主循环节拍与业务顺序由用户掌控，而回调处理在每个周期的固定位置执行。若回调负载较重或存在并发需求，再考虑 AsyncSpinner 或 MultiThreadedSpinner。

综上，本段程序完成了一个标准的 roscpp 节点：用 main 接收命令行与 ROS 重映射参数；用 ros：：init 连接 Master 并命名节点为 pure_pursuit；用 NodeHandlenh（"～"）进入私有命名空间以便参数与内部接口管理；实例化控制器类，将节点资源注入；以 ros：：spin（）驱动回调队列直至节点关闭；最终以 return 0 正常退出。

（2）PurePursuit 类的初始化与核心循环

相关程序如下所示：

```
129.    PurePursuit(const ros::NodeHandle &nh) : node_handle_(nh), visualization_(nh) {
130.        tracking_object_ = node_handle_.param<int>("target", 0);
131.        visualization_.set_target(tracking_object_);
132.        traj_subscriber_ =
133.          node_handle_.subscribe<Trajectory>("/traj", 10, &PurePursuit::TrajCallback, this, ros::TransportHints().tcpNoDelay());
134.        object_subscriber_ =
135.          node_handle_.subscribe<AprilObject>("/object", 10, &PurePursuit::ObjectCallback, this, ros::TransportHints().tcpNoDelay());
136.        command_publisher_ = node_handle_.advertise<ChassisCommand>("/chassis", 1, true);
137.        reached_publisher_ = node_handle_.advertise<std_msgs::Int32>("/reached", 1, false);
138.        timer_ = node_handle_.createTimer(ros::Duration(0.05), &PurePursuit::ControlCallback, this);
139.    }
```

此处解释 PurePursuit 构造函数（129 ～ 139 行）的设计与语义，并把必要的 C++ 与 ROS要点一并交代。

构造函数签名为 PurePursuit（const ros：：NodeHandle &nh）：node_handle_（nh），visualization_（nh）{…}。形参以 const 引用的形式接收 NodeHandle，意图是避免拷贝开销并明确不修改来参。ros：：NodeHandle 本身是轻量句柄，拷贝成本不高，但以 const& 传递是 roscpp 的通行写法，能在语义上保证只读。成员初始化采用初始化列表而非在函数体内赋值：node_handle_（nh），visualization_（nh）会在进入构造函数体之前，直接用传入的 nh 构造成员对象。初始化列表与先默认构造、再在函数体内赋值的差别在于：后者会多一次默认构造与赋值，效率与异常安全性均不如前者；某些成员，如引用、const 成员以及无默认构造函数的成员只能在初始化列表中完成初始化。

第 130 行从参数服务器读取整型参数 target。param< T >（key，default）模板参数 int 指定目标类型，"target" 是参数名，0 为默认值，当参数服务器上不存在该键时返回此默认值并不写回服务器。由于在 main 函数中通常以 NodeHandle（" ～ "）创建私有句柄并传入，这里的 node_handle_ 也处于私有命名空间，因此键 "target" 实际解析到 /<node_name>/target。设置该参数的常见方式包括：在 launch 文件中用 <param name="target" value="1"/> 或 <rosparam> 加载 YAML；运行时用命令行 rosparam set /<node_name>/target 1；程序内用 nh.setParam（"target"，1）；在启动命令后追加 _target：=1。读取时若需要区分存在但类型不匹配的情形，可使用 getParam 并检查返回布尔值。读取完成后，第 131 行 visualization_.set_target（tracking_object_）将该目标编号传递给可视化模块，供其区分或高亮标注当前跟踪对象。

第 132 ～ 135 行为两个订阅者的注册。各部分语义如下：模板参数 Trajectory 指定消息类型；"/traj" 以绝对话题名订阅轨迹；10 是接收端队列长度，表示当回调处理不及时时最多缓冲 10 条，超出将丢弃旧消息以限制延迟；以“成员函数指针 + 对象指针”的形式绑定回调；末尾的 ros：：TransportHints（）.tcpNoDelay（）打开 TCP 的 TCP_NODELAY 选项，关闭 Nagle 聚包以降低小消息的端到端延迟。object_subscriber_ 的注册方式相同，消息类型为 AprilObject，话题名为 "/object"。/object 发布的是单个对象的实时状态，在控制侧仅面向本车闭环，因此读取单对象流更合适，而多车全局视图则在另一个话题中提供。

第 136、137 行对应着两个发布者的注册。在绝对话题 "/chassis" 上发布控制指令，队列长度设为 1 以尽可能减少控制延迟，最后一个布尔位为 latched（true）：发布者会保留最近一条消息，新订阅者连接时立刻下发这条消息。在 "/reached" 话题上发布到达状态，并未启用 latch。此处采用 std_msgs：：Int32 表示状态码，例如 0 或 1，等价的布尔语义也可用 std_msgs：：Bool 实现。

第 138、139 行创建定时器。周期为 0.05s，即 20Hz。定时器使用 ROS 时间触发，在到期时将以与订阅相同的回调队列调用 control_callback。该回调负责执行纯跟踪控制的主逻辑，从而形成订阅输入→定时器驱动控制→发布输出的闭环结构。默认定时器为重复触发。

将以上各行连贯起来，可以看到构造函数完成了四项关键工作：①以初始化列表绑定节点资源与可视化依赖，确保生命周期与命名空间一致；②从私有命名空间读取目标编号参数 target 并分发给下游组件；③建立两条输入通道——轨迹与对象状态，并以低延迟传输参数优化回调时延；④建立两条输出通道——底盘指令与到达状态，并设置合适的队列与 latch 策略，同时以 20Hz 定时器驱动控制主循环。命名选择上，绝对话题名（以 / 开头）将通信锚定在全局命名空间，适合与系统中已固定的发布者 / 订阅者对接；若需要更强的部署灵活性，建议改用相对名并在 launch 层完成重映射。回调处理方面，roscpp 的事件循环需由 ros：：spin（）、ros：：spinOnce（）或异步 spinner 驱动；在这里主程序采用 ros：：spin（），因此上述订阅与定时器回调会在同一回调队列中被持续调度执行。

（3）数据接收模块

相关程序如下所示：

```
void ObjectCallback(const AprilObjectConstPtr &msg) {
    if (msg->id == tracking_object_ && msg->type == AprilObject::VEHICLE) {
        if (object_.x != 0 && object_.y != 0) {
            double distance = hypot(msg->x / 1000 - object_.x, msg->y / 1000 - object_.y);
            if (distance <= 0.5) object_ = *msg;
        } else {
            object_ = *msg;
```

```
182.                }
183.                object_.x = object_.x / 1000;
184.                object_.y = object_.y / 1000;
185.            }
186.        }
```

ObjectCallback 回调函数从 /object 话题接收单个对象的实时状态，仅当消息属于当前被跟踪的车辆且类型为车辆时才更新内部状态；更新过程中根据距离对数据进行过滤，并将输入单位从毫米统一转换为米。

第 175 行 void ObjectCallback（const AprilObjectConstPtr &msg）定义了订阅回调。形参类型 AprilObjectConstPtr 是指向常量消息的共享指针，表示回调内不得修改入参消息；通过箭头运算符 -> 访问成员字段，例如 msg->x。与 Python 回调直接接收对象不同，C++ 在这里通过指针 + 箭头的语法访问消息内容。函数返回类型为 void，表示该回调不返回值。

第 176 行对接收消息进行筛选，仅当消息标识等于当前跟踪对象编号 tracking_object_ 且消息类型为枚举值 AprilObject：：VEHICLE 时，才进入后续更新流程；否则直接忽略该消息，内部状态保持不变。

第 177行 if（object_.x != 0 && object_.y != 0）用于判断内部状态 object_ 是否已经被有效数据初始化。只有当 object_ 的两个坐标都非零时，才认为存在上一帧的参考位置，可以据此执行距离过滤；若任一坐标为 0，则视为尚未初始化，在 181 行直接采用当前消息初始化 object_。该行正是“是否进行距离门限判断”的开关。

第 178 行计算新消息与当前状态之间的平面距离：hypot（a，b）定义在 <cmath>，返回 sqrt（a*a + b*b），但在数值上更稳健。此处先将输入消息的 x、y 单位由毫米换算为米，再与内部状态作差，保证单位一致。单位统一是后续控制算法正确性的前提。

第 179 行表示仅当两次位置间距不超过 0.5m 时接受本次更新，否则视为异常跳变而丢弃。object_ = *msg 是一次拷贝赋值：将常量消息对象内容复制到成员变量 object_。虽然 msg 指向的是只读对象，但解引用 *msg 后按值拷贝到可写的 object_ 是允许的。

第 181 行为尚未初始化的情形，直接采纳首条有效消息。此处不做距离判断，是因为缺少上一帧可比对的参考。

第 183、184 行将内部状态 object_ 的 x、y 从毫米统一换算为米，这样可确保后续控制与可视化逻辑始终在米单位下运行。需要注意：每次在第 179 或 181 行接收新消息后，object_ 都被赋为毫米单位；紧接着第 183、184 行会立刻换算为米。若后续还要使用 object_.x、object_.y 与原始消息继续比较，应避免在一个回调内既读毫米又写米的多量纲混用失误；本程序通过先复制，再统一换算的顺序避免了该问题。

第 185、186 行结束条件块与函数。该回调没有返回值，它的职责是维护 object_ 的一致性与单位规范，供控制定时器读取。

概括而言，ObjectCallback 完成了三件关键工作：筛选（仅处理目标车辆的车辆类消息）、清洗（对位置突变施加距离门限）、规范（将坐标统一换算为米）。这样处理后的 object_ 可直接供纯跟踪控制回路读取，保证单位一致、异常抑制且时序清晰。

（4）TrajCallback 函数

具体程序如下所示：

```
187.    void TrajCallback(const TrajectoryConstPtr &msg) {
188.        if (msg->target != tracking_object_) return;
189.        std::cout << tracking_object_ << " - Trajectory received" << std::endl;
190.        car_index_ = lookahead_index_ = 0;
191.        if (approached_) {
192.            current_range_ = 0;
193.        }
194.        ranges_.clear();
195.        int start = 0;
196.        for (size_t i = 1; i < msg->points.size(); i++) {
197.            if (copysign(1.0, msg->points[i].velocity) != copysign(1.0, msg->points[i - 1].velocity)) {
198.                ranges_.emplace_back(start, i);
199.                start = i;
200.            }
201.        }
202.        ranges_.emplace_back(start, msg->points.size());
203.        auto next_goal = msg->points[ranges_[current_range_].second];
204.        if (trajectory_.points.empty() || approached_) {
205.            start_time_ = ros::Time::now().toSec();
206.            ROS_INFO(“restart timer”);
207.        }
208.        trajectory_ = *msg;
209.        if (final_approached_) {
210.            visualization_.line_strip_.points.clear();
211.        }
212.
213.        approached_ = false;
214.        final_approached_ = false;
215.    }
```

函数签名见第 187 行。TrajectoryConstPtr 是指向常量 Trajectory 的共享指针的别名。这里以共享指针的常量左值引用接收参数，避免了传参与计数开销，const 限定保证回调不会修改指针本身，而指向的消息内容本身也为常量，只能读取，不可写。回调体内通过 msg->…访问字段，这里的 -> 是指针成员访问运算符，若是对象本身则使用 . 访问。

第 188 行首先进行目标筛选。当消息的 target 字段不等于当前跟踪对象编号 tracking_object_ 时立即返回，避免非本车轨迹扰动内部状态。if 是 C++ 条件语句；逻辑运算符方面，&& 表示“与”、|| 表示“或”，均具备短路特性。

第 189 行将基本信息输出到标准输出流。std：：endl 除了换行还会刷新缓冲区；在高频日志场景下，出于性能与统一管理考虑，更建议使用 ROS 日志接口，它们带有时间戳、级别过滤与重定向能力，而 printf/std：：cout 仅写到进程标准输出。

第 190 行采用链式赋值。两者同时复位为 0，统一车辆在轨迹上的当前位置索引与预瞄点索引的起点。链式赋值自右向左求值，等价于先将 0 赋给 lookahead_index_，再将其结果赋给 car_index_。

第 191 ～ 194 行实现复位与清理，若上一条轨迹已被判定到达，则将当前速度段索引 current_range_ 置 0，使新轨迹从第一段开始；随后调用 ranges_.clear（）清空上一条轨迹的分段记录。关于容器状态检查，判断空容器可以使用 ranges_.empty（）或 ranges_.size（）== 0，两者在 std：：vector 上均为 O（1）；从语义与可读性考虑，推荐使用 empty（），且它不会涉及与 size_t 的比较。

第 195 ～ 202 行对新轨迹进行速度符号段切分。初始化 start = 0 后，使用经典 for 循环遍历点列相邻两项的速度号。需要注意，size（）的返回类型为 size_t（无符号整型）。循环体内利用 std：：copysign（1.0，v）将任意实值速度映射为其“符号代表”：若 *v*>0 返回 +1.0，否则返回 -1.0。当相邻两点的符号代表不同时，认为在 *i* 处发生了前进 / 后退状态切换，于是将区间［start，*i*）作为一个半开区间加入 ranges_，并将 start 更新为 *i*。加入区间使用 ranges_.emplace_back（start，i）。emplace_back 会在容器尾部原位构造一个 std：：pair<int，int>，避免了临时对象的构造与拷贝 / 移动；与之相对，push_back（std：：make_pair（start，i））需要构造一个临时 pair，再移动 / 拷贝入容器。二者在当前这种简单标量场景下开销差异很小，但 emplace_back 的语义更直接，且在元素类型较复杂时具有明显优势。循环结束后，第 202 行将最后一个区间［start，msg->points.size（））也加入 ranges_，使所有点都被覆盖。

关于 ranges_ 的元素类型，它是若干 std：：pair<int，int> 的序列。pair 表示两个相关值的聚合，成员名为 .first 与 .second。例如，ranges_［k］.first 是某段的起点索引，.second 是该段的终点索引（半开区间的右边界）。若需要三元或以上的聚合，可使用 std：：tuple<T1，T2，T3，…> 并通过 std：：get<I>（t）访问，但在仅需要起止二元的分段问题中，pair 更简明。

第 203 行基于分段得到下一目标点的引用。由于区间［start，end）是半开的，取 .second 实际拿到的是当前段的右边界，即下一段的第一个样本点，该点可作为状态切换的参考或可视化标注。此行使用 auto 让编译器推断类型，msg->points［…］的元素类型即为轨迹点类型。

第 204 ～ 207 行处理计时器复位与信息输出。当内部保存的上一条轨迹为空或上一条轨迹刚被判定到达时，重置起始时间。ros：：Time：：now（）返回 ROS 时间（受 /use_sim_time与 /clock 影响），toSec（）将其转换为以秒为单位的 double，便于与轨迹时间标签、控制律中的时间变量对比。随后用 ROS_INFO 记录日志。与 std：：cout 相比，ROS_INFO/ROS_WARN/ROS_ERROR/ROS_DEBUG/ROS_FATAL 属于 ROS 日志体系，支持级别过滤、节流（*_THROTTLE）、一次性打印（*_ONCE）、条件打印（*_COND）等，并包含时间戳与节点名，适合运行期排查与集中收集。

第 208 行 trajectory_ = *msg 将新轨迹写入内部状态。这里的 *msg 是对共享指针的解引用，随后按值拷贝到成员变量 trajectory_。这样控制回路在后续 20Hz 的定时器回调中即可读取到完整的新轨迹。

第 209 ～ 211 行进行可视化缓存的维护，若先前处于最终到达状态（final_approached_ 为真），则清空轨迹线段缓存，避免在新轨迹开始时叠加旧线路轨迹。

第 213、214 行将到达标志复位。approached_=false 表示当前分段目标已达，final_approached_=false 表示整条轨迹已达。在接收新轨迹时将其清零，使控制回路从未到达状态重新开始。

综上，TrajCallback 的职责是筛选与本车相关的轨迹、复位内部跟踪状态、按速度符号切分轨迹得到 ranges_、在必要时复位计时与可视化缓存，并将整条轨迹写入内部以供定时器驱动的纯跟踪控制回路使用。通过对容器与数值函数的恰当选型以及对日志与时间基准的正确处理，该回调为后续的稳定、低延迟控制提供了明确且可扩展的基础。

（5）核心控制流程

具体程序如下所示：

```
320.    void ControlCallback(const ros::TimerEvent &evt) {
321.        if (!trajectory_.points.empty() && !approached_) {
322.            SwitchRange();
323.            UpdateLookahead();
324.            Controller();
325.        } else {
326.            ChassisCommand command;
327.            command.target = tracking_object_;
328.            command.throttle = 0.0;
329.            command.steering = 0.0;
330.            command_publisher_.publish(command);
331.        }
332.    }
```

ControlCallback 函数位于第 320 ～ 332 行。函数签名为 void ControlCallback（const ros：：TimerEvent &evt）。这是由 ros：：createTimer 注册的定时回调。定时器周期在前文已设置为 0.05s，即 20Hz。

第 321 行首先判断两项前提：内部缓存的轨迹是否非空［!trajectory_.points.empty（）］，以及是否尚未到达（!approached_）。两者同时满足时，按顺序执行三步：切换速度段 SwitchRange（）、更新预瞄点 UpdateLookahead（）、执行控制律 Controller（）。否则，进入 else 分支发布“零指令”以停车。停车分支（326 ～ 331 行）构造一条 ChassisCommand 消息，将目标编号写入 target，并把纵向与横向控制输出值置零，随后用 command_publisher_.publish（command）发布到底盘控制话题。发布的作用是把该消息放入 ROS 通信队列，由发布 - 订阅机制传递给底盘侧的订阅者。

（6）控制算法具体实现

控制器的设计包含横向控制与纵向控制两个部分，这两个部分共同完成对车辆的实时轨迹跟踪。横向控制的目的是计算转向角，使车辆能够精确地把控朝向并逐渐靠近规划的轨迹；而纵向控制的作用则是调节车辆的行驶速度，以实现沿轨迹的准确定位。

① 横向控制。横向控制部分的核心是纯跟踪算法，该算法通过动态地确定预瞄点（lookahead）来实现车辆转向角度的精确控制。

相关的函数为 Controller 函数。实现这一过程的源代码如下：

```
301.    void Controller() {
302.        TrajectoryPoint &lookahead = trajectory_.points[lookahead_index_];
303.        auto lookahead_distance = DistanceToTraj(lookahead_index_, object_.x, object_.y);
304.        double sinx = sin(object_.yaw), cosx = cos(object_.yaw);
305.        double relative_x = cosx * (lookahead.x - object_.x) + sinx * (lookahead.y - object_.y);
306.        double relative_y = -sinx * (lookahead.x - object_.x) + cosx * (lookahead.y - object_.y);
307.        double eta = atan2(relative_y, relative_x);
308.
309.        double delta = atan2(wheel_base_ * sin(eta), lookahead_distance / 2 + (lookahead.velocity > 0 ? lfw_ : lrv_) * cos(eta));
310.        double velocity = LongitudeController();
311.
312.        ChassisCommand command;
313.        command.target = tracking_object_;
314.        command.throttle = velocity;
315.        command.steering = delta;
316.
317.        command_publisher_.publish(command);
318.    }
```

该函数在前置步骤已确定预瞄点与当前段等状态的前提下，计算本周期的控制量，发布到 /chassis 话题，由底盘通信节点订阅并执行。

第 301 行定义控制函数入口。该函数不带形参、无返回值。

第 302 行将预瞄点绑定到一个引用。这里使用左值引用的目的有二：其一，避免对轨迹点对象的拷贝；其二，在语法上便于直接以 lookahead.x、lookahead.velocity 访问字段。

第 303 行计算车辆到预瞄点的欧氏距离。DistanceToTraj 内部使用 <cmath> 的 hypot 函数计算欧氏距离。此处用 auto 让编译器推断返回类型为 double。

第 304 ～ 307 行把预瞄点从世界坐标变换到车辆坐标并求出“目标方位角”。sin、cos、atan2 均来自头文件 <cmath>，接受与返回的角度单位为弧度。先预计算 sinx = sin（object_.yaw）与 cosx = cos（object_.yaw），减少重复三角函数调用。随后使用二维旋转关系将世界坐标差量（lookahead.x − object.x，lookahead.y − object.y）旋转− yaw 到车辆坐标系，这正是第 305 ～ 306 行的计算式。第 307 行 eta = atan2（relative_y，relative_x）给出目标点在车辆坐标系中的偏角 $\eta \in (-\pi, \pi]$，atan2 函数会正确处理象限与零除问题，是用于方位角计算的标准函数。

第 309 行给出横向控制的核心：转向角 δ 的计算。代码中的（lookahead.velocity > 0 ? lfw_ ： lrv_）使用了条件运算符，用于在“前进段”和“倒车段”之间选择参考点到转向轴的轴向偏置 d：前进取 d=lfw_，倒车取 d=lrv_。这一写法把经典纯跟踪的几何关系扩展为考虑控制参考点不在转向轴（车辆后轮中心）上且前后向作业时参考点不同的更一般情形。当前实验中将车辆参考点定义为车辆后轮中心，并据此设置 lfw_=0、lrv_=0。分子项 wheel_base_ * sin（eta）与分母项 lookahead_distance/2 + d * cos（eta）的组合，对应通过预瞄点的圆弧几何约束的反解；使用 atan2（而不是 atan）能在 $\cos\eta$ 接近零与跨象限时保持数值稳定与角度连续。需要强调，所有角度均为弧度，轴距与几何长度与轨迹坐标单位一致。

第 310 行计算纵向控制输出：double velocity=LongitudeController（）。将该函数返回值作为纵向控制输出使用，之后赋给 command.throttle，且纵向控制与横向控制相互独立。

第 312 ～ 316 行构造并填充到底盘的控制消息 ChassisCommand。将 target 设为当前受控车辆编号 tracking_object_；将纵向输出写入 throttle，将横向转向角写入 steering。

第 317、318 行发布控制指令：command_publisher_.publish（command）。发布的作用是将该消息写入 ROS 的发布 - 订阅通道，由底盘通信节点读取并执行。

从整体流程看，Controller 的横向控制部分先把预瞄点投影到车辆坐标系，得到偏角 η，再依据扩展纯跟踪几何公式计算 δ；纵向控制部分调用 LongitudeController 函数得到纵向控制输出；最后把两通道的结果打包并发布。实现细节上，预先缓存 sin（yaw）与 cos（yaw）以减少三角函数调用次数；使用 atan2 保证角度的象限正确与连续性；通过条件运算符在同一公式中统一了前进与倒车的几何差异（lfw_ 与 lrv_ 的切换）。在保证单位一致与角度为弧度的前提下，该代码与前文的预瞄点选择、分段切换共同构成完整、稳定的纯跟踪闭环控制。

② 纵向控制。纵向控制则主要依赖于 LongitudeController 函数实现，其核心目标是实时计算车辆的纵向目标速度，并将其下发给底盘以调节车速，从而精确跟踪轨迹。

纵向控制过程的代码如下所示：

```
282.    double LongitudeController() {
283.        double time = ros::Time::now().toSec() - start_time_;
284        TrajectoryPoint truth = trajectory_.points.back();
285.        auto upper_point = std::lower_bound(trajectory_.points.begin(),
trajectory_.points.end(), time,
286.                                            [](const TrajectoryPoint
&tp, double t) { return tp.time < t; });
287.        if (upper_point != trajectory_.points.end()) {
288.            truth = *upper_point;
```

```
289.            if (upper_point > trajectory_.points.begin()) {
290.                truth = InterpolateWithTime(*std::prev(upper_point), *upper_point, time);
291.            }
292.        }
293.        double sinx = sin(truth.yaw), cosx = cos(truth.yaw);
294.        double relative_x = cosx * (truth.x - object_.x) + sinx * (truth.y - object_.y);
295.        longitude_output_ += longitude_kp_ * (relative_x - longitude_perror_) + longitude_ki_ * relative_x;
296.        longitude_perror_ = relative_x;
297.        longitude_output_ = std::min(std::max(longitude_output_, -0.25), 0.25);
298.        return longitude_output_;
299.    }
```

函数以 ROS 时间为基准组织随时间推进的轨迹跟踪。第 283 行以 ros：：Time：：now（）.toSec（）取得当前的 ROS 时间，减去在接收新轨迹时记录的 start_time_，得到从本条轨迹开始累计的运行时间 time。后续的轨迹查询与插值均以该标量为索引。轨迹存放于 trajectory_.points，类型为 std：：vector<TrajectoryPoint>。

第 284 ～ 292 行用于在轨迹上找到当前时间应处的参考点。先以 points.back（）取末尾点作为默认参考 truth。随后调用 std：：lower_bound 在按时间升序排列的 points 上做二分查找，比较器为［］（const TrajectoryPoint &tp，double t）{ return tp.time < t； }。该查找返回第一个满足 tp.time ⩾ time 的迭代器 upper_point。根据返回位置分三种情形处理：其一，若 upper_point= =points.begin（），说明 time 不大于首个采样时刻，此时不做插值，直接令 truth为首点；其二，若 upper_point= =points.end（），说明 time 超过最后一个采样时刻，保持前面设定的默认值 truth=points.back（）；其三，若 points.begin（） < upper_point < points.end（），则取上界点与其前一采样点 prev=std：：prev（upper_point），按时间对这两个采样点进行线性插值，得到 t=time 时刻的参考状态 truth。这样，truth.x、truth.y、truth.yaw 以及速度等字段都与 time 一一对应。

第 293～ 295 行将车辆当前位置相对参考点的位置投影到参考点的切向，并以增量式 PI 结构更新纵向目标速度。先以 <cmath> 中的 sin 与 cos 计算 sin（truth.yaw）、cos（truth.yaw），随后将位移向量（truth.x − object_.x，truth.y − object_.y）旋转到以 truth.yaw 为 x 轴的坐标系中，得到切向分量 relative_x = cos（yaw）×Δx+sin（yaw）×Δy。该量为“沿轨迹切向的纵向误差”，大于 0 表示车辆落后于参考点，小于 0 表示超前。程序中采用 PI 控制的增量式写法。增量式将积分隐含为对当前误差的累加，适合固定采样周期的定时器调用。当前 longitude_ki_ 配置为 0，控制退化为仅含比例环节的增量式；在存在稳态误差的场合，再开启 I 项用于消除稳态偏差。

第 297 行用最小 - 最大裁剪实现输出限幅：longitude_output_ = std：：min（std：：max（longitude_output_，− 0.25），0.25）。std：：max 与 std：：min 来自 <algorithm>，

二者组合将输出严格限制在［－0.25，0.25］区间，一方面对应车辆平台的物理速度（单位为 m/s）上限，另一方面抑制积分饱和带来的发散风险。

综上，LongitudeController 的计算顺序可以概括为：基于 ROS时间确定轨迹时间索引；以二分查找加线性插值获得当前参考点 truth；将车辆与参考点的相对位置投影到参考切向得到纵向误差 relative_x；按增量式 PI 更新并限幅得到纵向目标速度 longitude_output_，将该目标速度返回上层控制流程，并发布至 /chassis 话题；由底盘通信节点订阅该话题，完成协议封装后经串口下发至车载控制器执行。

11.3.4 底盘通信节点程序解析

底盘通信节点程序的代码文件位于 https://github.com/YueshuoSun/CollabPlanner/blob/experiment/chassis/src/chassis_node.cpp。底盘通信节点是连接 ROS 系统中上层控制算法与实际车辆底层执行机构的关键桥梁。它负责从 ROS 话题接收控制算法发布的运动指令，并将其转换为小车底盘硬件可识别的协议数据帧，然后通过串口发送给车载控制器。此外，该节点也能接收来自车辆底层的状态信息，并可以通过 ROS 话题将这些信息反馈至上层节点，以便实现闭环监控。

主函数代码片段如下所示：

```
int main(int argc, char **argv) {
    ros::init(argc, argv, "chassis_node");
    ros::NodeHandle nh;

    port_handle = tiny_serial_open("/dev/ttyUSB0", 57600);
    if (port_handle == TINY_SERIAL_INVALID) {
        std::cerr << "Error opening serial port" << std::endl;
        return 1;
    }
    proto.enableCheckSum();
    proto.begin(serial_send_fd, serial_receive_fd);

    bool is_terminate = false;

    std::thread rx_thread(
        [&is_terminate](Tiny::ProtoLight &proto) {
            Tiny::Packet<12> packet;
            while (!is_terminate) {
                int len = proto.read(packet);
                if (len > 1) {
                    unsigned char *data = (unsigned char *)packet.data();
                    HandleMessage(data[0], data + 1, len - 1);
                }
```

```
115.             }
116.         },
117.         std::ref(proto));
118.
119.     ros::Subscriber cmd_subscriber = nh.subscribe("/chassis", 10, CmdVelCb);
120.     ros::Publisher vel_publisher = nh.advertise<std_msgs::Float64>("/velocity", 1, false);
121.     velocity_publisher_ = &vel_publisher;
122.
123.     ros::spin();
124.     is_terminate = true;
125.     rx_thread.join();
126.     proto.end();
127.
128.     tiny_serial_close(port_handle);
129.     return 0;
130. }
```

程序入口为 C/C++ 规范的 int main（int argc，char **argv）。形参 argc 与 argv 分别表示命令行参数的个数与参数数组，argv［0］约定为可执行文件名，随后依次为用户输入的参数。ROS 使用命令行重映射与初始化选项，因此第 93 行把 argc 与 argv 原样传入 ros：：init，让 ROS 自行解析清理；第三个参数 "chassis_node" 是默认节点名，可在运行时通过重映射改名。第 94 行构造 ros：：NodeHandle nh，这是 roscpp 中创建发布者、订阅者与定时器，以及访问参数服务器的入口。此处未传入 "～" 私有命名空间，而是使用默认命名空间；不过本程序随后使用的两个话题名均以斜杠开头（/chassis 与 /velocity），属于绝对话题名，不受命名空间影响。

第 96 ～ 100 行建立与底盘控制器的串口连接。tiny_serial_open（"/dev/ttyUSB0"，57600）打开串口设备并设置波特率为 57600，返回的 port_handle 是后续读写所需的句柄；若返回值等于 TINY_SERIAL_INVALID，说明设备不可用或权限不足，于是打印错误到标准错误流 std：：cerr，并以 return 1 非零状态退出。按照约定，进程退出码 0 表示成功，非 0 表示异常；可在程序结束后在 Ubuntu 终端中输入如下命令查看上一条命令的退出码：

```
echo $?↵
```

在 roslaunch 中则会看到 "process has died ［exit code 1］" 等提示。

第 101、102 行对通信协议栈进行初始化：proto.enableCheckSum（）打开数据帧的校验和功能，后续每个发送帧会追加校验和、接收帧会校验一致性；proto.begin（serial_send_fd，serial_receive_fd）绑定底层的 "发送 / 接收" 通道。

第 104 ～ 117 行设置串口接收线程。先定义布尔标志 is_terminate=false 作为跨线程的运行控制位。随后用 std：：thread 启动一个线程，线程入口是一个 C++ 匿名函数

（lambda）：［&is_terminate］（Tiny：：ProtoLight & proto）{…}。方括号［&is_terminate］表示按引用捕获主线程中的 is_terminate，使子线程能够观察到主线程对该标志位的更新；形参 Tiny：：ProtoLight &proto 说明线程函数需要一个协议对象的引用。std：：thread 构造时在末尾传入 std：：ref（proto），显式地把主线程中的 proto 以引用语义传递给线程函数，否则将发生一次对象拷贝。线程体内先定义一个定长包缓冲 Tiny：：Packet<12> packet，然后进入 while（!is_terminate）的循环；while 是 C/C++ 的条件循环语句，在条件为真时反复执行循环体。第 110 行以 proto.read（packet）从底层接收一个数据帧，返回值 len 为帧有效字节数；当 len>1 时，把包的首字节视作消息 ID，余下部分视作有效负载。packet.data（）返回原始缓存指针，强制转换为 unsigned char* 后，以 data［0］取 ID、以 data+1 取负载首地址、以 len-1 取负载长度，并调用 HandleMessage 分发处理。unsigned char 是无符号 8 位字节类型，取值范围为 0 ～ 255，常用于对原始二进制缓冲区的逐字节解析。需要注意，线程循环会一直运行到 is_terminate 变为 true。该标志在主线程中位于节点退出前置位，从而实现线程的“软退出”。

第 119 ～ 121 行在主线程创建 ROS 通信端口。ros：：Subscriber cmd_subscriber = nh.subscribe（"/chassis"，10，CmdVelCb）订阅绝对话题 /chassis，队列长度 10 表示当回调处理速度落后于到达速度时，最多缓存 10 条未处理消息，超出部分将丢弃旧消息以限制延迟；回调函数 CmdVelCb 的签名需与消息类型匹配。ros：：Publisher vel_publisher = nh.advertise<std_msgs：：Float64>（"/velocity"，1，false）在 /velocity 上发布车辆速度，队列长度 1 有助于降低延迟，最后一个布尔位为 latch 标志，此处为 false 表示不保留最近一条。velocity_publisher_ 保存了该发布者的地址，用于在接收线程或其他模块内部直接发布速度反馈。roscpp 支持在不同线程中调用 publish，但务必保证共享数据的并发访问安全。

第 123 ～ 129 行是节点的运行与退出序列。ros：：spin（）进入 ROS 事件循环，阻塞当前线程并持续处理订阅回调、服务回调与定时器回调，直到收到关闭信号（Ctrl-C、rosnode kill 或 ros：：shutdown）才返回。随后把 is_terminate 置 true 通知接收线程退出循环，调用 rx_thread.join（）等待该线程结束；join 的语义是“阻塞当前线程，直至目标线程执行完毕”，可确保在退出前不再访问已经关闭的资源。与 join 对应的 detach 会让线程在后台“分离运行”，但不宜用于需要有序清理的场景，因为主线程无法再等待其结束。proto.end（）用于关闭协议栈、释放内部缓冲与解绑收发通道；tiny_serial_close（port_handle）关闭串口设备句柄。最后，return 0 以成功状态结束进程。

（1）从 ROS 到小车：发送控制指令

底盘通信节点的主要任务之一是实现从 ROS 到小车的控制指令发送功能，这一功能具体由回调函数 CmdVelCb 完成。

对应的程序代码如下：

```
68.void CmdVelCb(const sandbox_msgs::ChassisCommandConstPtr &msg) {
69.     steering_rad_ = std::max(std::min(-msg->steering, max_phi_plan_), min_phi_plan_);
```

```
70.     double steering = steering_rad_ / M_PI * 180;
71.
72.     double throttle = std::max(std::min(msg->throttle * 100, 25.0), -25.0);
73.     TwistMessage twist = {
74.         int16_t(throttle),
75.         int16_t(steering),
76.     };
77.
78.     byte buf[100] = {0};
79.     int16_t size = GenerateMessage((unsigned char)msg->target, MSG_TYPE_TWIST, (byte *)&twist,
80.                                    sizeof(TwistMessage), buf);
81.     proto.write(reinterpret_cast<char *>(buf), size);
82.}
```

回调函数的形参类型为 sandbox_msgs：：ChassisCommandConstPtr，这是 ROS 在 roscpp 中对“指向常量消息的共享指针”的别名。以指向常量的形式传入有两点意义：一是避免在回调中拷贝消息，降低时延与内存开销；二是通过 const 限定保证回调不会修改接收到的消息。回调体内使用指针成员访问运算符“->”读取字段。

第 69 行对转向角执行符号进行调整与限幅：steering_rad_ = std：：max（std：：min（-msg->steering，max_phi_plan_），min_phi_plan_）。此处先对消息中的转向角取负号，目的是对齐控制算法与底盘硬件约定的左右转方向，因为控制算法中为“左正右负”，而底盘期望“左负右正”。随后使用“外 max、内 min”的夹取模式将结果限制在［min_phi_plan_，max_phi_plan_］区间内，防止指令越界。自 C++17 起可以改用 std：：clamp 表达同一语义。限幅前置是安全策略之一，它保证在后续的单位换算与类型收缩之前数值已经落在可接受的物理范围内。

第 70 行将弧度转换为角度：double steering = steering_rad_ / M_PI * 180。M_PI 来自 <cmath>，表示 π 的近似值。底盘通信协议以（°）为单位表示转向，必须在发送前完成该换算。

在第 72 行对纵向控制量进行单位转换与限幅：double throttle = std：：max（std：：min（msg->throttle * 100，25.0），−25.0）。其中，msg->throttle 是上层控制器给出的目标纵向速度，单位为 m/s；乘以 100 的目的在于将速度从 m/s 转换为 cm/s，以匹配底层串口协议与电机侧控制采用的 cm/s 表示。随后使用对称区间［−25，25］做限幅，对应的物理意义是将目标车速限制在 ±25cm/s 的范围内，即 ±0.25m/s。

第 73 ～ 76 行组织串口负载结构体 TwistMessage，并将数值收缩到 16 位有符号整数。

第 78 ～ 81 行完成协议封装并写串口。byte buf［100］ = {0} 定义了一个 100 字节的发送缓冲并进行零初始化，保证未被填充的字节为 0。GenerateMessage（（unsigned char）msg->target，MSG_TYPE_TWIST，（byte*）&twist，sizeof（TwistMessage），buf）

将目标车辆标识、消息类型和负载一起封装为协议帧，返回实际帧长 size。这里把 msg->target 窄化为 unsigned char，假定车辆 ID 在 0 ～ 255 范围内；若系统允许更大编号，应相应扩展协议字段宽度。sizeof（TwistMessage）在编译期返回结构体所占字节数，供协议层写入长度字段与校验时使用。最后一行 proto.write（reinterpret_cast<char*>（buf），size）将缓冲区中的 size 个字节写入底层传输通道。之所以使用 reinterpret_cast<char>，是因为底层写接口以 char 作为“字节序列”的通用指针类型；把 byte* 或 unsigned char* 转换为 char* 需要使用 reinterpret_cast 表达“按位重解释”，static_cast 并不适用。该调用仅发送前面 GenerateMessage 写入的有效长度，缓冲区的剩余零字节不会被发送。

综合上述步骤，回调的处理顺序可清晰复述为：读取并校验核对消息→依据坐标约定调整转向符号→对转向与纵向控制输出进行限幅与单位换算→将结果收缩到协议定义的定宽整数并填入结构体→通过协议层生成完整帧（含头、长度、校验）→通过串口发送。

（2）从小车到 ROS：接收状态反馈

底盘通信节点具备从小车回传状态的能力：后台接收线程持续通过 TinyProtocol 读取串口数据帧，数据处理函数在识别到速度反馈帧后，将原始速度值从 cm/s 换算到 m/s，并发布至 /velocity 话题。当前版本的上层纵向控制器并未将 /velocity作为反馈量使用，它以纵向位置误差为闭环量，通过 PID 控制器计算得到目标纵向速度，并将该目标速度下发给底盘。需要说明的是，底盘通信节点在电机侧自带编码器速度闭环，因此即便上层不使用 /velocity，底盘仍能按目标速度稳定跟踪。保留 /velocity 的发布为后续扩展预留了接口。

对应的程序代码如下：

```
41.void HandleMessage(byte type, byte *data, int len) {
42.    if (type == MSG_TYPE_VELOCITY) {
43.        if (len != sizeof(VelocityMessage)) return;
44.        VelocityMessage *vel = (VelocityMessage *)data;
45.
46.        std_msgs::Float64 msg;
47.        msg.data = vel->velocity / 100.0;
48.        velocity_publisher_->publish(msg);
49.    }
50.}
```

HandleMessage 函数由接收线程在成功读取一个完整数据帧后调用，其职责是根据帧类型解释负载、完成必要的单位换算，并将结果转换为 ROS 消息发布到系统内。

函数签名为 void HandleMessage（byte type，byte *data，int len）。其中，byte 为无符号 8 位整型（等价于 unsigned char），适合逐字节处理原始缓冲；data 指向负载首字节；len 为负载长度。第 42 行首先判定消息类型，仅当 type 等于 MSG_TYPE_VELOCITY（速度反馈）时才继续处理，其他类型直接忽略。第 43 行通过“长度守卫”if（len != sizeof（VelocityMessage））return 进行基本健壮性检查：若负载长度与 VelocityMessage 结构体的字节大小不一致，立即放弃本帧，避免越界访问或误读。sizeof 在编译期计算对象或类型的占用字节数，这里用于验证“协议端写入的负载长度”与“本地结构体布局”一致，是二进制协议常见的第一道安全闸。

第 44 行将原始字节指针 data强制转换为 VelocityMessage*，随后通过 vel->velocity 访问速度字段。这里使用了 C 风格的类型转换（VelocityMessage*），为按位重解释操作。

第 46 ～ 48 行将底层速度值转换为 ROS 消息并发布。std_msgs：：Float64 msg 创建一个浮点标量消息，msg.data = vel->velocity / 100.0 完成单位换算：按照本协议，velocity 字段以 cm/s 表示，除以 100.0 即得到 m/s。此处分母写作 100.0，而非 100，可显式触发浮点运算，避免整数除法带来的截断。velocity_publisher_->publish（msg）将结果发布到 /velocity 话题。velocity_publisher_ 是在主线程中创建的 ros：：Publisher 的地址，回调在线程内使用该指针发布消息；roscpp 的发布接口是线程安全的，只要发布者在整个节点生命周期内保持有效即可。将发布者指针写入全局或静态存储以便后台线程调用，是一种常见的桥接方式；需要确保主线程在置位 is_terminate、join 接收线程并关闭协议栈之后，再析构发布者，从而避免线程仍在使用已失效资源。

11.3.5 协同轨迹规划目标点指派策略解析

在多机器人协同任务的规划过程中，解决如何合理地将目标位置分配给每个机器人的问题，即任务分配问题，往往是轨迹规划环节中一个至关重要的步骤。传统的任务分配策略（例如匈牙利算法）通常追求整体效率，目标是在机器人群体整体行驶距离最小化的前提下确定每个机器人的目标点。然而，在实际算法验证、性能压力测试或特定演示需求中，可能并不希望简单地以效率最大化为目标，而是希望生成复杂度更高、非直观甚至有些挑战性的目标分配方案，以更全面地检验和展示系统的协同规划能力与鲁棒性。为实现这一特殊需求，本书采用了一种非常规的目标点分配（指派）策略（或称目标分配策略），这种方法并不盲目追求最低的总行驶距离，而是从“公平性”与“复杂性”两个维度进行综合优化，从而生成一种更具挑战性的目标分配方案。

该策略的核心思想是将目标分配问题转化为两阶段优化过程进行求解。在第一阶段，算法着眼于实现目标分配的“公平性”，具体体现在每个机器人的行驶距离尽可能接近，即最小化所有机器人行驶距离的方差。在实际执行时，算法首先使用排列组合方法枚举所有可能的起点与终点配对方案，然后分别计算出各个方案中每个机器人需要行驶的距离，并基于这些距离进一步计算出每个配对方案的方差值。方差越小则意味着每个机器人之间的行驶距离越接近，即方案的公平性越高。随后算法将所有方案的方差进行比较，并利用一个优先队列保留方差最小的前 50 个候选方案。

进入第二阶段后，算法不再关注公平性，而转向目标任务的“复杂性”，即在公平性已经得到充分保证的基础上，进一步选出总行驶距离之和最大化的方案作为最终的任务分配结果。这一步的优化意义在于：在各机器人行驶距离均匀分配的同时，增加整体行驶的路径长度，从而为机器人规划出更具挑战性与非直观的轨迹方案，达到更全面地验证协同轨迹规划算法的效果。这种“先确保公平，再追求复杂”的目标分配策略，使得算法能够有效避免那些简单、显而易见的目标分配结果，体现出所设计的多车协同轨迹规划算法在处理特殊任务场景时的灵活性与适应性。

该算法的具体实现可在本书配套代码仓库中查看，文件路径为 https：//github.com/YueshuoSun/CollabPlanner/blob/main/collab_node.cpp，其中的关键函数实现如下：

```cpp
// 计算两点间欧氏距离
double EuclideanDistance(const Pose& a, const Pose& b) { return hypot(a.x() - b.x(), a.y() - b.y()); }

// 计算方差
double CalculateVariance(const std::vector<double>& distances) {
    double mean = std::accumulate(distances.begin(), distances.end(), 0.0) / distances.size();
    double variance = 0.0;
    for (double distance : distances) {
        variance += std::pow(distance - mean, 2);
    }
    return variance / distances.size();
}

// 用于优先队列的结构体
struct VariancePairing {
    double variance;
    double distance_sum;
    std::vector<int> indices;

    bool operator<(const VariancePairing& other) const { return variance < other.variance; }
};

Poses FindOptimalPairing(const Poses& start_points, const Poses& end_points) {
    std::vector<int> indices(start_points.size());
    iota(indices.begin(), indices.end(), 0);

    std::priority_queue<VariancePairing, std::vector<VariancePairing>> top_pairings;

    do {
        std::vector<double> distances;
        for (size_t i = 0; i < start_points.size(); ++i) {
            distances.push_back(EuclideanDistance(start_points[i], end_points[indices[i]]));
```

```
198.            }
199.            double variance = CalculateVariance(distances);
200.            double distance_sum = std::accumulate(distances.begin(), distances.end(), 0.0);
201.            top_pairings.push({variance, distance_sum, indices});
202.            if (top_pairings.size() > 50) {
203.                top_pairings.pop();
204.            }
205.        } while (next_permutation(indices.begin(), indices.end()));
206.
207.        VariancePairing best_pairing = top_pairings.top();
208.        for (size_t i = 1; i < 50 && !top_pairings.empty(); ++i) {
209.            const auto& pairing = top_pairings.top();
210.            if (pairing. distance_sum > best_pairing. distance_sum) {
211.                best_pairing = pairing;
212.            }
213.            top_pairings.pop();
214.        }
215.
216.        // 根据最优配对更新 end_points
217.        Poses updated_end_points;
218.        for (size_t i = 0; i < best_pairing.indices.size(); ++i) {
219.                updated_end_points[i] = end_points[best_pairing.indices[i]];
220.        }
221.
222.        return updated_end_points;
223.    }
```

下面对上述代码进行分析：

第 167 行的 EuclideanDistance 函数用于计算二维平面上两点之间的欧氏距离。代码使用 <cmath> 中数值更稳健的 hypot 实现：hypot（a.x（）- b.x（），a.y（）- b.y（））。函数形参以 const Pose& 形式传入，表示“只读访问且避免拷贝”。这里的 Pose 表示平面位姿，提供了 x（）与 y（）访问器。

第 170 ～ 177 行的 CalculateVariance 计算一组距离的方差。首先通过 <numeric> 中的 std：：accumulate 求均值：accumulate（distances.begin（），distances.end（），0.0）表示以 0.0 为初值对区间［begin，end）做浮点求和；再除以样本数得到 mean。随后遍历每个距离并用 <cmath> 的 std：：pow（distance - mean，2）累加平方偏差，最后除以 distances.size（）得到方差。形参以 const std：：vector<double>& 传入，同样是“只读且不拷贝”。在性能敏感场合，pow（x，2）可替换为 x*x 以减少函数开销。

接下来是用于优先队列的结构体。第 180 ～ 186 行定义了结构体 VariancePairing，成员包含：variance，其为该方案的方差，用于衡量“公平性”；distance_sum，其为总路程和，用于衡量“复杂性 / 挑战度”；indices，其为起点序列到终点序列的映射。在 C++ 中，struct 与 class 的主要语义差别仅在默认可见性：struct 的成员默认 public，class 默认 private；当仅作为被动数据承载使用且无需封装时，struct 更简洁。此处重载了比较运算符 bool operator<（const VariancePairing& other）const { return variance < other.variance； }。该比较以方差 variance 为唯一排序键，方差更小的元素被视为“更小”。

核心过程在 FindOptimalPairing 中完成。形参 start_points、end_points 的类型 Poses 长度相同，分别表示每辆车的起点与候选终点集合。第 189 ～ 191 行构造一个 indices 向量并用 iota 填充为 0，1，2，…，$n-1$。iota（first，last，start）的语义是：从 start 起，按递增顺序依次写入［first，last）。这为后续使用 <algorithm> 的 next_permutation 做全排列枚举打下基础。

第 192 行定义了优先队列。std：：priority_queue 是堆（heap）容器适配器，第三个模板参数为比较器类型。此处未显式提供比较器，因此使用默认的 std：：less<VariancePairing>，配合前面在 VariancePairing 中按方差升序定义的 operator<，整体形成一个按方差构建的最大堆：堆顶 top（）始终是当前集合中方差最大的元素，每次 push 新候选方案后，若 size（）>K 则调用 pop（）丢弃堆顶（最大方差），从而在遍历所有排列的过程中持续保留方差最小的前 K 个候选方案。可以把它看作一个固定容量的候选池。

第 194 ～ 205 行枚举所有可能的起点 - 终点指派方案：do {…} while（next_permutation（indices.begin（），indices.end（）））。next_permutation 对当前 indices 的字典序进行就地重排并返回“是否存在下一个排列”。以 iota 生成的升序序列为起点，可以遍历所有 $n!$ 个排列。循环体中，第 196 ～ 201 行构造当前方案的距离序列与统计量：对每个起点 i 计算到被指派终点 indices［i］的距离，存入 distances；然后以 CalculateVariance 求方差，以 accumulate 求距离和 distance_sum；随后把本方案 {variance，distance_sum，indices} 推入优先队列。

第 207 ～ 214 行从候选集中选出最终方案。代码先以 best_pairing = top_pairings.top（）取堆顶，也就是根据当前比较器语义的“最小方差”方案，在一个最多 50 次的循环中，持续读取堆顶并比较 distance_sum，将总路程和更大的候选替换为 best_pairing，并逐个 pop（）出队。按照“二阶段”策略，这一段的意图是：在“方差已处于最小的前 50 个”这一组中，挑出“距离和最大”的方案作为最终输出。

第 216～ 223 行根据最优指派结果重排终点集合并返回。算法把 end_points 调整为与 start_points 一一对应的顺序：updated_end_points［i］ = end_points［best_pairing.indices［i］］。

至此可以将整体逻辑串联如下。对于起点集 S 与终点集 T，构造所有一一对应的配对方案 P。对每个方案，计算距离向量与其方差、距离和。第一阶段用一个固定容量的候选集合保留“方差最小”的前 K 个方案；第二阶段在这 K 个候选中选出距离和最大的方案，体现“在公平性（方差小）约束下最大化复杂性（路程和大）”的目标。最后按选出的映射重排终点顺序并返回。

参考文献

[1] 中国汽车工程学会. 节能与新能源汽车技术路线图[M]. 北京:机械工业出版社, 2016.

[2] Kröger F. Automated driving in its social, historical and cultural contexts[M]//Autonomous Driving: Technical, Legal and Social Aspects. Berlin, Heidelberg: Springer, 2016: 41-68.

[3] Milanés V, Shladover S E, Spring J, et al. Cooperative adaptive cruise control in real traffic situations[J]. IEEE Transactions on Intelligent Transportation Systems, 2014, 15(1): 296-305.

[4] LeCun Y, Bengio Y, Hinton G. Deep learning[J]. Nature, 2015, 521(7553): 436-444.

[5] Andrews J G, Buzzi S, Choi W, et al. What will 5G be?[J]. IEEE Journal on Selected Areas in Communications, 2014, 32(6): 1065-1082.

[6] 国务院关于印发《中国制造2025》的通知［EB/OL］. (2015-05-20)[2025-02-26].https://www.ndrc.gov.cn/fggz/lywzjw/201505/t20150520_1370556.html.

[7] 关于印发《智能汽车创新发展战略》的通知［EB/OL］. (2020-02-24)[2025-02-26]. https://www.ndrc.gov.cn/xxgk/zcfb/tz/202002/t20200224_1221077.html.

[8] 国务院办公厅关于印发新能源汽车产业发展规划（2021—2035年）的通知［EB/OL］.(2020-11-02)[2025-02-26]. https://www.gov.cn/zhengce/content/2020-11/02/content_5556716.htm.

[9] 四部委关于开展智能网联汽车准入和上路通行试点工作的通知［EB/OL］. (2023-11-17)[2025-08-26]. https://www.gov.cn/zhengce/zhengceku/202311/content_6915788.htm.

[10] 张亦弛,谢卉瑜,潘霞.智能网联汽车道路测试与示范应用政策分析[J].汽车与新动力,2022,5(01):16-19.

[11] 李克强,戴一凡,李升波,等. 智能网联汽车(ICV)技术的发展现状及趋势[J].汽车安全与节能学报,2017,8(01):1-14.

[12] 林可春. 智能网联汽车技术发展研究[J].机电技术,2025(02):12-16,89.

[13] Singh S. Critical reasons for crashes investigated in the National Motor Vehicle Crash Causation Survey[R]. Washington DC: National Highway Traffic Safety Administration, 2015.

[14] Bagloee S A, Tavana M, Asadi M, et al. Autonomous vehicles: challenges, opportunities, and future implications for transportation policies[J]. Journal of Modern Transportation, 2016, 24: 284-303.

[15] Li B, Ouyang Y, Zhang Y, et al. Optimal cooperative maneuver planning for multiple nonholonomic robots in a tiny environment via adaptive-scaling constrained optimization[J]. IEEE Robotics and Automation Letters, 2021, 6(2): 1511-1518.

[16] Azarm K, Schmidt G. Conflict-free motion of multiple mobile robots based on decentralized motion planning and negotiation[C]//Proceedings of International Conference on Robotics and Automation. Vol. 4. Piscataway, NJ: IEEE, 1997: 3526-3533.

[17] Li B, Cao D, Tang S, et al.Sharing traffic priorities via cyber-physical-social intelligence: A lane-free autonomous intersection management method in metaverse[J]. IEEE Transactions on Systems, Man, and Cybernetics: Systems, 2022, 53(4): 2025-2036.

[18] Ouyang Y, Li B, Zhang Y,et al. Fast and optimal trajectory planning for multiple vehicles in a nonconvex and cluttered environment: Benchmarks, methodology, and experiments[C]// Proceedings of 2022 International Conference on Robotics and Automation (ICRA). Piscataway, NJ: IEEE, 2022: 10746-10752.

[19] Li B, Zhang Y, Feng Y, et al.Balancing computation speed and quality: A decentralized motion planning method for cooperative lane changes of connected and automated vehicles[J]. IEEE Transactions on Intelligent Vehicles, 2018, 3(3): 340-350.

[20] Li B, Fan L, Ouyang Y, et al.Online competition of trajectory planning for automated parking: Benchmarks, achievements, learned lessons, and future perspectives[J]. IEEE Transactions on Intelligent Vehicles, 2022, 8(1): 16-21.

[21] De Luca A, Oriolo G, Samson C. Feedback control of a nonholonomic car-like robot[M]// Robot Motion Planning and Control. Berlin, Heidelberg: Springer, 2005: 171-253.

[22] Rösmann C, Hoffmann F, Bertram T. Integrated online trajectory planning and optimization in distinctive topologies[J]. Robotics and Autonomous Systems, 2017, 88: 142-153.

[23] Schouwenaars T, De Moor B, Feron E, et al. Mixed integer programming for multi-vehicle path planning[C]// Proceedings of 2001 European Control Conference (ECC). Piscataway, NJ: IEEE, 2001: 2603-2608.

[24] Xu H, Feng S, Zhang Y, et al.A grouping-based cooperative driving strategy for CAVs merging problems[J]. IEEE Transactions on Vehicular Technology, 2019, 68(6): 6125-6136.

[25] Zhou Y, Hu H, Liu Y, et al.A real-time and fully distributed approach to motion planning for multirobot systems[J]. IEEE Transactions on Systems, Man, and Cybernetics: Systems, 2017, 49(12): 2636-2650.

[26] Luis C E, Vukosavljev M, Schoellig A P. Online trajectory generation with distributed model predictive control for multi-robot motion planning[J]. IEEE Robotics and Automation Letters, 2020, 5(2): 604-611.

[27] Chen Y, Cutler M, How J P. Decoupled multiagent path planning via incremental sequential convex programming[C]// Proceedings of 2015 IEEE International Conference on Robotics and Automation (ICRA).

Piscataway, NJ: IEEE, 2015: 5954-5961.

[28] Hönig W, Preiss J A, Kumar T S, et al.Trajectory planning for quadrotor swarms[J]. IEEE Transactions on Robotics, 2018, 34(4): 856-869.

[29] Zhang X, Wang B, Lu Y, et al.A hierarchical multi-vehicle coordinated motion planning method based on interactive spatio-temporal corridors[J]. IEEE Transactions on Intelligent Vehicles, 2023, 9(1): 2675-2687.

[30] Kondak K, Hommel G. Computation of time optimal movements for autonomous parking of non-holonomic mobile platforms[C]// Proceedings of 2001 IEEE International Conference on Robotics and Automation (ICRA). Vol. 3. Piscataway, NJ: IEEE, 2001: 2698-2703.

[31] 李柏. 复杂约束下自动驾驶车辆运动规划的计算最优控制方法研究[D]. 杭州：浙江大学, 2018.

[32] Polack P, Altché F, d'Andréa-Novel B, et al.The kinematic bicycle model: A consistent model for planning feasible trajectories for autonomous vehicles?[C]// Proceedings of 2017 IEEE Intelligent Vehicles Symposium (Ⅳ). Piscataway, NJ: IEEE, 2017: 812-818.

[33] Li B, Shao Z. A unified motion planning method for parking an autonomous vehicle in the presence of irregularly placed obstacles[J]. Knowledge-Based Systems, 2015, 86: 11-20.

[34] Li B, Ouyang Y, Li L, et al.Autonomous driving on curvy roads without reliance on frenet frame: A cartesian-based trajectory planning method[J]. IEEE Transactions on Intelligent Transportation Systems, 2022, 23(9): 15729-15741.

[35] Gottschalk S, Lin M C, Manocha D. OBBTree: A hierarchical structure for rapid interference detection[C]// Proceedings of the 23rd Annual Conference on Computer Graphics and Interactive Techniques. New York: ACM, 1996: 171-180.

[36] Zhang X, Liniger A, Sakai A, et al.Autonomous parking using optimization-based collision avoidance[C]// Proceedings of 2018 IEEE Conference on Decision and Control (CDC). Piscataway, NJ: IEEE, 2018: 4327-4332.

[37] Zhang X, Liniger A, Borrelli F. Optimization-based collision avoidance[J]. IEEE Transactions on Control Systems Technology, 2020, 29(3): 972-983.

[38] Boyd S P, Vandenberghe L. Convex Optimization[M]. Cambridge: Cambridge University Press, 2004.

[39] Guo Z, Wang Y, Yu H, et al. Fast optimization-based trajectory planning with cumulative key constraints for automated parking in unstructured environments[J]. IEEE Transactions on Vehicular Technology, 2025, 74(8): 11820-11831.

[40] Li B, Wang K, Shao Z. Time-optimal trajectory planning for tractor-trailer vehicles via simultaneous dynamic optimization[C]// Proceedings of 2015 IEEE/RSJ International Conference on Intelligent Robots and Systems (IROS). Piscataway, NJ: IEEE, 2015: 3844-3849.

[41] How to check if a point is inside a rectangle[EB/OL]. (2012-09-09) [2025-06-01]. https://math.stackexchange.com/questions/190111/how-to-check-if-a-point-is-inside-a-rectangle.

[42] Li B, Wang K, Shao Z. Time-optimal maneuver planning in automatic parallel parking using a simultaneous dynamic optimization approach[J]. IEEE Transactions on Intelligent Transportation Systems, 2016, 17(11): 3263-3274.

[43] 陈晓明, 李柏, 范丽丽, 等. 基于半空间约束理论的自动泊车高性能轨迹优化方法[J]. 机械工程学报, 2024, 60(10): 273-288.

[44] Li B, Acarman T, Peng X, et al. Maneuver planning for automatic parking with safe travel corridors: A numerical optimal control approach[C]// Proceedings of 2020 European Control Conference (ECC). Piscataway, NJ: IEEE, 2020: 1993-1998.

[45] Li B, Zhang Y. Fast trajectory planning for off-road autonomous driving with a spatiotemporal tunnel and numerical optimal control approach[C]// Proceedings of 2019 IEEE 4th International Conference on Advanced Robotics and Mechatronics (ICARM). Piscataway, NJ: IEEE, 2019: 924-929.

[46] Park J, Kim H J. Fast trajectory planning for multiple quadrotors using relative safe flight corridor[C]// Proceedings of 2019 IEEE/RSJ International Conference on Intelligent Robots and Systems (IROS). Piscataway, NJ: IEEE, 2019: 596-603.

[47] Augugliaro F, Schoellig A P, D'Andrea R. Generation of collision-free trajectories for a quadrocopter fleet: A sequential convex programming approach[C]// Proceedings of 2012 IEEE/RSJ International Conference on Intelligent Robots and Systems (IROS). Piscataway, NJ: IEEE, 2012: 1917-1922.

[48] Betts J T. Practical Methods for Optimal Control and Estimation Using Nonlinear Programming[M]. Philadelphia: Society for Industrial and Applied Mathematics, 2010.

[49] Biegler L T. An overview of simultaneous strategies for dynamic optimization[J]. Chemical Engineering and Processing: Process Intensification, 2007, 46(11): 1043-1053.

[50] Kameswaran S, Biegler L T. Simultaneous dynamic optimization strategies: Recent advances and challenges[J]. Computers & Chemical Engineering, 2006, 30(10-12): 1560-1575.

[51] Robert H, Mario Z, Gianluca F, et al. Experimental validation of a semi-distributed SQP method for optimal coordination of automated vehicles at intersections[J]. Optimal Control Applications and Methods, 2020, 41(4): 1068-1096.

[52] Wächter A, Biegler L T. On the implementation of an interior-point filter line-search algorithm for large-scale nonlinear programming[J]. Mathematical Programming, 2006, 106(1): 25-57.

[53] Ni R, Pan Z, Gao X. Robust multi-robot trajectory optimization using alternating direction method of multiplier[J]. IEEE Robotics and Automation Letters, 2022, 7(3): 5950-5957.

[54] 颜丰琳. 自由飞行模式的多飞行器轨迹优化[D]. 杭州：浙江大学, 2015.

[55] Gondzio J, Grothey A. A new unblocking technique to warmstart interior point methods based on sensitivity analysis[J]. SIAM Journal on Optimization, 2008, 19(3): 1184-1210.

[56] Wu Y C, Debs A S. Initialisation, decoupling, hot start, and warm start in direct nonlinear interior point algorithm for optimal power flows[J]. IEE Proceedings-Generation, Transmission and Distribution, 2001, 148(1): 67-75.

[57] Bhattacharya S, Ghrist R. Path homotopy invariants and their application to optimal trajectory planning[J]. Annals

of Mathematics and Artificial Intelligence, 2018, 84(3): 139-160.

[58] Bergman K, Axehill D. Combining homotopy methods and numerical optimal control to solve motion planning problems[C]// Proceedings of 2018 IEEE Intelligent Vehicles Symposium (Ⅳ). Piscataway, NJ: IEEE, 2018: 347-354.

[59] Xu W, Dolan J M. Speed planning in dynamic environments over a fixed path for autonomous vehicles[C]// Proceedings of 2022 International Conference on Robotics and Automation (ICRA). Piscataway, NJ: IEEE, 2022: 3321-3327.

[60] Kasaura K. Homotopy-aware multi-agent path planning on plane[J/OL]. arXiv preprint, 2023 [2025-06-01].https://arxiv.org/abs/2310.01945.

[61] Guo Y, Guo Z, Wang Y, et al. A survey of trajectory planning methods for autonomous driving—Part Ⅰ: Unstructured scenarios[J]. IEEE Transactions on Intelligent Vehicles, 2024, 9(9): 5407-5434.

[62] Hart P E, Nilsson N J,Raphael B. A formal basis for the heuristic determination of minimum cost paths[J]. IEEE Transactions on Systems Science and Cybernetics,1968, 4(2): 100-107.

[63] Li B, Zhang Y, Ouyang Y, et al.Fast trajectory planning for AGV in the presence of moving obstacles: A combination of 3-dim A* search and QCQP[C]// Proceedings of 2021 33rd Chinese Control and Decision Conference (CCDC). Piscataway, NJ: IEEE, 2021: 7549-7554.

[64] Sharon G, Stern R, Felner A, et al. Meta-agent conflict-based search for optimal multi-agent path finding[C]// Proceedings of Symposium on Combinatorial Search (SoCS),2012.

[65] Sharon G, Stern R, Felner A, et al. Conflict-based search for optimal multi-agent pathfinding[J]. Artificial Intelligence, 2015, 219: 40-66.

[66] Wen L, Liu Y, Li H. CL-MAPF: Multi-agent path finding for car-like robots with kinematic and spatiotemporal constraints[J]. Robotics and Autonomous Systems, 2022, 150: 103997.

[67] Samson C. Control of chained systems application to path following and time-varying point-stabilization of mobile robots[J]. IEEE Transactions on Automatic Control, 2002, 40(1): 64-77.

[68] Li B, Zhang Y, Jia N, et al. Paving green passage for emergency vehicle in heavy traffic: Real-time motion planning under the connected and automated vehicles environment[C]// Proceedings of 2017 IEEE International Symposium on Safety, Security and Rescue Robotics (SSRR). Piscataway, NJ: IEEE, 2017: 153-158.

[69] Li B, Zhang Y, Ge Y, et al. Optimal control-based online motion planning for cooperative lane changes of connected and automated vehicles[C]// Proceedings of 2017 IEEE/RSJ International Conference on Intelligent Robots and Systems (IROS). Piscataway, NJ: IEEE, 2017: 3689-3694.

[70] Helbing D, Molnar P. Social force model for pedestrian dynamics[J]. Physical Review E, 1995, 51(5): 4282-4286.

[71] 李柏，葛雨明. 智能网联汽车协同决策与规划技术[M]. 北京：机械工业出版社，2020.

[72] Bu F, Li B, Chen P, et al. Real-time cooperative trajectory planning for multiple CAVs at unstructured intersections: A computational optimal control approach[J]. IEEE Transactions on Intelligent Transportation Systems, 2025, 26(11): 18963-18977.

[73] Li B, Acarman T, Zhang Y, et al. Optimization-based trajectory planning for autonomous parking with irregularly placed obstacles: A lightweight iterative framework[J]. IEEE Transactions on Intelligent Transportation Systems, 2022, 23(8): 11970-11981.

[74] Pan L, Zhang Z, Yin Z, et al. 3D bevel-tip needle insertion trajectory planning via computational optimal control[J]. IEEE Access, 2025, 13: 107657-107668.

[75] Wang X, Li B, Su X, et al. Autonomous dispatch trajectory planning on flight deck: A search-resampling-optimization framework[J]. Engineering Applications of Artificial Intelligence, 2023, 119: 105792.

[76] Sakcak B, Bascetta L, Ferretti G, et al. An admissible heuristic to improve convergence in kinodynamic planners using motion primitives[J]. IEEE Control Systems Letters, 2019, 4(1): 175-180.

[77] Dolgov D, Thrun S, Montemerlo M, et al. Path planning for autonomous vehicles in unknown semi-structured environments[J]. The International Journal of Robotics Research, 2010, 29(5): 485-501.

[78] Zang Z, Song J, Lu Y, et al. A unified framework integrating trajectory planning and motion optimization based on spatio-temporal safety corridor for multiple AGVs[J]. IEEE Transactions on Intelligent Vehicles, 2024, 9(1): 1217-1228.

[79] Harwell Subroutine Library. A collection of Fortran codes for large scale scientific computation [EB/OL]. [2025-06-01].http://www.hsl.rl.ac.uk/.

[80] Andersson J A E, Gillis J, Horn G, et al.CasADi: A software framework for nonlinear optimization and optimal control [J]. Mathematical Programming Computation, 2019, 11(1): 1-36.

后记

2025年9月初，本书完成定稿。漫长的写作工作至此告终，回望十余年的研究历程，我感慨万千。

我最初接触多车协同轨迹规划这一研究课题是在2014年年底。当时只会处理两到三辆车规模的协同轨迹规划问题，建模功底尚不扎实，对算法工程化也缺乏经验；彼时对初始解构造及热启动等技术的理解不足，一次小规模协同轨迹规划的计算耗时常达数百乃至上千秒，基本依靠“硬算”完成求解。计算缓慢以致实时性偏弱的问题始终未能彻底解决，针对审稿专家关于计算速度的疑问，我曾在一篇稿件中答复道：“本工作离线计算得到的最优解可以为其他实时规划算法品质提供可比较的标杆。”回过头来看，这一说法其实并不怎么合理，因为当时的我并不能驾驭非凸优化的求解品质，只能确保局部最优，谈不上为其他规划算法的输出品质提供标杆。2016年，我以联合培养博士生的身份从浙江大学赴密歇根大学安娜堡分校访学半年，那段经历使我首次真正接触到智能交通系统领域，视野由单纯的室内轮式机器人拓展到更广阔的智能网联汽车。自此，我逐步将一部分研究重心放在典型场景中的多车协同轨迹规划问题上，持续至今。写作本书的过程亦是回顾、反思与总结的过程，使我更深刻体会到十余年持续研究中的艰辛与收获。

在自动驾驶轨迹规划技术的探索上，我的研究工作最早要追溯到2013年。我在导师邵之江教授的指导下开始尝试将自动驾驶轨迹规划构建为通用的最优控制问题，并借助数值优化方法进行求解。当时学界的主流规划方法其实仍以采样和搜索为主，研究数值优化的学者，尤其是国内学者，相对来说并没有2019年以来这么多。这些年来，我亲历了自动驾驶轨迹规划技术从时空分解的采样搜索到时空联合的采样搜索、时空联合的数值优化，再到当下热门的端到端方案、多模态大模型方案与具身代理智能的演化。技术潮流不断更迭，而我始终聚焦于数值优化与计算最优控制方法体系。本书是对我在这一技术脉络十余年工作的梳理与总结，尤其集中体现了近三年的研究积累与思考。

相较于近年蓬勃发展的强化学习、深度学习乃至大模型范式，数值优化方法具有其独特而稳定的优势：一是可解释性强，最优控制模型中的决策变量、约束以及代价函数均显式地反映设计者的意图；二是结果可靠，只要优化过程收敛成功，解对约束的满足就在严格意义上成立，这使得研发与设计过程更具可预见性，系统性能与边界可事先推演与验证。我们期待在自动驾驶/智能交通系统领域，基于模型的数值优化方法能够与基于数据驱动的决策规划前沿技术形成优势互补，恰当地承担起兜底与保障的职责。

同时也必须承认，面对当下数据驱动方向的主导地位，沿着数值优化路线开展协同轨迹规划方向的研究与发表新成果的难度在上升，多少会产生一种未紧追最前沿的不安。对此我常想起导师邵之江教授的教诲：在高校的教学科研岗位上，沿一条明确的研究路线持续深耕，其意义之一在于传承。倘若人人一味追逐最热门的前沿技术，经典的数值优化方法便可能乏人问津，久而久之既影响方法谱系的延续，也会在人才培养上造成结构性短缺。由此观之，团队研究路线的惯性并非保守，而是育人与方法传承的体现：让计算最优控制的技术谱系有人学、有人用，在行业需要之际能够迅速发挥作用；在不需要时，它也作为安全底座与基准，维系学科生态的多样性与韧性。期待本书能够为读者朋友提供所需的帮助。

李柏

2025年9月3日

写于华东师范大学信息楼

作者简介

李　柏，华东师范大学信息与电子工程学院教授、博士生导师，主要研究方向为计算最优控制理论及其在自主无人系统规划与控制中的应用。2013 年于北京航空航天大学获学士学位，2018 年于浙江大学获工学博士学位。作为第一作者在 *IEEE Transactions on Intelligent Transportation Systems*、*IEEE Transactions on Intelligent Vehicles*、*IEEE Transactions on Systems, Man, and Cybernetics*、*IEEE/ASME Transactions on Mechatronics* 等国际期刊与会议发表论文 80 余篇，其中包括高被引论文 6 篇、热点论文 1 篇。研究成果获得 Google Scholar 引用 5300 余次（h 指数 41）。作为第一著者出版学术专著 2 部，作为第一发明人获得中国发明专利授权 31 项，并获得学术论文奖与学术编辑奖 5 项。主持科技部重点研发计划项目子课题、国家自然科学基金项目、中央军委科技委“国防科技 173 计划”基金（重点基金项目）、湖南省自然科学基金项目、复杂系统管理与控制国家重点实验室开放课题，以及大量的自动驾驶企业委托项目。李柏于 2023 年入选湖南省“芙蓉计划”湖湘青年英才计划，2024 年与 2025 年入选斯坦福大学与 Elsevier 发布的全球前 2% 顶尖科学家生涯榜单。担任 *IEEE Transactions on Intelligent Vehicles* 副编辑、*IEEE Vehicular Technology Magazine* 客座编辑、*IEEE/ASME Transactions on Mechatronics* 客座编辑、*IET Cyber-Systems and Robotics* 青年编委、《控制与信息技术》青年编委、《智能科学与技术学报》青年编委、《哈尔滨工业大学学报》青年编委、2022 年度自主泊车轨迹规划国际挑战赛组委会主席，以及中国自动化学会智能车工作委员会副主任委员。

孙跃硕，湖南大学机械与运载工程学院在读硕士研究生，师从李柏教授。2023 年于合肥工业大学获工学学士学位（专业：自动化），同年获得安徽省高等学校优秀毕业生荣誉称号。攻读硕士学位以来，主要研究方向为多智能体协同轨迹规划理论，于 2024 年获得研究生国家奖学金。

田　伟，华东师范大学研究员、博士生导师。2011年于海军航空工程学院获博士学位，后为航空工业洪都集团与南京航空航天大学联合培养博士后。长期从事无人系统集群协同控制与通信基带信号处理研究，专长于航空装备智能保障的理论研究与工程应用。迄今已发表学术论文50余篇，出版学术专著2部，获国家发明专利与国防专利授权7项。先后主持或承担中央军委装备发展部预研基金、中国博士后科学基金特别资助、航空科学基金、军事航空装备研制与测试保障、无人系统集群控制与体系仿真等20余项科研项目。

张友民，加拿大康考迪亚大学机械、工业与航空工程系终身教授，博士生导师。长期从事控制理论与工程应用研究，专长于故障检测与诊断、容错控制、感知与避障、飞行器导航、制导与控制，以及多智能体 / 多运动体（空中、地面、水面、可再生能源与智能电网）容错协同控制。分别于1983年、1986年和1995年在西北工业大学获得自动控制专业学士、硕士和博士学位。1986年至1995年留校任教，并于1992年破格晋升为副教授。1995年至1997年在美国新奥尔良大学任访问学者，1997年至1998年在美国路易斯安那大学任访问学者 / 博士后，1998年在美国纽约州立大学宾汉姆顿分校从事博士后研究。1998年至2003年在加拿大西安大略大学任研究员 / 博士后、助理教授，2004年至2006年在丹麦奥尔堡大学任助理教授。自2006年起加入加拿大康考迪亚大学机械、工业与航空工程系，历任副教授、教授至今。美国电气与电子工程师学会会士和加拿大机械工程师学会会士。自1992年以来，发表学术论文700余篇（期刊与会议），出版专著11部，其研究成果在Google Scholar上的引用次数达到35000余次，h指数为93。在国际权威学术评价机构ScholarGPS发布的2024年全球前0.05%顶尖科学家榜单中，在Aircraft Systems和Fault Tolerance（Lifetime）两个主题下的影响力均排名世界第一，在Unmanned Aerial Vehicle（Lifetime）主题排名世界第二（加拿大唯一入选者）；2021年以来连续入选斯坦福大学与Elsevier发布的全球前2%顶尖科学家榜单。自2013年以来，多次担任大会主席、大会荣誉主席或大会程序委员会主席，积极组织并参与“无人机系统国际会议”“智能无人系统国际会议”“自主无人系统国际会议”“可再生能源与动力工程国际会议”等学术会议。2019年至2022年，担任“国际智能无人系统”协会主席。同时，在20余种国际期刊担任重要职务，包括*Journal of Intelligent Unmanned Systems and Applications*创刊主编、*Chinese Journal of Aeronautics*副主编、*Guidance, Navigation and Control*副主编、*Frontiers in Control Engineering*专题主编、*IEEE Transactions on Industrial Electronics*副编辑以及*IEEE Transactions on Neural Networks and Learning Systems*副编辑等。